红十字运动：
历史传承与当代发展

池子华　著

合肥工业大学出版社

图书在版编目（CIP）数据

红十字运动：历史传承与当代发展/ 池子华著 . —合肥：合肥工业大学出版社，2018.5

（红十字文化丛书）

ISBN 978－7－5650－3945－4

Ⅰ.①红…　　Ⅱ.①池…　　Ⅲ.①红十字会—文集　　Ⅳ.①C913.7－53

中国版本图书馆 CIP 数据核字（2018）第 096360 号

红十字运动：历史传承与当代发展

池子华　著

责任编辑	章　建　张　燕	
出版发行	合肥工业大学出版社	
地　　址	（230009）合肥市屯溪路 193 号	
网　　址	www.hfutpress.com.cn	
电　　话	总　编　室：0551－62903038	
	市场营销部：0551－62903198	
开　　本	710 毫米×1010 毫米　1/16	
印　　张	22.75	
字　　数	368 千字	
版　　次	2018 年 5 月第 1 版	
印　　次	2018 年 5 月第 1 次印刷	
印　　刷	安徽联众印刷有限公司	
书　　号	ISBN 978－7－5650－3945－4	
定　　价	65.00 元	

如果有影响阅读的印装质量问题，请与出版社市场营销部联系调换。

总　序

　　150 年前，高举人道主义旗帜，旨在促进人类持久和平的红十字运动在欧洲兴起并迅速走向世界。100 多年来，红十字会为世界和平与发展做出的巨大贡献有目共睹，因而日益受到世界各国、各地区的欢迎，已发展成为与联合国、奥委会并称的世界三大国际组织之一。究其原因，乃其所奉行的七项基本原则——也是红十字文化的内核——涵盖了世界上各种不同文化的共同点，能为文化和制度不同的国家所接受，故而具有强大的生命力。

　　100 年前，红十字运动东渐登陆中国。在其中国化的发展过程中，红十字会不断吸取中国传统文化的精髓，茁壮成长，逐步形成了"人道、博爱、奉献"的文化内涵，并成为中华文化的瑰宝之一。

　　百余年来，红十字运动在波澜壮阔的实践中积累了丰富的经验，也留下了许多教训。经验与教训需要上升为理论；也只有理论才能更好地指导红十字事业持续、健康发展。学界、业界对此都进行了持续的关注。

　　2005 年 12 月 7 日，苏州大学社会学院与苏州市红十字会携手合作，成立全国首家红十字运动研究中心，旨在通过学界和业界的联合，推动和加强红十字运动的理论研究，探究红十字运动中国化的过程与特色，凝练红十字文化价值，探求红十字运动在构建国家软实力和促进中华民族伟大复兴中的地位与作用。同年 12 月 9 日，中国红十字会总会也提出，"确定一批研究课题，组织专家学者开展对国际红十字运动及中国红十字运动的深入研究"[①]。由此，学界、业界共同开展了对红十字运动

---

　　①　中国红十字会总会：《关于加强和改进宣传工作的意见》，红总字〔2005〕19 号。

的学术研究与理论探讨。

多年来，红十字运动研究中心除通过专业网站（http：//www.hszyj.net）发布和交流学界、业界动态外，已出版研究成果数十部；帮助一些地方红十字会建立与高校的合作，搭建平台，共同开展研究；举办了首届红十字运动与慈善文化国际学术研讨会；培养了一批专门研究红十字运动的生力军；积累了大量的学术资料。中心主要研究人员还借助在各地讲学的机会，传播重视红十字运动研究的理念。正是在红十字运动研究中心的引领之下，红十字运动研究在中华大地上呈现出生机勃勃的发展态势，并取得了丰硕的成果，"新红学"①呼之欲出。仅以 2011 年为例，各地以纪念辛亥革命 100 周年为契机，纷纷整理、编辑出版了地方红会百年史；有的红会还与高校合作组建相关研究中心，等等②。这些方式有力地推动了红十字运动研究向更深更广的方向发展。

当今世界正处于大发展大变革大调整时期，多极化、经济全球化深入发展，科学技术日新月异，各种思想文化交流、交融、交锋更加频繁，文化在综合国力竞争中的地位和作用更加凸显。2011 年 10 月 18 日，党的十七届六中全会通过的《中共中央关于深化文化体制改革推动社会主义文化大发展大繁荣若干重大问题的决定》，提出要推动社会主义文化大发展大繁荣。11 月 7 日，教育部发布了《高等学校哲学社会科学繁荣计划（2011—2020 年）》，大力提升高等学校人才培养、科学研究、社会服务、文化传承创新的能力和水平。12 月 7 日，全国人大常委会副委员长、中国红十字会会长华建敏在中国红十字会九届三次理事会上提出，"要深化理论研究，充分挖掘红十字文化内涵，推进红十字文化中国化，广泛传播人道理念，在全社会推动形成良好的道德风尚"③。

① 在 2009 年 4 月于苏州大学召开的"红十字运动与慈善文化"国际学术研讨会上，红十字运动研究中心主任、江苏红十字运动研究基地负责人、苏州大学教授池子华指出，经过 100 多年波澜壮阔的实践发展和学术界呕心沥血的开拓性研究，在人文社科领域构建一门"新红学"——红十字学，条件已经具备，时机已经成熟。见池子华：《创建"红十字学"刍议》，《中国红十字报》2009 年 4 月 17 日。

② 池子华、郝如一：《2011 年红十字理论研究之回顾》，《中国红十字报》2012 年 1 月 3 日。

③ 《中国红十字会九届三次理事会召开》，《中国红十字报》2011 年 12 月 9 日。

红十字"文化工程"已然成为红十字会总体建设目标之一①。进一步加强与拓展红十字运动理论研究，尤其是对红十字文化中国化的研究，已成为历史与现实的呼唤。

有鉴于此，红十字运动研究中心继续发挥高等学校与业界合作的优势，汇聚研究队伍，科学选题，出版一套"红十字文化丛书"，弘扬有利于国家富强、民族振兴、人民幸福、社会和谐的思想和精神，凸显红十字文化在中国文化园地中的地位，使红十字文化在神州大地上更加枝繁叶茂，促进中国红十字事业可持续发展，推动红十字文化的国际交流。

"红十字文化丛书"的出版，得到了中国红十字基金会、江苏省红十字会、苏州大学社会学院、上海市嘉定区红十字会、浙江省嘉兴市红十字会、江苏省盐城市盐都区红十字会等单位的鼎力支持，也得到红十字国际委员会东亚代表处及中国红十字会总会的关心和指导，在此谨致衷心感谢。

池子华

2012 年 6 月于苏州大学

---

① 池子华：《"文化工程"应成为红十字会总体建设目标之一》，《中国红十字报》2009 年 12 月 11 日。

目　　录

【理论探索】

新时期红十字会改革的理论探索 ………………………………（003）

"依法治会"的理论思考 …………………………………………（013）

突出"五有"，推进志愿服务精准化 …………………………（017）

宗旨　定位　职责

　　——关于红会法修订草案中的若干表述 …………………（020）

创新发展：引领红十字事业发展的"第一动力" …………（023）

中国红十字运动区域研究：理论与方法 ………………………（027）

【文化研究】

关于《江苏红十字会志》的资料问题 ……………………………（043）

新媒体管理与红十字会公信力建设 ……………………………（050）

新媒体与红十字会法传播 ………………………………………（054）

新媒体与红十字文化传播 ………………………………………（058）

找准"结合点"　开辟"新渠道"

　　——关于拓宽红十字会法传播渠道的思考 ……………（063）

润物细无声

　　——红十字文化传播教育基地建设漫谈 ………………（067）

红十字标志保护史 ………………………………………………（071）

【能力建设】

中国红十字会如何适应"新常态" ………………………………（077）

人道需求与公益组织能力建设 ………………………………（089）

人道需求与中国红十字会能力建设 …………………………（093）

红会创新能力建设的观察思考 ………………………………（114）

【观察思考】

更加平衡　更多参与　更加多元
　　——2015 年国际红十字运动新动态………………………（121）

人人都应得到人道待遇
　　——2016 年国际红十字与红新月运动新动态………………（129）

直面挑战　着眼未来
　　——2017 年国际红十字与红新月运动新动态………………（137）

中国灾害史研究的"大趋势" ………………………………（144）

天灾无情人有情
　　——盐城"6·23"风雹灾害中的红十字救援 …………………（148）

【历史纵横】

"中国红十字会"称谓的由来及其演变 ……………………（159）

中国红十字会何以首先诞生于上海 …………………………（164）

中国红十字会第一分会何以设在营口 ………………………（171）

中国红十字会救治 1918 年浙江时疫述论
　　——以《申报》为考察中心 ………………………………（175）

从《红十字会条例》到《红十字会法》
　　——中国红十字事业的法制化进程 ……………………（185）

上海红会组织救护第一次江浙战争述论 ……………………（189）

中国红十字会史上的"监事会" ……………………………（208）

民国前期红十字会皖北救援活动管窥 ……………………………（213）

1923 年日本关东大地震人道救援

　　——中国红十字会援外行动的一个范例 ……………………（222）

20 世纪 30 年代中国红十字会救灾机制的转变

　　——以水旱灾害救济为中心 …………………………………（228）

抗战初期中国红十字会战地救护工作述论 ……………………（240）

"一·二八"事变与中国红十字会的沪战救护 ……………………（252）

人道光辉照耀"孤岛"

　　——抗日战争期间上海国际红十字会救助难民和伤兵 ………（266）

中国红十字会救护总队抗战救护述论

　　——以武汉广州会战时期为中心 ……………………………（274）

从战地救护到社会服务

　　——简论抗战后期中国红十字会的"复员"构想 ……………（284）

全面抗战时期国际红十字组织对华人道援助述论 ………………（294）

【学术评论】

2015：理论研究的新气象 ……………………………………（309）

序《微言浅语：红十字会工作笔录》 …………………………（311）

《人道之光》序 ………………………………………………（313）

《民国时期中国红十字会制度建设》序 ………………………（315）

序《无锡华氏义庄：中国传统慈善事业的个案研究》 …………（317）

理论研究的"行动"者

　　——《但闻人道絮语声》序 …………………………………（320）

【杂文随笔】

红十字与民间外交 ……………………………………………（325）

在"抗战时期的上海红十字"理论研讨会上的发言 ……………（327）

传承历史　开拓未来 …………………………………………（330）

"'两论一动'与红十字事业发展座谈会"总结发言 …………（332）

从历史中汲取智慧和力量

    ——在《红十字在上海，1904—1949》首发式上的发言……（334）

在内蒙古红十字会新时期红十字会理论培训研讨班结业典礼上的

    讲话 ……………………………………………………（338）

"'依法治会'与红十字事业发展座谈会"总结发言 …………（340）

红十字运动研究如虎添翼 ……………………………………（342）

"五大发展理念与红十字事业"研讨会总结发言 ……………（344）

【附　　录】

奋力挖掘不该被遗忘的"角落"

    ——一位历史学者与红十字运动的缘分 ………………（349）

后　记 ……………………………………………………………（352）

理论探索

新时期红十字会改革的理论探索

改革与发展是所有社会组织不变的主题，作为中国最大的社会组织，红十字会同样面临深化改革的问题。本文从 4 个方面展开，探讨红十字会改革的目标、实现的路径、改革的焦点与难点等问题，不妥之处，请方家指正。

一、红十字会改革：目标与内容

2012 年 7 月 31 日，《国务院关于促进红十字事业发展的意见》（国发〔2012〕25 号）正式发布。这是中华人民共和国成立以来国务院专门为红十字会工作下发的第一个文件，意义重大。《意见》提出，应积极推进红十字会体制机制创新，着力打造公开透明的红十字会。公开透明是提升红十字会社会公信力的重要保证，信息化建设是推进公开透明的重要手段。各级红十字会要按照规定严格执行信息公开制度，做到资金募集、财务管理、招标采购、分配使用等捐赠信息公开透明，切实保障捐赠人和社会公众的知情权、监督权。要建立健全新闻发言人制度，及时、全面、真实、准确地向社会发布相关信息，及时回应社会关切。

改革是《意见》的核心，《意见》强调"着力推进红十字事业改革创新"，这就意味着对红十字事业的未来发展和红十字会自身建设提出了更高要求。改革的目标是"建立与社会主义市场经济体制和国际人道主义原则相适应的体制机制"，建立"高效、透明、规范"的管理体制和运行机制①。

改革是一项系统工程，涉及面广，其中重点内容应该包括 6 个方面：一是深化管理体制的改革；二是制度建设与运行机制的创新；三是筹款募捐机制的创新；四是用人机制的改革；五是建立完善考核与评估

---

① 《国务院关于促进红十字事业发展的意见》，国发〔2012〕25 号。

机制；六是监督管理机制的完善。

　　改革任重道远，但没有改革创新，红十字会就会面临"生存问题"。毫无疑问，改革是事业发展的动力之一。

二、能力建设：实现改革目标的关键

　　改革目标能否实现，关键在于能力建设，这是事业发展的客观要求。那么什么是能力建设？能力建设包括哪些内容？能力建设的特征是什么？如何提高能力建设的有效性？这些基本问题弄清楚了，能力建设才能有的放矢。这里就此问题发表一些粗浅的看法。

　　什么是能力建设，可谓仁者见仁智者见智，不同领域也会有不同的界定。就红十字会的能力建设而言，我们可以把它界定为：依据红十字会的宗旨和使命，不断满足人道需求和实现自身可持续发展的综合能力。这两个大的方面，都有各自的能力结构系统，由此构成能力建设的网络体系。

　　第一个方面，要不断满足日益增长的人道需求，自然需要不断强化能力建设，其主要内容包括运筹能力、筹资能力、执行能力、监管能力等方面。

　　"运筹帷幄之中，决胜千里之外"。运筹能力强，决策正确，就会取得最佳效果。反之，事倍功半。"未雨绸缪"，备灾救灾中心的建设、中华骨髓库建设、救护培训等，都体现了"运筹"的魅力。红十字会无论是运作品牌，还是组织募捐，也都需要精心安排，周密筹划。运筹能力建设的重要性不言而喻。

　　筹资能力建设，对红十字会而言，具有非同一般的意义。在中国红十字会的历史文献中，我们可以看到这样的经典之论："红十字会的生命泉源，便少不得会员，缺不得基金。红十字会的生命力量，就是要会员健全，就是要基金充足。"① 没有善款，所谓"三救""三献"云云，都将无从谈起。"生命泉源"枯竭，红十字会的命运可想而知。而要"基金充足"，显然不是一句空话，它要求筹资能力的不断提高，才可望永葆旺盛的"生命力量"。

　　执行能力是处理事物的方法与经验，说到底是保质保量完成使命的

----

　　① 中华民国红十字会总会编印：《中华民国红十字会征募手册》（1946 年内部印行），扉页。

能力。正确的决策和安排如何落到实处，应急救援（包括国际救援）的组织能否快速到位，善款能否科学运作，人力资源整合、配置是否合理等，都是影响执行能力的决定性因素。没有强大的执行能力，红十字会的独特作用就不可能得到很好的发挥，事业发展也将受到冲击。

监管能力，包括自我监管和第三方监管。红十字会满足人道需求的工作能否顺利推进，能否取得广大民众的认可，从而赢得与日俱增的公信力和美誉度，离不开自我的监督与管理，尤其在善款的募集和使用方面，直接关系到红会工作的成败得失，这就要求自我监管能力的不断提高。而要取信于民，引入第三方监管机制并加以扩大必不可少，这样做可以弥补自我监管的不足，提升监管水平。

第二个方面，运筹、筹资、执行、监管等能力的建设，是以红十字会组织为载体的。因此，自身能力的建设尤为关键，它是红十字会本身实现可持续发展的"源头活水"。红十字会自身能力建设，应该包括适应能力、创新能力、公关能力、文化建设能力等方面的内容。

适应能力是应对社会发展需求，有效扮演与身份相适应的角色，功能得到充分发挥的能力。"适者生存"虽然是生物学法则，但对包括红十字会在内的非政府组织来说，其延伸意义同样适用。社会适应能力的不断提高，要求有完善的组织体系。就目前情况而言，组织体系距离最优状态尚有很长距离，管理体制还没有完全理顺。根据调研，在江南某县级市红十字会，虽然理顺了管理体制，但仍是"一个人的红十字会"，很难适应社会发展需要，这种现象绝非个案。适应能力建设，已成为紧迫而艰巨的任务。除健全组织之外，"红十字会的组织细胞是会员"，会员以及志愿者的数量和质量直接影响红会组织的适应能力，理所当然应包括在适应能力建设的范围之内。

创新，按照一般的解释，是创造与革新的合称。它具有新颖性（即不墨守成规，是前所未有的）、独特性（即不同凡俗、独出心裁）、价值性（即对社会或个人的价值大小）。1998年11月24日，中国红十字会原名誉会长江泽民同志在新西伯利亚科学城会见科技界人士时曾指出："创新是一个民族进步的灵魂，是一个国家兴旺发达的不竭动力。"对一个社团组织来说同样如此，没有创新，没有"头脑风暴"，就没有活力，没有生机，组织发展就不可能实现可持续性。创新包括创新意识、创新思维和创新技能。红十字会创新能力建设，主要围绕这三个方面展开，以实现红十字会自身的变革、进步和超越。

公关能力是各种协调、把握、应对、处理人与事的能力。从公共关系学的角度说，任何组织在它生存发展过程中都和社会环境发生各种各样的关系，组织运用传播沟通的手段来处理这些关系就是公关。公关的主体是组织，客体是公众，手段是传播沟通，目的是改善自己的公共关系状态，获得公众的好感与合作，以顺利实现组织预期的目标。红十字会要取得公众的广泛支持与参与，必须借助各种传播手段，强化传播沟通能力。我们所说的红十字会宣传工作、传播国际人道法等，实际上都是公关的有机组成部分。广而言之，作为非政府组织，红十字会要与政府组织打交道；作为非营利组织，红十字会要与各种营利组织打交道；作为民间组织，红十字会要与各种民间组织打交道，还有民间外交。如此等等的"多边关系"，都要求红十字会具有很强的公关能力。公关能力建设，无论如何都不能忽视。

文化是指实践过程中创造出来的物质文化、精神文化和制度文化的总称。就红十字会而言，不断提高文化建设能力，可以增强影响力、感召力、凝聚力，提升"软实力"。红十字工作者奉行的"人道、博爱、奉献"的红十字精神，经过长期的社会实践，已经形成被广泛认同的以"人道为本、博爱为怀、奉献为荣"的"红十字文化"。其实这只是精神文化的一个方面。文化建设能力不仅包含红十字精神文化的继承和弘扬，还包含各种规章制度的不断完善、物质文化遗产的保护与开发、"品牌"的打造、理念的创新以及学习能力、研究能力的提高等，这些都属于文化建设能力的范畴。文化是灵魂，是红十字会能力建设的永恒主题。

运筹能力、筹资能力、执行能力、监管能力、适应能力、创新能力、公关能力、文化建设能力，相互联系，相互作用，相互影响，构成了红十字会能力建设的完整体系。在这个体系中，"人"是核心，无论何种能力，都要靠红十字人去建设，因此能力建设也要"以人为本"。这是红十字会能力建设的一个突出特征。

第二个特征就是开放性。能力建设体系并不是封闭的，而是开放的，国际红十字运动的各成员国、各式各样的 NGO 以及各种社团组织，只要在能力建设方面有可取之处，都可以纳入红十字会的能力建设体系之中，"为我所用"。同时，开放性的另一表现，就不仅仅是"八大能力"建设，随着社会的发展、时代的进步和环境的变迁，会对红十字会能力建设提出新的要求，因此新能力建设"准入"能力建设体系，使能力建设体系在"与时俱进"中臻于完善。

第三个特征是长期性。能力建设是一个持续的、长期的过程。红十字会无论是应对挑战，还是面对机遇，都需要不断强化能力建设，只有这样，才会实现"能力发展"。因此，红十字会能力建设绝不是"短期行为"，它也需要有一个"长效机制"。

如何提高能力建设的有效性呢？这本身就是一个重大课题，而且能力体系的每个方面也都有各自的能力建设路径，具有各自的特色与要求，需要进行专题的研究、深入的探索。从总体上来讲，我个人认为，应该强调两点。

首先，应强化能力建设意识。只有清醒意识到能力建设对红十字会生存与发展的决定性影响，才能自觉投入能力建设中去。2010年1月12日，华建敏会长在深圳召开的红十字会工作会议上强调要大力加强红十字会的能力建设："要着力提高围绕中心、服务大局的能力，自觉把红十字会工作放到党和国家工作大局中思考和定位；要着力提高突发公共事件的应急能力，满足人民群众不断增长的人道需求；要着力提高开展自救互救知识培训的能力，特别是推动事故高发行业和中小学校的救护培训工作；要着力提高红十字会干部队伍的学习能力、调查研究能力和理论研究、文化建设能力，把红十字会建设成为学习型社会团体。"① 这既是对红会工作所提出的要求，也反映出能力建设的重大意义和时代价值。

其次，建立能力建设的评估机制。这是加强能力建设的必要手段。总会以及各级红十字会能力建设的绩效如何，透过评估机制，可以得到真实的呈现。评估可以自评，总结成绩，找出能力建设的着力点；也可以自上而下测评，作为考核红十字会工作业绩的依据。建议总会根据能力建设的构成要素，出台能力建设的评估指标，量化为分值，先选择几个点试行，以检验其科学性，如果科学、合理、有效，即可推而广之，促进能力建设的规范化和有序化②。

三、改革焦点：打造公开透明的红十字会

公开透明既是改革的焦点，也是改革的难点。公开透明是现代社会公众对公益组织的期待。对包括红十字会在内的公益组织而言，公开透明是取信于民、立足社会的基本条件。

---

① 《中国红十字会2010年工作会议在深圳召开》，《中国红十字报》2010年1月15日。
② 参见池子华：《红十字运动：历史与发展研究》，合肥工业大学出版社2013年版。

"公开"，按照《新华字典》的解释，"不加隐蔽；面对大家"，与"秘密"相对。"透明"是指物体透过光线，如通过透明的玻璃窗，我们能看到对面被遮挡的事物。换句话说，公开比透明，对公众放开的程度要大得多。有人以政府采购为例，说明"公开"与"透明"的区别，认为政府采购的公开原则不仅仅要求的是结果公开，更重要的是程序公开；而透明是指政府采购活动要自始至终地置于各级监督部门的监督下进行。比方说，政府采购是一个箱子，公开是将箱子完全打开，透明则是要将箱子的四壁换上玻璃①。"公开透明"合用，既要求公开，又要求透明，实际上表达了公众对公益组织更高的期盼。

就红十字会而言，正式做出公开透明承诺是在"郭美美事件"之后。2011年7月6日至7日，中国红十字会在北京召开全国红十字会系统廉政工作会议。7日，中国红十字会向社会承诺：将严格执行"捐赠款物公开，财务管理透明，招标采购公开，分配使用透明"的自律规定，把廉政建设和公开透明工作提升到新高度。这就是我们通常所说的"两公开两透明"的由来。

2011年7月21日，中国红十字会总会发布《关于贯彻落实"两公开两透明"承诺的通知》（中红字〔2011〕51号），提出将力争在两年内实现全国红十字会系统信息公开的制度化、标准化和规范化，捐赠人隔日将可在红会网站上查询款物信息。《通知》要求，地方各级红会要积极履行"两公开两透明"承诺，以重塑红十字会的社会形象。

《通知》称，中国红十字总会将建立和完善捐赠款物接受、管理、使用分配的公示、跟踪和反馈制度，主动接受政府有关部门的监管和媒体、公众的监督。

《通知》提出，将着力构建阳光透明的财务公开机制，政府拨款的财政资金要及时公布"三公"支出，社会捐赠的资金要及时公布使用分配情况。

《通知》还要求，在物资采购、工程发包、购买服务等工作中，应坚持程序规范、过程公开、结果公示的原则②。

履行承诺三年来，应该说各级红会做出了不少努力，也取得了很大成效，如地市级红十字会网站，一般都具备捐赠款物的公开与查询功

---

① 吴强：《把握公开透明原则》，http：//www.caigou2003.com/theory/discussion/20040922/discussion_4109.html。

② 《总会要求全系统落实"两公开两透明"》，《中国红十字报》2011年7月26日。

能。但三年来，红会并没有达到重塑红十字会社会形象的目的，这其中原因复杂，而公开透明依然是一个重要方面。这说明，打造公开透明的红十字会，仍是路漫漫。

为什么要打造公开透明的红十字会，原因其实并不复杂，主要两个方面：一是红十字会自身生存与发展的内在需要；二是因应公众的外在诉求。

中国红十字会自 1904 年诞生以来，用于社会救助的款物大多取之于民，用之于民；而要"取之于民"，首先要"取信于民"；要"取信于民"，必须做到公开透明，否则没有公信力，就不可能立足社会。与此同时，公众公开透明的诉求，也"倒逼"红十字会公开透明。

那么，如何打造公开透明的红十字会？有几个关键性问题是应该努力解决的。

其一，完善机制。机制，泛指一个系统中各元素之间相互作用的过程和功能。机制是经过实践检验证明有效的、较为固定的方法。一个好的机制，是在不断完善过程中臻于成熟的。对红十字会而言，要真正做到"两公开两透明"，最直接、最有效的办法，就是建立健全信息披露机制。比如说，总会有"捐赠信息发布平台"，但不够健全。各省以及地市级红十字会也都在各自网站上披露捐赠信息，但是功能还不够强大。完善的信息披露机制，我想应该具有这样几个基本特点：一是更新及时，从目前情况看，不少网站还做不到这一点；二是查询功能，包括接收捐赠款物的信息及使用情况，都可以查询；三是联动机制，不论你在何时何地，不管你登录哪一级红会网站，都可以查询到你想知道的信息，这样的信息披露机制才是健全的。但目前还无法做到这一点。

当然，信息披露不局限于互联网，各种媒介如报纸杂志、广播电视、LED 显示屏等等，都可以为我所用。

在机制建设中，还应该进一步完善内部监管机制。红十字会系统一个很大的遗憾就是取消了监事会。之所以用"取消"这一词，就是说"监事会"在历史上曾经存在过。1934 年 9 月 24 日至 28 日，中国红十字会在上海召开直辖内政部后的第一次全国会员代表大会，在这次会议上，红十字会进行了改组，取消了原来的常议会，由理事会、监事会取而代之。理事会是红十字会的最高执行机关，监事会是最高监察机关，理事会、监事会联席会议是全国会员代表大会闭会期间最高权力机关。监事会于 1945 年抗战胜利后撤销。1950 年总会改组时，亦没有恢复监事会的设置。作为监察机关，监事会的存在是必要的，是红十字会自我监督的重要手段，可以有效保证运行机制的公开透明。所以，我建议红十字会系统进行必要的改革，恢复监事会的设置。

其二，外部监督。所谓外部监督，不是指中国红十字会自己设立的社会监督委员会那样的专家咨询机构，而是真正独立的第三方监督。社会监督委员会不应该是红十字会出面组织，而应该由民政部门发起，对包括红十字会在内的公益慈善组织进行监督。据报道，2013 年 6 月 19 日，中国第一个慈善组织第三方监督机构——广州市慈善组织社会监督委员会正式成立，首届 15 名委员全部由非公职人员担任，强调独立性，以应对困扰中国慈善事业的信任危机①。这是一个很好的开端。

在外部监督中，网络监管同样是促进红十字会走向公开透明的重要途径。这方面，苏州市红十字会做了有益的尝试。2013 年 5 月 25 日，苏州市红十字会聘请 10 位活跃在苏州各大论坛的网民为网络监督员，他们可通过查账本、参与款物筹募及资金分配流程等方式进行监督②。这种主动邀请网民对红会工作进行监督的做法很有创意，比被动地被网民监督"倒逼"公开透明，更易于赢得公信力。网络监督员是网民与红十字会之间沟通的桥梁，一方面，通过他们可以向红十字会表达网民公开透明的诉求；另一方面，作为监督员，他们在监督过程中了解红十字会公开透明的具体做法，并向网民进行披露，争取有利的网络舆情。互联网时代，网络监督已成为社会监督的利器，这是大势所趋。红十字会如何适宜这一变化，在监督与被监督之间寻找一个平衡点，至关重要。苏州红会的探索值得肯定，值得推而广之。

在外部监督中，还有一个重要杠杆，那就是审计。作为一种特殊的监督方式，它以"秋后算账"的"倒逼"给公开透明工作戴上"紧箍咒"。对红十字会而言，应该邀请具有影响力的第三方会计师事务所进行独立审计，审计结果及时发布。2013 年 6 月 21 日，《文汇报》发布《关于上海市红十字会人道救助基金 2012 年度财务收支情况审计报告》，就是一种可取的做法。会计审计是规范、引导红十字会工作公开透明的杠杆，通过这一杠杆，可以提升外部监督的功效，有助于提振红十字会的公信力。

其三，制度建设与法律保障。公开透明攸关红十字事业的未来发

---

① 《广州创立慈善组织第三方监督机制》，http://politics.people.com.cn/n/2013/0619/c70731-21900899.html。

② 《苏州 10 位网民获聘红会监督员》，《中国红十字报》2013 年 6 月 7 日。

展，是别无选择的选择。要打造公开透明的红十字会，还必须建章立制。但是很显然，当前的红会制度建设没有及时跟进，就像"捐赠款物公开，财务管理透明，招标采购公开，分配使用透明"，都还没有出台专项制度加以保障，仅靠一纸《关于贯彻落实"两公开两透明"承诺的通知》，还不具有约束性或约束性不够强大。因此，制定与公开透明相关的系列专门制度，也是当务之急。

制度虽然具有约束性的特点，但不具有强制性，正因为如此，法律保障不可或缺。对此，在修订《红十字会法》时，应该给予充分关注。还应该强调的是，法律面前人人平等，对违背相关规定给红十字会造成严重后果的红十字会领导干部，同样应该追究法律责任。也就是说，在法律的框架下，建立"问责机制"，不可或缺。

总之，打造公开透明的红十字会，是中国红十字会面临的一大挑战，是必然的选择。中国红十字会应不断进行改革，朝着这个方向努力。

四、在改革浪潮中应强化三种"意识"

2013年11月9日至12日，党的十八届三中全会在北京召开。全会提出全面深化改革的总体目标，描绘出中国未来发展蓝图，意味着新一轮的改革浪潮即将来临。这对红十字会的改革与发展具有重要指导意义。首先，要求红十字会提高"适应"能力，在改革的时代大潮中更好地发挥作用；其次，要不断提升自身的发展能力，只有这样，才能与时俱进；再次，建立和完善与改革总目标相向的体制机制，在更好地满足日益增长的人道需求的同时，实现自身的可持续发展。

"创新社会治理，激发社会组织活力"是全会提出的"必须切实转变政府职能，深化行政体制改革"的必然要求。"小政府、大社会"及政社分开，是社会发展的大趋势。简政放权，政府许多职能势必由社会组织承接。事实证明，社会组织，包括社会团体、基金会和民办非企业单位，在社会管理、公共服务等方面的作用日益凸显，已成为社会治理的主体。"激发社会组织活力"，也表明政府将为社会组织的发展提供更为广阔的空间，使之在社会治理中释放出更为强大的能量，促进社会的和谐进步。红十字会堪称最大的社会组织，在社会治理中，理应更具有"活力"。

十八届三中全会提出的宏伟蓝图，对红十字会来说，既是难得的机遇，也面临新的挑战。因此，各地红会在落实十八届三中全会公报精神时应强化三种意识：一是"机遇意识"，把握机遇，增强信心，以饱满的激情迎接新的改革浪潮；二是"竞争意识"，应该看到，社会组织在深化行政体制改革过程中将会迎来大发展，红十字会面临更大的竞争压力，增强"竞争意识"，将压力转化为动力，才能不断胜出；三是"服务意识"，加强能力建设，发挥自身优势，以优质的"公共服务"，强化红十字会在社会治理中无可替代的角色和作用。

（原载《红十字季刊》2014 年第 3 期）

"依法治会"的理论思考

"依法治会"是中国红十字事业健康发展的保障,是新时期红会工作的指针。"依法治会"理论意义和实践价值,不言而喻。那么"依法治会"的基础、依据是什么?"依法治会"与"依法治国"关系如何?"依法治会"对红十字事业发展具有什么样的作用?"依法治会"如何实现?对此本文进行一些探索。

"依法治会"的基础:《宪法》

毫无疑问,"依法治会"的基础是宪法。宪法(constitution)是一个国家的根本大法,规定国家的根本任务和根本制度,即社会制度、国家制度的原则和国家政权的组织以及公民的基本权利义务等内容。《中华人民共和国宪法》在序言中明确规定:"本宪法以法律的形式确认了中国各族人民奋斗的成果,规定了国家的根本制度和根本任务,是国家的根本法,具有最高的法律效力。全国各族人民、一切国家机关和武装力量、各政党和各社会团体、各企业事业组织,都必须以宪法为根本的活动准则,并且负有维护宪法尊严、保证宪法实施的职责。"红十字会也不例外。2012 年 12 月 4 日,习近平在首都各界纪念现行宪法公布施行 30 周年大会上发表重要讲话指出,全面贯彻实施宪法,是建设社会主义法治国家的首要任务和基础性工作。宪法是国家的根本法,是治国安邦的总章程,具有最高的法律地位、法律权威、法律效力,具有根本性、全局性、稳定性、长期性。任何组织或者个人,都不得有超越宪法和法律的特权。一切违反宪法和法律的行为,都必须予以追究。这就要求红十字会在"依法治会"过程中,始终"以宪法为根本的活动准则",宪法的基础地位在任何时候都不能动摇。

"依法治会"的依据：《红十字会法》

红十字会所依之法，宪法之外，当然是《中华人民共和国红十字会法》。按照宪法第五条的规定："一切法律、行政法规和地方性法规都不得同宪法相抵触。"宪法是"母法""最高法"，《红十字会法》是"子法"，是在宪法指导下制定的，完全符合"宪法精神"。

1993年10月31日，《红十字会法》的公布施行，标志着红十字会工作纳入法制化的轨道，中国红十字事业实现了历史性的跨越。《红十字会法》是以国家法律的形式规定了中国红十字会的宗旨、性质、任务和职责，是红十字会的基本法，自然成为"依法治会"之依据。不过，《红十字会法》颁布实施20多年了，有些内容已经不合时宜，亟待补充完善，正因为如此，2013年4月，十二届全国人大常委会第二次委员长会议将修改《红十字会法》列入立法预备项目，正式启动了修订《红十字会法》的立法程序。2016年，新版《红十字会法》即将颁布实施，值得期待。

根据上述，我们可以给"依法治会"下一个定义，即在《中华人民共和国宪法》指导下，依据《中华人民共和国红十字会法》所赋予的人道使命，履行职责，全面推进红十字事业发展的理念与行动的总称。这个定义，体现了立法的基础和"依法治会"的依据。

"依法治会"与"依法治国"的关系

2014年10月20日至23日，党的十八届四中全会在北京召开。会议审议通过的《中共中央关于全面推进依法治国若干重大问题的决定》，堪称我国历史上第一个关于加强法制建设的专门决定。全面推进依法治国，总目标是建设中国特色社会主义法治体系，建设社会主义法治国家。即在中国共产党领导下，坚持中国特色社会主义制度，贯彻中国特色社会主义法治理论，形成完备的法律规范体系、高效的法治实施体系、严密的法治监督体系、有力的法治保障体系，形成完善的党内法规体系，坚持依法治国、依法执政、依法行政共同推进，坚持法治国家、法治政府、法治社会一体建设，实现科学立法、严格执法、公正司法、全民守法，促进国家治理体系和治理能力现代化。中央这一《决定》是指导新形势下全面推进依法治国的纲领性文件，同样也是指导红会工作的纲领性文件。对红十字会而言，落实四中全会精神、贯彻《决定》的着力点，就在于"依法治会"。

那么，"依法治会"与"依法治国"的关系如何？

众所周知，《红十字会法》从法律上确立了红十字会组织在国家生活中的地位和作用，是"中国特色社会主义法治体系"的有机组成部分，换句话说，"依法治国"是"依法治会"的前提，"依法治会"是"依法治国"的体现。也就是说，"依法治会"是"依法治国"、促进国家治理体系和治理能力现代化不可或缺的重要方面。

"依法治会"与红十字事业发展

红十字事业能否健康发展、持续发展，"依法治会"是关键。"依法治会"在红十字事业发展中的地位和作用，主要体现在以下三大核心功能上：

一是"引擎"。之所以强调"依法治会"，当然是顺应"依法治国"时代呼唤的新举措，但不可否认的是《红十字会法》并没有得到社会公众普遍认知，"知晓率"低。"郭美美事件"的发生、肆意抹黑红十字会现象的层出不穷，皆因于此，使红十字会公信力遭受重创，教训不可谓不深刻，而红十字系统同样存在法治观念淡薄、有法不依的情况。没有"依法治会"就不可能有红十字事业的健康发展。从这个意义上说，"依法治会"是红十字事业可持续发展的动力源泉，具有"引擎"功能。

二是"导航"。顾名思义，"导航"具有方向性。"依法治会"要求红十字事业在法治化轨道上运行，红十字会的会务、业务都必须在法治的框架中进行，红十字人也必须依照《红十字会法》的赋权开展工作而不能偏离。

三是"护航"。红十字事业在发展过程中，会遇到这样那样的挑战，需要"依法治会"的保驾护航，比如恶意中伤、"污名化"红十字会的现象绝不会烟消云散，盗用、滥用红十字标志的行为也不可能销声匿迹等等，只有坚持"依法治会"，拿起法律武器，捍卫红十字会尊严，才能保障红十字事业的健康发展。

"依法治会"实现的路径

怎样实现"依法治会"？除了笔者在 2014 年 11 月 21 日《中国红十

字报》发文提出的"牢固树立法治思想,以'法治思维'统领红会工作","完善法治体系,优化运行机制","重视'普法',用行动诠释法律权威"之外,还应该强调三点:

一是出台《〈中华人民共和国红十字会法〉实施细则》,对新版《红十字会法》进行细化,这在操作层面上不仅有助于"依法治会"时参照,而且有助于公众对《红十字会法》内容的理解。毕竟法律条文一般高度概括,有时显得较为抽象。出台《实施细则》进行诠释,有助于"消化吸收"和社会化普及,提高知晓率。

二要提升公众对《红十字会法》的知晓率,加大宣传传播力度显然是必要的。应将新版《红十字会法》颁布之日定为普法宣传日,全国上下大张旗鼓宣传普及,可以收到事半功倍之效。"12·4"法制宣传日、"5·8"世界红十字日,也都是普及《红十字会法》的上佳时机。宣传普及《红十字会法》,既是"依法治会"题中应有之义,也是"依法治会"实现的基本条件,理应成为红会人的日常工作、"核心业务"。

三是红十字会还应配合人大定期或不定期进行执法检查,对各地贯彻落实《红十字会法》进行督导,为"依法治会"创造良好的法治环境和氛围。

总之,通过红十字人的不断努力,逐渐形成自觉学法、守法、用法的社会环境,"依法治会"才能真正"落地",从而为"依法治国"做出自己应有的贡献。

(原载《中国红十字报》2015 年 9 月 11 日)

突出"五有"，推进志愿服务精准化

作为中国共产党领导下的群团组织，中国红十字会是党和政府在人道工作领域的重要助手、联系群众的桥梁和纽带，是广泛汇集社会人道资源、弥补公共服务不足的积极力量，本质上也属于志愿服务组织。在供给侧结构性改革大格局中，顺应社会进步和国家治理新内容、新形式、新要求、新期待，展现组织特色和形象，更加积极主动地开展志愿服务工作，突出"五有"，十分必要。

第一，有正确的轨道。这是保持红十字组织不偏离方向、活动不违背原则的根本保证。有了正确的轨道，才便于各级红十字组织更快捷地找准在党委、政府全局工作中的位置，在服务中心、服务大局中有所作为，赢得党委、政府的认可和支持，不断扩大社会认知和认同。同时，与国际红十字运动宗旨的高度契合，使得红十字组织不论在工作思路还是具体举措上，都围绕"人道"这个基准点，把关注与改善民生、改善易受损害人群的境况始终放在红十字组织，特别是志愿服务工作的中心位置和中心环节，发挥应有的作用，体现存在的价值，创造性地履行法定职责，推动事业持续健康发展。

第二，有主动的意识。这是红十字组织在开展志愿服务工作时应有的觉悟。对于幼有所养、老有所靠、贫有所依、难有所助等一系列社会保障机制需要面对的问题，红十字组织也应以"主角"姿态在参与中体现主动，在主动中体现作为，在作为中体现自身价值。要积极探索、研究和掌握经济社会深刻变革情况下社会各界诉求的生成和演变规律，社会思想多元多样多变条件下的主流价值引导规律，自媒体时代下草根公益组织发展规律，互联网技术运用到人道领域的传播规律，主动在服务理念和行动上做出创新。要以人气活动、品牌项目为突破口，开展形式多样的志愿服务活动。要破解形式化、同质化的服务内容与方式瓶颈，要以法律许可不许可、人民群众欢迎不欢迎为标准，把更多的评价和话语权交给社会，交给群众。要努力策划有分量、有影响、有力度、有持续性的志愿服务项目，并在事前、事中、事后体现主动精神，在让人民群众满意上下功夫，使人道服务充满生机与活力。

第三，有鲜明的特色。这是红十字组织打造志愿服务工作优势的关键所在。红十字会弘扬"人道、博爱、奉献"精神，以"保护人的生命和健康"为宗旨，以"推进人类文明、和平和进步"为目标，时刻需要动员尽可能多的资源、凝聚尽可能大的力量共同参与，才能推动红十字事业健康快速发展。在政府简政放权、大力推进购买服务的新形势下，必须一以贯之地体现组织特色，不断拓展履职空间，丰富服务形式，创新志愿工作，积极实施人道服务供给侧结构性改革，适应大众参与和需求心态变化，做到立足基层、贴近社会、贴近群众，用参与的广泛性、形式的多样性与情感升华的有效性，努力把组织特色优势转化为志愿服务活动的优势。

第四，有高质量的服务。这是红十字组织在开展志愿服务工作时的价值体现。志愿服务不仅是无偿服务，更是暖心事业。以志愿的名义提供服务，才能让志愿服务更显单纯、温暖人心，才能更有凝聚力和号召力。中央全面深化改革领导小组此次会议明确，把志愿服务组织工作重点放在扶贫、济困、扶老、救孤、恤病、助残、救灾、助医、助学方面。这样的方向，与红十字组织的救灾救护救助工作高度吻合，要求红十字组织及其服务要唯实、唯准，既要求真务实，又要精当精准。

第五，有健全的机制。这是红十字组织有力有序、常态常效开展志愿服务工作的重要保障。目前，志愿服务工作仍然存在许多问题和困难，需要按照"科学合理、规范有序、简便易行、民主集中"的要求，加快推进志愿服务体系建设，明确志愿服务的重点对象和服务项目，加快建立以"党政领导、群团负责、全员参与、社会支持"为主体的志愿服务组织体系，不断完善志愿者服务的协作、管理、激励、保障机制，进一步发挥志愿者的整体力量，构建持久化、人性化、效益化、优质化志愿服务新体系。

在这个过程中，要特别注意志愿者的吸纳与培养。志愿者作用发挥得如何，直接关系到红十字工作开展的速度和质量。因此，必须把选拔和发挥志愿者作用放在重要位置。要制定志愿者自我管理、自我服务、自我发展的相关制度和措施，通过各种有效措施，以及志愿者自身的努力，着力提高志愿者队伍的素质。着力培养过硬作风，使其更加尽责、上心、操心、尽心地做好红十字志愿服务工作；更加求实，坚持把人道服务往心里做、往细里做、往精里做；要力戒应付差事、表面文章、官僚作风，坚决清除借志愿服务名义占用人道资源或谋取个人功利的人员和行为。

要根据《关于支持和发展志愿服务组织的意见》《中国红十字志愿服务管理办法》等法规，调整优化志愿服务工作队，加强志愿者的联系联谊，争取有关部门支持，建立并完善志愿者服务考核、评估和激励机制。同时，逐步建立志愿服务成本补偿制度，解决志愿者出人出力又出钱等问题；实施特定志愿者意外伤害保险制度和特殊服务保障制度；加强志愿者培训，对需要专业技能的服务项目，更要加大培训和考核力度。

中国红十字事业有着辉煌的过去，保持既有优势，实现科学发展、跨越发展、长远发展，需要坚持不懈地强化宗旨意识，狠抓组织、队伍、业务、制度、作风、公信力、基层组织等的建设，扎扎实实打基础，踏踏实实搞活动，着力打造组织核心竞争力，从而更好地完成时代重任。

（原载《中国红十字报》2016 年 5 月 27 日。与王金海合作）

宗旨　定位　职责

——关于红会法修订草案中的若干表述

2012 年 4 月 10 日，《中国红十字报》发表笔者与郭进萍合写的《关于修订"红会法"的几点建议》，提出一些修法构想。有些建议，在 2016 年 7 月 5 日中国人大网公示的《中华人民共和国红十字会法（修订草案）》（以下简称《草案》）中得到体现。《草案》亮点纷呈，较之修订前的红会法，大有进步，值得赞赏。不过，《草案》共 7 章 30 条，尚不够细致，基层组织建设、上下级之间的关系等，几乎一片空白，不无缺憾。其实，相关内容在提请审议的文本中，都有较为详细的表述，应该酌情增补，有些基本问题，仍需进一步斟酌。这里谈几点个人看法，供参考。

一、"宗旨"应更加明确

《草案》第一章"总则"第一条显然是"宗旨"，表述为"为了保护人的生命和健康，维护人的尊严，发扬人道主义精神，促进和平进步事业，保障和规范红十字会依法履行职责，制定本法"。这个表述给人的第一感觉，是回答为什么"制定本法"，而"宗旨"却隐晦不显。

"宗"是根本，"旨"是旨意。"宗旨"表明主导思想和主要旨趣，是一个组织的"使命"，理应旗帜鲜明地表达出来。因此，建议第一条的表述修改为："中国红十字会以保护人的生命和健康，维护人的尊严，发扬人道主义精神，促进和平进步事业为宗旨。为保障和规范红十字会依法履行职责，制定本法。"这样修改，句子完整，宗旨明确，也不会引起不必要的误解。

二、"定位"不应忽略

《草案》第一章"总则"第二条"中国红十字会是中华人民共和国

统一的红十字组织，是从事人道主义工作的社会救助团体。"看似"定位"，其实是"性质"——是指事物的本质，是一个事物所具有的区别于其他事物的根本属性。性质说明红十字会是什么、做什么，当然也是"定位"的构成要件，但红十字会在国家与社会中处于什么样的位置即"定位"，没有做出进一步说明。

《国务院关于促进红十字事业发展的意见》（国发〔2012〕25号）明确指出："中国红十字会作为中华人民共和国统一的红十字组织和国际红十字运动的重要成员，遵守宪法和法律，遵循国际红十字运动基本原则，依照中国参加的日内瓦公约及其附加议定书，认真履行法定职责，充分发挥其在人道领域的政府助手作用，为我国经济社会发展做出了重要贡献，成为社会主义和谐社会建设的重要力量、精神文明建设的生力军和民间外交的重要渠道。"充分肯定了红十字会作为政府在人道领域助手的重要作用，可以提炼吸收到《草案》中。建议第二条修改为："中国红十字会是中华人民共和国统一的红十字组织，是从事人道主义工作的社会团体，党和政府人道工作领域中的生力军。"加上一句话，"定位"明确了，《草案》第五条所说的"红十字会协助人民政府开展与其职责有关的活动"，也显得顺理成章，上下文之间内在逻辑性更强。

要说明的是，之所以将"社会救助团体"替换为"社会团体"，删除"救助"二字，是因为红十字会的工作早已突破"社会救助"的范围而在社会服务的广阔舞台大显身手，仍采用"社会救助"，已经不合时宜；用"生力军"一词替代"助手"，既不妨碍"助手"作用的发挥，同时又兼顾红十字运动的"独立性"原则，按《草案》第四条所说的是"独立自主地开展工作"。

三、"职责"范围需进一步界定

《草案》第三章"职责"，从7个方面界定红十字会的职责范围，完整但不全面。如：

职责之二中"参与输血献血工作，推动无偿献血"是传统业务，而没将近年来开展的造血干细胞、人体器官捐献的新业务纳入其中，显然不妥。修法应体现与时俱进的精神。建议修改为"参与输血献血、造血干细胞及人体器官捐献等工作"。

职责之四中"参加国际人道主义救援工作"，理所当然是红十字会作为国际组织应尽的职责。国际人道救援是红十字人道外交（红十字外交）的一种形式，红十字人道外交又是中国民间外交的重要组成部分，即"国发25号文"强调的"民间外交的重要渠道"，如参与"一带一路"建设，红十字会有着自身的独特优势。对此，《草案》中应有所体现。有鉴于此，建议将原文修改为"参加国际人道主义救援工作，开展民间外交活动。"

职责之五中"宣传国际红十字和红新月运动的基本原则和日内瓦公约及其附加议定书"，是国际红十字运动的基本要求，各国红十字会或红新月会都有责任、有义务开展这项工作。但应该与各国红十字文化建设相结合。中国特色的红十字事业需要有中国特色的红十字文化，传播红十字文化，弘扬红十字精神，已成为文化"软实力"建设的现实需要。因此建议原文修改为"宣传国际红十字和红新月运动的基本原则和日内瓦公约及其附加议定书；传播红十字文化，弘扬红十字精神。"

四、借鉴《慈善法》强化"软实力"

3月16日，习近平签署中华人民共和国主席令（第四十三号），宣布《中华人民共和国慈善法》已由第十二届全国人民代表大会第四次会议于2016年3月16日通过，自2016年9月1日起施行。《慈善法》共12章、112条，较之《草案》详细而具体，有些内容可以为《草案》所吸取，其中把人才培养、文化传播、科学研究提升到法律的高度，特别具有借鉴意义。《慈善法》第八十八条"国家采取措施弘扬慈善文化，培育公民慈善意识"，规定"学校等教育机构应当将慈善文化纳入教育教学内容。国家鼓励高等学校培养慈善专业人才，支持高等学校和科研机构开展慈善理论研究"；"广播、电视、报刊、互联网等媒体应当积极开展慈善公益宣传活动，普及慈善知识，传播慈善文化。"《草案》能否增加相关内容的表述，以强化红十字会"软实力"建设，值得考虑。

（原载《中国红十字报》2016年8月2日）

创新发展：引领红十字事业发展的"第一动力"

党的十八届五中全会强调，实现"十三五"时期发展目标，破解发展难题，厚植发展优势，必须牢固树立创新、协调、绿色、开放、共享的发展理念，这被视为关系中国发展全局的一场深刻变革。

五大发展理念中，创新发展居于首要位置，是"引领发展的第一动力"。如习近平总书记强调的那样，要把创新"摆在国家发展全局的核心位置"。作为党和政府人道领域联系群众的桥梁和纽带，红十字会应切实贯彻五大发展理念，以促进事业发展。在贯彻五大发展理念过程中，同样应该把创新发展摆放到"核心位置"。对红十字人而言，牢固树立"创新是引领发展的第一动力"理念，至关重要。

首先，没有创新理念，就没有创新动力。安于现状，故步自封，因循守旧，不思进取，即缺乏创新发展理念，不可能取得事业的新发展。2013年10月21日，习近平在出席欧美同学会成立一百周年庆祝大会时指出，"创新是一个民族进步的灵魂，是一个国家兴旺发达的不竭动力。"对一个社会组织来说同样如此，没有创新理念，没有"头脑风暴"，就没有生机与活力。只有树立创新发展理念，才会有创新的"源"动力——动力之源，在"第一动力"引领下实现可持续发展。

其次，没有创新发展理念，就没有创新的自觉行动。创新理念就是打破常规、开拓进取、敢为人先、敢于挑战、追求卓越、谋求发展的思想境界。创新的本质特征在于革故鼎新。没有源自内心的创新驱动，当然不可能有创新的自觉行动，只能原地踏步，甚至倒退。因此，也只有牢固树立"创新是引领发展的第一动力"理念，并把这一理念付诸实践，才能不断激发事业发展活力。

再次，没有创新发展理念，就无法适应时代进步和社会发展的要求。以创新发展为"龙头"的五大发展理念的提出和贯彻，标志着"创新时代"的来临，"让创新贯穿党和国家一切工作，让创新在全社会蔚然成风"。这样的新时代，同样要求红十字会与时俱进。只有顺应时代的潮流，以"第一动力"为引领，才能取得事业的新发展。

又次，没有创新发展理念，就无法在竞争中胜出。随着《慈善法》的实施，社会公益组织势必将迎来大发展的繁荣局面，红十字会曾经的"一枝独秀"早已渐行渐远，代之而起的是"百花齐放""百花争艳"。红十字会面临前所未有的竞争压力。优胜劣汰。要在竞争中不断胜出，也只有以创新理念增强发展动力，不断拓展发展新空间。如习近平所言，"惟创新者进，惟创新者强，惟创新者胜。"毫无疑问，确立"创新是引领发展第一动力"理念，是红十字事业自身发展的现实需要。

创新发展理念带来创新发展方式的转变，落脚点在创新行动上。那么，如何贯彻落实创新发展理念，或者说创新发展的路径在哪里，十八届五中全会提出的不断推进理论创新、制度创新、科技创新、文化创新四大创新，标识出我国发展的创新思路、创新方向，对红十字会同样适用。

理论创新是指人们在社会实践活动中，对出现的新情况、新问题，做出新的理性分析和理性解答，对认识对象或实践对象的本质、规律和发展变化的趋势做出新的揭示和预见，对历史经验和现实经验进行新的理性升华。理论指导实践，理论创新是践行创新发展理念的重要途径。在这方面，红十字会做出了可贵的探索，"七项基本原则""两论一动"等，都是具有创新性的理论概括。理论创新属"脑动力"创新，是各类创新活动的思想灵魂和方法来源。理论创新与理论研究密不可分，而恰恰在理论研究方面，我们重视不够，重实践、轻理论的现象至今没有得到根本性改观，导致理论创新能力不强。值得称道的是，总会将"成立中国红十字运动研究会，加强理论研究队伍建设，推动理论研究制度化"，作为"十三五"重点建设项目，纳入《中国红十字事业发展规划（2016—2020年）》之中。倘能达成目标，对提升红十字会理论创新能力，必将产生积极影响。事实证明，一旦红十字人"脑洞大开"，就会有思想火花的闪耀。盐都区红十字会出版的《盐都红十字事业》、嘉定区红十字会与红十字运动研究中心合作出版的《红十字青少年理论与实践》，都是理论探索的结晶，值得全国红十字系统学习借鉴。

制度创新是指在人们现有的生产和生活环境条件下，通过创设新的、更能有效激励人们行为的制度、规范体系来实现社会的持续发展和变革的创新。所有创新活动都有赖于制度创新的积淀和持续激励，通过制度创新得以固化，并以制度化的方式持续发挥自己的作用，这是制度创新的积极意义所在。2011年被红十字会确定为"以制度建设为重点的能力建设年",这本身就是创新之举。制度建设是一种能力建设,是制度创新的题中应有之义。"盘点"一下可以发现,近年来我们在制度建设方面取得了一些成果,在基本制度、一般制度、专项制度、岗位制度建设上都有新的突破,但制度是否完善,是否形成覆盖各项工作、各个环节的制度体系,是否适应"创新时代"的新要求,还需要实践来检验。制度创新属"原动力"创新,是持续创新的保障,有利于形成创新发展的体制机制。制度创新在理论上是没有终点的动态过程,制度没有"最好",只有"更好"。追求"更好"的制度,应该说我们还有很长的路要走。

科技创新被视为"主动力"创新,是全面创新的重中之重。科学技术领域,看似距离红十字会较为遥远,其实近在眼前。如何充分利用科技力量,推动红十字会事业发展,成为我们必须面对的时代课题。事实上,红十字会已经尝到科技创新的甜头,如建立院士专项基金,探索科技力量与人道力量的结合,就是一种成功的尝试;捐赠信息平台建设、各类App软件的开发上线,如嘉定区红十字会、盐都区红十字会推出的微信捐赠平台,都显示出科技的能量。在这里,"互联网+"成为汇聚人道力量的重要纽带。打造"智慧型"红十字会,已成大势所趋。这就要求红十字人在科技融入、科技创新上有更大作为。

文化创新本质上是"软实力"创新。文化软实力作为现代社会发展的精神动力、智力支持和思想保证,越来越成为民族凝聚力和创造力的重要源泉,越来越成为综合国力竞争的重要因素。就红十字会而言,强化文化建设,可以增强影响力、感召力、凝聚力,提升"软实力"。文化创新不仅包含红十字精神文化的继承和弘扬,还包含各种规章制度的不断完善、物质文化遗产的保护与开发、"品牌"的打造、理念的创新以及学习能力、研究能力的提高等。应该承认,"软实力"建设一直是困扰红十字事业发展的"短板",重视不够,创新不足。令人欣喜的是,《中国红十字事业发展规划(2016—2020年)》中对提升软实力建设有所加强,不仅有成立中国红十字人道传播学院、建立研究基地的举措,而且将"建设上海、辽宁营口、贵州图云关等红十字文化传播教育基地,普及红十字运动基本知识和红十字人道理念,弘扬红十字精神和文化价值",以及"启动红十字运动文物、文献普查、认定和登记工作,加强历史文化设施保护,开展史志研究,总会及有条件的省份建立红十字文化遗产资料库、博物馆或展示中心",作为重点实施项目加以推进,凡此说明红十字会在文化创新领域已经有所行动。文化是灵魂，是驱动红十字事业发展的永恒主题，应该常抓不懈。

唯有创新才能发展进步，创新发展理念实为引领红十字事业发展的"第一动力"。牢固树立创新发展理念，围绕理论创新、制度创新、科技创新、文化创新，加强创新能力建设，实施创新驱动发展战略，定会开创红十字事业发展的新局面。

（原载《〈红十字运动研究〉2017 年卷》，并以"创新是红十字事业发展'第一动力'"为题发表于 2016 年 11 月 4 日《中国红十字报》）

中国红十字运动区域研究：
理论与方法

　　20 世纪 90 年代以来，经过众多学者的努力，红十字运动研究逐渐成为学界新宠，发展迅猛。总的看来，红十字运动研究的成果大多集中于中国红十字会整体史尤其是总会历史的研究。近年来，红十字运动的区域研究也逐渐成为热点，红十字区域史研究著作不断涌现①。除了江苏、上海之外，其他区域如河南、安徽、江西、山东、贵州等省的区域红十字运动研究也在逐渐开展②。此外，北京、天津、云南、福建、四

---

① 总体来看，近年来红十字运动的区域史研究有逐渐向全国扩展的趋势，但成果仍然集中于江苏以及上海的红十字运动。这些著作主要有池子华、郝如一等著：《近代江苏红十字运动（1904—1949）》，安徽人民出版社 2007 年版；徐国普：《辉煌十五年（1950—1965）》，安徽人民出版社 2009 年版；杨红星：《挫折后的振起（1966—2004）》，安徽人民出版社 2009 年版；刘超英主编：《昆山红十字运动发展史》，安徽人民出版社 2010 年版；方娅、池子华主编：《江西红十字运动百年回眸》，合肥工业大学出版社 2013 年版；马强、池子华主编：《红十字在上海，1904—1949》，东方出版中心 2014 年版；顾丽华、池子华主编：《〈中国红十字会常熟分会民国廿一年纪念册〉整理与研究》，合肥工业大学出版社 2016 年版等。池子华、张丽萍、王丽萍主编的《中国红十字运动的区域研究》（合肥工业大学出版社 2012 年版）一书汇集了一些有关红十字运动区域研究的成果，可供参考。

② 近年来，在红十字运动研究中心主任池子华教授的带领下，红十字运动的区域研究逐渐向全国展开：崔家田近年来发表了多篇有关河南红十字运动的研究文章，主要有《全面抗战时期河南红十字运动的历史经验——以〈会务通讯〉为中心》，《河南师范大学学报》（哲学社会科学版）2010 年第 5 期，以及《近代河南红十字运动探源》，《郑州大学学报》（哲学社会科学版）2014 年第 3 期；张智清：《安徽红十字运动研究（1911—1949）》，苏州大学硕士学位论文，2012 年；傅亮：《江西红十字运动研究（1911—1949）》，苏州大学硕士学位论文，2012 年；吕盼盼：《近代山东红十字运动研究（1904—1949）》，苏州大学硕士学位论文，2012 年；陆赛楠：《南京红十字运动研究，1911—1949》，苏州大学硕士学位论文，2012 年；袁玲：《民国北京政府时期上海红十字运动研究》，苏州大学硕士学位论文，2014 年；罗志雄、戴斌武：《贵州红十字运动研究（1916—2013）》，合肥工业大学出版社 2015 年版。

川等地红十字会也已经出版了相关会史著作①。红十字运动区域研究的蓬勃发展，将有助于丰富红会整体史的内容，推进整体研究的深入②。为了进一步推进中国红十字运动的区域研究，进一步深化红十字运动的区域研究，有必要对中国红十字运动的区域研究的理论与方法进行探讨，以作抛砖引玉，希望引起有识者的关注与参与。

一、中国红十字运动区域研究的价值及意义

中国红十字运动的区域研究，顾名思义，就是研究区域性的红十字运动。作为一种研究视角和理念，区域史的逐渐流行，与法国年鉴学派的提倡是分不开的。法国年鉴学派的代表人物如费尔南·布罗代尔（Fernand Braudel）和勒华·拉杜里（Emmanuel Le Roy Ladurie）等都做过经典的区域研究，其学术成果也成为区域研究的经典之作。民国时期，我国学术界在社会经济史领域也开展了较为广泛的区域性研究。改革开放以来，随着社会史的兴起，区域史研究复兴并逐渐繁荣起来，成为新时期史学发展的表征之一。区域史研究的兴起，极大地拓展了历史研究的视野和范围，丰富了史学研究的内容。傅衣凌先生长期从事社会经济史研究，他对区域史有着非常深刻的理解。他认为："在中国，由于社会历史发展在地域上严重的不平衡性，区域性研究尤其必要。区域性研究不仅可以发现中国各地区社会发展的特殊性，而且通过对这些特殊性的研究，将有助于更好地说明中国乃至整个人类社会的发展进程。"③ 张朋园先生曾指出："有鉴于中国幅员辽阔，区域特征各异，发展先后迟速又复参差，若循中央入手之研究方式，固然可以得到整体性综合性的观察，然了解难于深入。不如从地区入手，探讨细节而后综合，或可获得更为具体的认识。"④ 叶显恩先生也认为："中国幅员辽阔，由于环境的作用与历史上开发的先后，各地区的社会、人文条件千差万

① 地方红十字会出版的会史主要有许可良主编：《福建红十字会简史》，福建人民出版社1994年版；孙静敏编纂：《北京市红十字会的65年》，文津出版社1995年版；江苏省红十字会编著：《江苏红十字运动的八十八年》，东南大学出版社2001年版；赵辉主编：《天津红十字会九十年》，天津人民出版社2001年版；山东省红十字会主编：《山东红十字事业九十年》，山东友谊出版社2002年版；吴宝璋主编：《云南红十字会史》，云南人民出版社2003年版。
② 池子华：《关于深化红十字运动研究的几点构想》，《史学月刊》2009年第9期。
③ 傅衣凌：《1987年广州国际清代区域社会经济暨全国第四届清史学术讨论会开幕词（代序）》，载叶显恩：《清代区域社会经济研究》（上），中华书局1992年版，第2页。
④ 《中国现代化的区域研究（代序）》，第1页，载张朋园：《湖南现代化的早期进展》，岳麓书社2002年版。

别，其历史的发展表现出明显的差异性和地域的不平衡性。没有区域性的研究，就很难作全国总体史的研究。"① 由此可见，由于中国幅员辽阔，各区域千差万别，整体研究固然重要，但很难深入地把握各个区域之间的差异。只有通过区域研究，才可能不断深入了解中国的各个面相，有助于我们认识整体中国的特征。正如行龙先生所说，"地域社会史的研究，不仅有助于整体社会史的深入研究，而且可以验证某些论点"②。区域研究的开展，可以检验整体研究的某些论点，从而认识整体中国。毫无疑问，区域史研究的价值，已经得到了学术界的普遍赞同。

对于中国社会史研究的分支——中国红十字运动来说，开展区域性的研究，总结红十字运动的区域性特点，对于更加深入地了解中国红十字运动也是大有裨益的。"近代的地方分会和新中国建立后的各级地方红会都是不同时期中国红十字运动的充满生机与活力的有机组成部分，其活动总体上统一于总会但又具有一定的地方特色"③。只有对这种地方特色有一个透彻的了解，才能更加深入地认识中国红十字运动。一百多年来的中国红十字运动，存在明显的区域差别与区域特点，如果只顾及红会整体史研究，忽视区域性研究，很难对中国红十字运动有清晰的认识。只有对区域性研究进行深入研究，才能更好地深化红会整体史研究。

近代中国红十字运动的开展，时刻受到各种区域因素的影响。这种区域因素的影响，深植于中国红十字运动的历史之中。例如，中国红十字会1904年首先在上海发起成立，与上海在中国近代时期所处的区位优势有很大关系④。在不同历史时期，各地红十字会的救济、救护等活动也存在很大差别。通过开展红十字运动的区域研究，才能更为深入了解红十字会与地方社会的关系。循此路径，才能从社会史角度更为深入地了解各个地方、区域，才能更深入地认识红十字会在中国社会的地位与作用。从这个意义上来说，中国红十字运动的区域研究，也是深入了解中国各个区域的一个媒介。因此，中国红十字运动的区域研究，不论是对红会整体史的研究还是中国各个区域的研究，都具有重要意义。

---

① 叶显恩：《我与区域社会史研究——访叶显恩研究员》（邓京力采访），《历史教学问题》2000年第5期。

② 行龙：《近代山西社会研究》，中国社会科学出版社2002年版，第11页。

③ 池子华：《关于深化红十字运动研究的几点构想》，《史学月刊》2009年第9期。

④ 池子华：《红十字与近代中国》，安徽人民出版社2004年版，第26—28页。

二、中国红十字运动区域研究的对象与结构

中国红十字运动的区域研究，其研究对象自然就是区域性的红十字运动。我们知道，研究对象的选择是否理想关系到研究工作的成败，因此，区域研究的对象选择就非常关键。在社会史研究中，选择区域的标准是什么呢？学术界对此有不同看法。李金铮先生通过综合各家观点，对社会经济区域的选择做了比较明确的界定，他认为："一个理想的社会经济区域的选择，主要取决于四种因素的制约：一是这个区域必须具有密切的内在联系；二是能体现时代特色；三是研究者对该区域的当代社会经济有较多的认识；四是有丰富可信的史料作保证。其中，第一条当属最重要。"① 同时，他也认为完全符合所有划分标准的区域是不多见的。社会经济史的区域选择标准似乎也可为红十字运动的区域选择提供一个参考。

目前所见，中国红十字运动研究，大都以行政区划作为区域选择的范围，即以各省、地市、县为区域落脚点开展红十字运动的区域研究。笔者以为，以行政区划作为区域选择的标准，固然有其道理，但很难做到面面兼顾。首先，以行政区划来选择具体区域，容易产生区域研究模式的同类化。某些行政区划在很多方面特征相似，难以体现出区域研究的特色及差异。例如，相对来说，江苏和江西红十字运动的差别比较明显，但是江西与某些省份（如湖南）相比，差异可能并不显著。换言之，不是每一个行政区划都可以作为有特色的区域来研究。因此，以行政区划（省、市、县）作为选择区域的标准，难免造成区域研究的雷同。其次，新中国成立前，中国红十字会的各地分会虽有分省之实，但无分省之名，总会实行垂直管理的管理体制，在各地分设分会，直属总会，并无省级红十字会这一级别。新中国成立以后，中国红十字会才出现总会、省级红会、各地市分会、区县分会等与行政区划高度吻合的组织体系。研究百年来的区域红十字运动，单以省来做统一划分，可能并不恰当。最后，以行政区划来确定区域研究的落脚点，比较容易忽视跨越既定行政区划的区域。而且，在新中国成立以前，还存在无法以省来划分的红十字组织。民国初年，中国红十字会有京会、沪会之争，此时

---

① 李金铮：《区域路径：近代中国乡村社会经济史研究方法论》，《河北学刊》2007 年第 5 期。

以省籍划分红十字会似乎不大恰当；全面抗战时期，中国红十字会曾组建中国红十字会救护委员会华北分会等组织①，似乎也无法以省籍来划分。

因此，在区域的选择上，目前来看比较严谨的办法是：一方面，大多数情况下可以按照行政区划来确定红十字运动的区域；另一方面，也不能忽略无法以行政区划来划分的区域红十字组织，甚至有时候要突破以行政区划来研究红十字运动的局限。通过回到历史事件发生的原生区域，回到历史现场，才能多一份"了解之同情"，我们的研究才有可能最接近历史真相。有学者认为，"区域史可以这样把握：一定时空内具有同质性或共趋性的区域历史进程研究"②。按照此种看法，中国红十字运动的区域研究，应该不拘泥于行政区划，而应从红十字运动发生、发展的具体时空出发，探讨具体时空下的区域性红十字运动的发展，以此达到多层次、多角度地研究中国红十字运动的目的。当然，这并不意味着完全否定按行政区划来进行区域红十字运动研究。按行政区划开展红十字运动的区域研究，仍然可以作为开展研究的一种策略选择。我们只有明白了此种划分的不足，兼顾史实与现实，才能更好地开展区域研究。

要开展中国红十字运动的区域研究，就必须有一定的研究结构，只有这样，区域研究才能事半功倍。中国红十字运动的区域研究，涉及面较广，其中红十字运动的开端，红十字会的组织建设，红十字会的人道活动如战地救护、灾害救济、医疗及社会服务等，红十字运动的评价等，是区域红十字运动研究应该涉及的主要内容。红十字运动的开端包括区域红十字会产生的背景，红十字运动兴起的条件，红十字运动开端的标志等；红十字会的组织建设包括分会组织的扩展，红十字会的经费来源，红十字会会员征募，红十字会职员的铨选等；红十字会的人道活动包括战地救护、灾害救济、疫病防治、社会服务以及其他活动等；红十字运动的评价包括红十字运动的发展效果评价，红十字运动的区域特点等。当然，这些问题之外，还需注意红十字会在近代区域社会中的角色问题，探究红十字运动与区域社会发展的关系，只有这样才能凸显区域特色。明确了区域红十字运动的研究结构，我们才能够比较方便地开

① 池子华、傅亮等主编：《〈大公报〉上的红十字》，合肥工业大学出版社 2012 年版，第 432—433 页。

② 王先明：《走向社会的历史学——社会史理论问题研究》，河南大学出版社 2010 年版，第 215 页。

理论探索

展研究。当然，这里所提到的研究结构只是对现有区域研究的一些成果所进行的总结，并不能做到放之四海而皆准，提出来仅供学界参考。在开展区域研究的时候，具体到不同的区域，研究结构可以根据具体内容进行修改完善。

根据具体的研究结构，区域红十字运动的叙述方法有两种：一种是按照历史时间的先后顺序梳理区域红十字会的历史；一种是打破时间顺序，按照红十字会的各项活动进行专题式的研究。第一种路径时间鲜明，脉络清晰，但缺乏专题式研究；第二种途径能够深入开展专题研究，但时间脉络不清晰。这两种路径各有千秋，具体选择哪种路径要按照研究对象及其史料来确定。叙述方式的不同选择，对史事的阐述也会有所区别。第一种方法，更加侧重区域红十字运动的历史发展轨迹，能够准确地将区域红十字会的历史发展脉络梳理清楚，但是对于整个历史时期的红十字会的具体活动可能缺乏整体把握，比如战地救护就很可能被拆分放在不同章节。第二种方法更多地照顾了区域红十字会的具体活动，如战地救护、灾害救济、医疗及社会服务等，如果资料充实，这些专题都可以自成一章。如果能够将两种方法融为一体，将更有助于叙述的深入与角度的挖掘。

三、中国红十字运动区域研究的方法

"工欲善其事，必先利其器"，社会史历来就强调多学科的交叉，中国红十字运动的研究更是如此。在开展区域红十字运动研究的过程中，我们认为，主要有以下几个方面值得注意：

首先，要采用多学科的交叉方法。池子华曾提出构建"红十字学"的构想，他认为"红十字学"是以红十字运动为专门研究对象的一门综合性学科，由一系列分支学科组成，包括红十字灾害学、红十字法学、红十字管理学、红十字历史学、红十字伦理学、红十字外交学、红十字文化学等①。张生也提出中国红十字运动史的研究要"突破单纯'史'的研究，适当结合其他学科的研究方法"②。由此可见，红十字运动研究有赖于多学科的综合。中国红十字运动的区域研究，也应该尽可能地吸

① 池子华：《创建"红十字学"刍议》，池子华、郝如一主编：《红十字运动与慈善文化》，广西师范大学出版社 2010 年版，第 3 页。
② 张生：《中国红十字运动史研究刍议》，《史学月刊》2009 年第 4 期。

红十字运动：历史传承与当代发展

032

收多学科的交叉方法。区域红十字运动研究，吸收社会学的方法至关重要，如社会调查，社会统计等。考察新中国成立以后红十字会开展的献血、捐髓、志愿服务等工作，如果只限于文献叙述与分析，很难体现各项活动的发展变化。而社会调查方法就有了用武之地，比如进行问卷调查、抽样调查、访问调查等等，以掌握各项活动的动态数据，从而有利于研究工作的进行。又如，在研究红十字会的经费筹措及会员人数的发展时，采用社会统计方法，通过表格的统计可以对各个时期经费及会员人数的变化有一个清晰的了解。此外，灾害学、管理学、法学、外交学等学科的方法，我们都可以借鉴使用。

其次，区域比较的方法。研究区域性的红十字运动，并不是就区域言区域，还应将各区域的红十字运动进行对比研究，以此来构建整体史。唐力行、徐茂明先生认为："在将区域研究引向整体史研究的努力中，除了纵向关注国家在地域社会中的角色地位外，另一条途径就是对不同的地域进行横向的比较研究，将各个既互相独立又彼此联系的区域联结起来加以考察，超越区域的疆界来认识区域发展的特征，以揭示区域间的整合所披露的整体史特质。"① 只有通过区域之间的比较，才能揭示区域红十字运动的特色。红会史研究的现状也提醒我们要进行区域比较研究。"从目前的研究状况看，红十字运动的比较研究仍付阙如，这是不能尽如人意的。这在未来的研究中应该有所改观"②。此判断虽然已过去多年，却仍然符合今天的研究状况。区域红十字运动的研究，要体现区域特色，采取比较研究的视野，就特别重要。各个区域的红十字运动研究，都有着不同的特征，只有通过比较，才能更好地揭示出来。例如，对于 1949 年以前的江西与安徽的红十字运动来说，两地的红十字会都曾开展战地救护、灾害救济等人道活动，貌似相差不大。但是，通过简单的比较我们就会发现：与安徽相比，江西在战地救护方面成绩更为突出，但社会服务方面的业绩明显不如安徽。同时，我们也会发现同一历史时期的区域红十字运动也是各有其特点：解放战争时期，江西没有组织战地救护活动，而安徽、山东的红十字会则在战地救护方面较为活跃。这些差别的形成，是各区域政治、经济、文化等因素共同影响的结果。因此，通过比较研究，我们更能深刻地认识区域红十字运动的特

---

① 唐力行、徐茂明：《从区域研究到区域比较研究的理论与实践》，《社会科学》2008 年第 4 期。

② 池子华：《关于深化红十字运动研究的几点构想》，《史学月刊》2009 年第 9 期。

点，更能凸显区域红十字运动在中国红十字运动中的地位，也才能发掘红十字运动背后深刻的政治、经济、文化等因素，从而实现以小见大。

要对红十字运动进行比较，范围的界定也很重要，"'比较'的范围广泛，从大的方面说，可以进行各国红十字运动的比较，包括纵向比较、横向比较；在中国范围内，'两岸三地'红十字运动可以比较，区域之间可以比较，省际之间可以比较，市县之间也可以比较；中国及各国红十字运动在不同历史时期、不同历史阶段亦可进行纵向比较。从小的方面说，会务、业务都可以进行比较。"① 具体到区域红十字运动的比较，从横向比较来说，可以进行区域之间的总体比较，省际之间、市县之间比较，区域之间的会务、业务活动的比较；从纵向来说，可以比较区域在不同历史阶段、不同历史时期的异同，甚至还可以对同一区域的不同历史阶段进行比较。只有进行多层次、多途径的比较，才能揭示区域红十字运动的轨迹及特点。

最后，研究区域红十字运动，从国家与社会的关系的角度出发，是一个比较容易操作的办法。国家与社会的理论视角源于西方，近年来在中国史学界比较流行。"国家与社会的关系，简单说来就是政府权力的实践形态以及民间社会对政府权力的制约。"② 以往在研究民间慈善事业时，人们往往很容易将国家与社会这一组概念对立起来。近年来有不少学者对此有不同看法。李金铮先生认为，而今理论界改变了将国家与社会仅仅表现为二元对立与冲突的关系，转而"普遍认为二者的关系是双向甚至是多向的、重叠的互动，研究政府与社会的关系，就是研究来自政府的自上而下的权力和来自社会的自下而上的力量之间的相互作用"③。这种互动关系，混杂着冲突与融合，排斥与交融，而非简单的对立与冲突。具体到中国红十字运动的研究，首次采用国家与社会关系这一视角的是张建俅先生的《中国红十字会初期发展之研究》一书④。作者的主要观点是：首先，相对于此前研究公共领域大都集中探讨的是地方公共领域（如上海）而言，中国红十字会作为全国性的慈善组织，其

---

① 池子华：《关于深化红十字运动研究的几点构想》，《史学月刊》2009 年第 9 期。

② 李金铮：《向"新革命史"转型：中共革命史研究方法的反思与突破》，《中共党史研究》2010 年第 1 期。

③ 李金铮：《向"新革命史"转型：中共革命史研究方法的反思与突破》，《中共党史研究》2010 年第 1 期。

④ 有关此书的评价，可参考池子华：《一部中国红会史研究的"问题"之作——评〈中国红十字会初期发展之研究〉》，《民国档案》2007 年第 4 期。

工作范围涵盖全国许多地方。其次，在不同时期，中国红十字会的领导精英与代表国家权力的政府，为了官办、民办的立场曾有不同程度的矛盾和冲突。而且这些精英虽以上海为主，但是却借助全国代表大会，试图以民主的形式，诉诸全国会员、分会的民意，以便赋予他们继续管理红十字会的权力①。张建俅关注的对象主要是中国红十字会总会，着眼点主要放在国家与社会之间的冲突与矛盾上。

对于"国家与社会"的关系视角在区域史研究的学术意义，有论者认为："对于区域史、地方史而言，从国家与社会间的关系出发，探索地方性与总体性间的关系，探索边缘与中心的关系，探索微观世界与宏观历史的关系，这似乎真正使地方史、区域史的个案研究带有了总体史的特征，从而提高了其学术境界与价值。"② 如此说来，研究区域红十字运动，探讨区域红十字运动中的"国家与社会"关系，就非常有必要。研究区域红十字运动，探索红十字会如何处理与国家政府之间的关系，红十字会与政府之间的关系是怎样变化发展的？通过探讨"国家与社会"这一组关系，深入地分析区域红十字会与国家的互动关系，从而观察区域社会与国家（地方政府）之间的关系变化脉络，对于认识近代地方社会的成长具有非常重要的意义。尤其是近代中国政府权力有一个逐渐上升的过程，随着国家权力的上升，必然要压缩如红十字会这样的地方力量的生存空间。探讨这个过程中的国家与社会关系，能更深刻地认识近代化强势国家建立的轨迹。这样红十字运动的区域史研究才能远离"碎片化"历史研究的窠臼。

四、中国红十字运动区域研究中需注意的几个问题

中国红十字运动的区域研究，在明了其研究意义、对象、结构及方法后，还需注意以下几个问题：

（一）尽可能地充分挖掘史料

实证研究需要足够的资料来支撑，研究者掌握的材料越充分，其研究的结果就越有说服力。要开展红十字运动区域研究，特别要注意的就是尽量占有资料。目前来看，资料建设相对滞后，已经制约了红十字运

① 张建俅：《中国红十字会初期发展之研究》，中华书局 2007 年版，第 314—315 页。
② 邓京力：《"国家与社会"分析框架在中国史领域的应用》，《史学月刊》2004 年第 12 期。

动研究工作的推进①，这种情况近期内虽然有所改观，但整体上来说，资料建设仍然是红会史研究的重要瓶颈。红会整体史的研究如此，对区域红十字运动研究而言，资料的问题更为突出，目前甚少见到有专门的区域红十字运动研究资料出版②。对红会资料建设问题，池子华先生在前文中已经有专门论述。这里结合区域红十字运动研究资料来源，再做几点补充：首先，总会曾整理出版了《中国红十字会历史资料选编，1904—1949》《中国红十字会历史资料选编，1950—2004》两部资料，可以作为研究区域红十字运动的基础史料。中国第二历史档案馆、贵州省档案馆、贵阳市档案馆、上海市档案馆、北京市档案馆、南京市档案馆都藏有许多民国时期的红会档案。新中国成立以后，各省市档案馆、红十字会档案室，所藏档案也不在少数。这些档案都是研究区域红十字运动的重要史料，仍然有赖于有识者的发掘与利用。其次，地方红会在各个时期的各种出版物，也是区域研究的宝贵资料。区域红十字运动史料可能还散见于地方报刊、地方志书、个人文集之内，需要利用者多花时间加以搜集与整理。最后，新中国成立以后红十字运动的亲身经历人现在仍有不少健在，如果有条件的话，可以整理红会工作者的"三亲"（亲历、亲闻、亲见）资料，弥补文字资料不足。如果条件许可，能够深入各地市、县，发掘市、县级档案、个人文集、报刊，区域红十字运动研究的资料可能就更为丰富了。根据我们已有的经验来看，认为区域红十字运动的资料缺乏或者缺失的看法是不成立的。实际上，有关区域红十字运动的资料是非常丰富的，只是需要研究者多花功夫搜集、整理、发掘。很多区域红十字运动研究的材料，很可能就躺在某个角落里等着研究者们去发现。

（二）注意转换学术视角

朱从兵先生认为："要进行中国特色的红十字学的学科体系构建，

---

① 池子华：《关于深化红十字运动研究的几点构想》，《史学月刊》2009年第9期。最近几年，红十字运动研究中心大力进行资料建设，出版了多部红会史料，一定程度上弥补了这一方面的弱势。例如，池子华等主编：《〈申报〉上的红十字》，安徽人民出版社2011年版；池子华等主编：《〈大公报〉上的红十字》，合肥工业大学出版社2012年版；池子华等主编：《〈新闻报〉上的红十字》，合肥工业大学出版社2014年版；池子华、崔龙健主编：《中国红十字运动史料选编》（第一辑），合肥工业大学出版社2014年版；池子华、丁泽丽主编：《中国红十字运动史料选编》（第二辑），合肥工业大学出版社2015年版。

② 顾丽华、池子华主编的《〈中国红十字会常熟分会民国廿一年纪念册〉整理与研究》（合肥工业大学出版社2016年版）是目前见到的唯一一部专门对地方红会史资料进行整理与研究的著作。

当务之急在于学术视角的转换，要跳出红会看红会，跳出红十字运动看红十字会运动，提高红十字运动的学理性，建构起红十字运动研究的方法论体系，为中国特色红十字学的创立提供学理支撑"，"红十字运动是由人进行的，而人是有思想的，是有各自的价值观念和利益关系的。在红十字圣洁的宗旨之下，无人能排除从事红十字运动的具体个人有着多元的价值观念和多重的利益关系。从这个角度看，思想史、政治史和经济史的方法都是可以采用的。"① 要做到避免就区域言区域、就红十字会言红十字会，就需要转换研究视角。区域红十字运动研究，除了要对红十字运动本身进行深入研究外，还应结合社会历史背景，探索区域红十字的思想史、政治史、经济史甚至文化史。而由于各区域的政治、经济、文化不尽相同，故红十字运动的区域特色明显。近代江苏红十字运动颇有声色，江苏的分会数量、会员人数、分会筹募资金能力在全国都是首屈一指，这与江苏的政治、经济、文化特色息息相关。而近代江西红十字运动发展的一些特点，如红十字会分会数量的逐渐减少、分会经费的短绌也是由江西这个区域的各种因素决定的。只有深入分析各区域的政治、经济、文化等特点，才能更为深入地探索区域红十字运动的历史轨迹，分析区域红十字运动的特色。所以，如果资料充分的话，结合红十字会的人物、经费募集、分会数量变化等问题开展区域红十字运动的思想史、政治史、经济史的研究，也是有可能的。这样做避免了单言红十字会的尴尬，加大了红十字运动的研究力度。这种学术视角的转化，也有助于避免区域研究陷入"碎片化"的境地。当然，就区域红十字运动来说，开展思想史、政治史、经济史的研究，一大难题可能就是资料限制。由于红会史料的形成方式导致资料形式、类别自有其特点，而缺乏相对完整的此类资料，要开展研究会有些难度，这需要研究者在实践中不断探索与追求。

（三）整体史的学术取向

区域红十字运动研究，具有重要学术价值，但开展区域研究并非是只言区域，不论整体。"当我们研究区域时，首先要将该区域的要素（即局部）提炼出来，从局部与局部以及局部与整体的互动中来揭示区

---

① 朱从兵：《学科体系的建构与学术视角的转换》，《史学月刊》2009 年第 9 期。

域的整体特征"①。行龙先生在谈到地域社会史研究的必要性时特别指出："地域社会史只是社会史学科研究中的渠道之一、分支之一，它并不代替整体社会史、系统社会史、专题社会史的研究。整体与局部的关系是辩证统一的关系，不可偏废。"② 池子华、徐国普也强调："区域社会史无论是被视作区域的社会史（与区域的经济史、文化史相对应，是区域整体史的构成要件），还是社会史区域研究（与社会史专题研究相对应，是整体社会史的构成要件），毫无疑问是整体史研究的基础和必要路径，是对社会史整体性理解的一种深刻表达和阐释。换句话说，区域社会史研究是初步的和阶段性的，而整体史才是社会史的价值诉求和终极目标。有鉴于此，区域社会史研究应有整体史理念和广阔的视野来引领和支撑，力避研究的'碎片化'倾向。"③ 因此，从这个意义来说，区域红十字运动研究，与红十字运动的整体史、专题史研究的关系应该是辩证统一的。区域是整体的有机组成部分，研究区域史、发掘区域特色，是为了更好地说明整体特征，最终目标是努力实现构建整体史的诉求。

近年来，社会史"碎片化"的担忧一直是学者们关心的热点话题。虽然目前学者们对于导致"碎片化"的原因有不同的看法④，但大都赞同这样一个认识：开展微观研究与个案研究时缺乏整体史的学术关怀，很容易导致研究的"碎片化"。与"碎片化"相对应的是整体史。历史学家雅克·勒高夫（Jacques Le Goff）在谈到"整体史"的内涵时指出："这里所要求的历史不仅是政治史、军事史和外交史，而且还是经济史、人口史、技术史和习俗史；不仅是君王和大人物的历史，而且还是所有人的历史；这是结构的历史，而不仅仅是事件的历史；这是有演进的、变革的运动着的历史，不是停滞的、描述性的历史；是有分析的、有说明的历史，而不再是纯叙述性的历史，总之是一种总体的历史。"⑤ 勒高夫的表述强调整体史是一种结构的历史、总体的历史，由此可见，如果能够坚定整体史的学术取向，在一定程度上有助于避免就区域言区域，

① 唐力行：《超越地域的疆界：有关区域和区域比较研究的若干思考》，《史林》2008年第6期。

② 行龙：《近代山西社会研究》，中国社会科学出版社2002年版，第14—15页。

③ 池子华、徐国普：《通过"小地方"认识"大历史"》，《社会科学报》2007年3月22日。

④ 池子华、郭进萍：《反思社会史的双重面向——以社会史碎片化问题为中心》，《贵州师范大学学报》2012年第2期。

⑤ ［法］雅克·勒高夫等主编：《新史学》（姚蒙编译），上海译文出版社1989年版，第19页。

甚至导致"碎片化"的危险。

区域红十字运动研究，要以整体史为学术目标，可以从以下两个方面着手：一方面，在进行区域红十字运动研究时，转换学术视角。结合政治史、经济史、思想史的研究方法，开展区域红十字运动的政治史、经济史、思想史研究，有利于避免就红十字会言红十字会的弊端。另一方面，通过区域红十字运动研究，比较各区域的异同，从而揭示红十字运动整体史的特征。整体并不是局部的简单相加，而是大于局部相加之和。只有对区域红十字运动有了充分研究、充分了解，才能够深化对红十字运动的整体认识，才能够更方便地把握整体史的特征。

红十字运动的区域研究，最终的旨归是红会整体史。朱从兵先生认为，红十字运动研究的下一步工作，应该加强区域性的红十字运动研究，"区域性的层次，可确定为各地级市，在地级市的基础上，编纂各省、直辖市和自治区的红十字运动专史，并进而编纂综合体的全国红十字运动通史和红十字运动的百科全书"①。红十字运动区域研究的成果，可以为编纂通史提供强力支撑。从这个意义上说，坚持整体史取向是区域红十字运动研究的必由之路，区域研究的目标是为了构建红十字运动的整体史②。

总之，区域性红十字运动研究，有助于丰富红会整体史研究的内容，推进整体研究的深入发展。在选择区域的时候，既要注意既有的以行政区划为标准的缺陷，也要尽量跨越区域的界限，通过区域对比走向区域的联结。区域红十字运动的研究结构主要包括红十字运动的开端、组织建设、人道活动以及红十字运动的评价等问题。区域性红十字运动的研究方法要吸取多学科的研究方法，加强区域间的对比研究，特别要注意探讨"国家与社会"的关系。研究者要注意尽量挖掘充分的研究资料，注意转换学术视角，坚持整体史的研究取向。

区域性的红十字运动研究，目前还处于起步阶段，理论与方法的构建也还非常稚嫩，需要众多研究者的不断努力，也需要在实证研究中不断检验。可以说，中国红十字运动的区域研究，大有可为，大有作为。

（原载《河北学刊》2016 年第 6 期。与傅亮合作）

理论探索

---

① 朱从兵：《学科体系的建构与学术视角的转换》，《史学月刊》2009 年第 9 期。
② 近年来，红十字运动研究中心开始编纂《中国红十字运动通史》，并已正式入选国家"十三五"重点图书出版规划，准备全面再现中国红十字会自 1904 年成立以来百余年的风雨历程，这也说明红十字运动的区域研究眼光不能只停留在区域，最后应该走向整体史。

文化研究

关于《江苏红十字会志》的资料问题

资料是编志的基础。编纂《江苏红十字会志》（以下简称《红会志》）也是如此。这里就资料搜集的着眼点、红会资料的载体、资料的搜集整理以及《资料长编》的编辑四个方面的问题，与各位参与者一起交流。

一、资料搜集的着眼点

资料搜集的着眼点，毫无疑问，以省红会和市级红会为中心，服务于《江苏红十字会志》的编纂，但这并不意味着其他资料可以毫不顾及。总会的资料也不能不有所涉猎，因为总会是大政方针的源头，没有大政方针的指导，势必会影响《红会志》的质量。因此，我个人认为搜集资料的着眼点应有宏观、中观、微观三个层面：

宏观层面，主要是政策规范方面的资料，如《红十字会法》、历届会员代表大会工作报告等。

中观层面，主要是省红会方面的资料，是重点搜集的基本资料，也是编纂《红会志》的基本素材。

微观层面，主要是各市级红会方面的资料，是编纂《红会志》的基础性资料，对编纂《红会志》起着支撑作用。

以上三个方面，中观、微观为主，宏观为辅。

二、红会资料的载体

红会资料的载体，也就是红十字会通过哪些渠道发布信息。通过这些载体，无论是宏观层面，还是中观、微观层面，可以找到我们所需要的资料。红会资料的载体归纳起来，大致有以下几种：

其一，资料选编。

总会在资料建设方面，应该说倾注了大量心血，整理出版了两部资料选编，即《中国红十字会历史资料选编，1904—1949》《中国红十字会历史资料选编，1950—2004》，分别由南京大学出版社、民族出版社出版发行①。这两部资料在时间上相互衔接，具有连贯性，是重要的参考文献。其中《中国红十字会历史资料选编，1950—2004》，与编纂《红会志》比较直接。这部资料共计45万字，由4个部分构成：第一部分社会主义改造和建设时期（1950—1965年），第二部分"文化大革命"的十年（1966—1976年），第三部分国内工作恢复和发展时期（1978—1992年），第四部分红十字会法颁布施行以后（1993—2004年）。这部资料主要是中国红十字会总会各种文献的汇编，地方红会的资料基本上没有纳入，即使有一些，也很零星。不过，从宏观层面上讲，这部资料也是必须要参考的。

其二，红十字报刊。

红十字报刊，是指由红十字会创办的机关报刊。作为红十字运动的喉舌，报刊除了其宣传效用外，也给我们留下了大量的历史资料。这是我们编纂《红会志》必须查阅的第一手资料。中国红十字会总会和省红会机关报刊，有以下多种：

一是《中国红十字》，1980年7月复刊。1992年由月刊改为双月刊，所设栏目有《独家文章》《名人与红十字》《海峡两岸》《人物专访》《昨夜星辰》《人道天地》《红十字论坛》《红会史料》《红十字经纬》等，信息量较大，保存了大量红会史料，其中涉及江苏各级红会的资料也不少，值得参考。

二是《博爱》，1993年起，经新闻出版署批准，《中国红十字》双月刊杂志更名为《博爱》（双月刊）与广大读者见面。刊物冠以"博爱"，更直接形象地反映了红十字的宗旨和任务。而以孙中山先生手迹为刊名题签，更显凝重。与《中国红十字》相比，《博爱》清新活泼，除继承原有特色栏目之外，增辟《名人轶事》《两性对眼》《天使之歌》《生命之河》等几十个新栏目，也有大量与江苏有关的资料。不过，2003年1月《博爱》杂志改为月刊后越来越"文学化"，虽然读者群扩

---

① 中国红十字会总会编：《中国红十字会历史资料选编，1904—1949》，南京大学出版社1993年版；中国红十字会总会编：《中国红十字会历史资料选编，1950—2004》，民族出版社2005年版。

大了，但红十字会会务、业务方面的内容几乎"荡然无存"，对研究者来说，它越来越没有了"资料性"。红十字会刊物的"存史"功能在《博爱》中无法体现，这不能不说是一个遗憾。

三是《中国红十字报》，1986年10月5日试刊出版，1987年1月5日正式创刊，在国内外公开发行，每月出一期，1991年1月起改为半月一期。1992年1月改为对开周报，逢周五出版，2007年起改为一周两期，每周二、周五出版。《中国红十字报》是中国红十字会制作的"文化大餐"，信息量比较大，"资料性"强，江苏各地红会活动报道很多，是我们编纂《红会志》必备的参考资料。

四是江苏省红会的一报一刊，也就是《江苏红十字》报和《红十字季刊》。虽然为内部发行，周期也比较长，但集中刊登江苏红十字事业各个方面的信息，是编纂《红会志》不可缺少的资料。

其三，红十字出版物。

红十字出版物，这里特指红十字报刊之外的具有资料性的印刷品。这类出版物多数为内部刊印，少量公开发行，对编志者来说，利用起来比较困难，但只要有可能，还是尽量加以利用。红十字出版物大致可以分为这样几种：

一是"特刊"，一般具有一定的纪念性质、专辑性质。如《中国红十字会成立八十周年纪念画册》（1984年）、《抗洪救灾中的红十字》（1992年）、《中国魂——98抗洪纪实》、《中国红十字会百年》（2004年）、《中国红十字》（2004年）等等。这些"特刊"，多多少少与江苏有关，而且除了文字部分外，还配发大量图片，这些图片，尤其是老照片，更具有传真性，完全可以作为资料加以使用。

二是"内部资料"。其实没有公开出版的红会资料都可视为"内部资料"，只不过为了分类的需要，才单独列出，事实上，红会有不少这类材料也标明为"内部资料"，供本系统交流或向社会散发做宣传之用。在红十字运动史上，这类"内部资料"应该很多，新中国成立后总会及江苏省红十字会历次会员大会及理事会以及其他重要会议的《文件汇编》等，都是宝贵的资料。这些《文件汇编》集中起来，可以为编写《红会志》提供丰富的资料。

三是年报及年鉴。自改革开放以来，红十字事业蓬勃发展，工作领域不断扩大，国际交流频繁。为总结工作经验，总会每年编印一册《中国红十字会年报》，对总会各个领域的工作进行总结，也涉及省红会一些内容。《年报》为内部交流资料，有价值，但因不公开，利用起来有

文化研究

一定困难。好在由中国红十字会总会组织编写的大型工具书《中国红十字年鉴》2006 年起由台海出版社出版发行，目前已出版多部，内容分为《文献篇》《纪事篇》《总会篇》《专业篇》《研究篇》《分会篇》等篇章。年鉴内容丰富翔实，涉及宏观、中观、微观层面的资料，是编写《红会志》必备的工具书。

其四，红十字档案。

档案资料是编写《红会志》的基础性资料。与红十字会有关的档案资料，简直可以用浩如烟海来形容，非常可观。这些档案资料，各省市档案馆以及红十字会系统的档案室均有收藏。尤其是改革开放 30 年来的红会档案，相当完整，无论如何，应当充分利用起来。另外，考虑到红十字会在理顺管理体制之前归口卫生部门，因此，卫生部门的档案资料也要适当查阅。

其五，网站资料。

在信息化时代，网络是宣传红十字工作、扩大红十字会在国内外的影响、动员全社会参与人道主义事业的重要手段。在新形势下，红十字工作已经走进"网络时代"。作为红十字会活动的信息平台，网站具有了"存史"功能，也就是说，它所发布的信息具有资料性。既然如此，我们编写《红会志》就不能不参考了。

其六，其他资料。

红十字运动涉及范围广，政治、军事、外交等领域的官方资料都有有关红十字会活动的记载，除此之外，还应该广泛搜集与利用其他资料。其中以下几个方面的资料值得关注：

一是报刊资料。红十字会报刊之外，其他报刊也有有关红十字会的信息。《光明日报》《人民日报》《文汇报》《新华月报》以及与医疗卫生相关的报刊，编志者理应查阅利用。

二是地方志。新中国成立后出版的地方志，都会有"红十字会"的专门介绍，如《常熟市志》《镇江市志》《盐城市志》《苏州市志》等等。与红十字会相关的《卫生志》也有一些记载。另外，我们编的《苏州红十字会志》《苏州红十字会志资料长编》作为"红十字书系"，由安徽人民出版社推出，是全国红十字会系统第一部公开出版的志书。它们的出版，不仅可以填补红会无志书的遗憾，同时可以为《江苏红十字会志》的编纂提供资料参考。

三是个人文集类。特别是红会领导人文集中的日记、函件、文论等，有不少关于红十字会运动的资料收录其中，可以为编志者提供许多新鲜资料，如社会科学文献出版社出版的彭珮云《奋进中的红十字事业》《不懈的追求——蓬勃发展的中国红十字事业》，主要收录了彭珮云会长在各种重要会议和重大活动中的讲话，在调查研究中发表的意见，在她指导下形成的工作调研报告、出访考察报告以及有关红十字会工作的信函、批语等，反映了我国红十字事业前进的历程，总结了做好新时期红十字会工作的基本经验，为我们编志提供了重要参考资料。其中就有与江苏红会有关的资料。总而言之，红十字会历任会长、副会长、秘书长等"红会人物"，有文集者，都应尽可能查阅，使我们的编史修志建立在扎实可靠的资料基础之上。据我所知，张立明会长就有写日记的好习惯，张会长的日记显然就是珍贵的资料。

四是红会出版的史书。由中国红十字会总会顾英奇主编的《中国红十字会的九十年》一书，1994 年由中国友谊出版公司出版发行。该书分上下两篇，较为全面系统地反映了中国红十字会九十年所走过的道路。而中国红十字会总会曲折主编的《中国红十字事业》①，则重点突出改革开放 20 年来中国红十字会在建设有中国特色的红十字事业中之"亮点"博爱系列工程——救援工程、生命工程、爱心工程，台湾事务工作，以及红十字事业之星感人至深的事迹等，展示了红十字事业的亮点。这两部书各有侧重，值得编志者参考。而且这两部书多多少少有一些内容涉及江苏。江苏省红十字会编著的《江苏红十字运动的八十八年》②，对1911 年至 1999 年江苏红十字运动的历史发展做了较为全面的梳理。全书分上、下两篇，上篇（1911—1949 年）分三章，概述民国初期（1911—1931 年）、抗日战争时期（1931—1945 年）、"复员时期"（1945—1949 年）江苏红十字运动的基本情况；下篇分五章，分别对改组新生时期（1949—1956 年）、江苏省红十字会成立至"文革"时期（1956—1977 年）、恢复时期（1978—1985 年）、发展时期（1985—1993年）、开始依法建会时期（1993—1999 年）江苏红十字运动的历史变迁进行探究。本书的出版"填补了江苏省红十字运动有史无书的历史空白，对于我们以及后人了解过去、研究历史、借鉴历史、继承和发展江苏省红十字事业提供了宝贵的资料；同时，为社会各界系统、全面、历史地了解和认识红十字会，进而在民众中弘扬'人道、博爱、奉献'的

---

① 曲折主编：《中国红十字事业》，广东经济出版社 1999 年版。
② 江苏省红十字会编著：《江苏红十字运动的八十八年》，东南大学出版社 2001 年版。

红十字精神，促进精神文明建设也有着积极的意义"①。不仅如此，该书也为编写《江苏红十字会志》提供重要参考。我们研究中心出版的其他著作，也都有参考价值。

五是口述资料，红十字会当事人的回忆录，虽然在某些方面难免存在记忆"缺失"，或有"失真"之处，但仔细甄别，完全可以作为辅助资料加以使用。

三、资料的搜集整理

根据上述红十字会资料的载体，我们进入资料的搜集阶段。搜集资料应该注意三大原则：一是全面性，凡是与江苏红会有关的资料，尽可能全面搜集；二是系统性，尤其是红十字会重大活动的资料，一定是系统的；三是传真性，也就说，搜集的资料一定是真实的、可靠的。只有全面、系统、可靠的资料，才能保证《红会志》的科学性。

资料的搜集艰苦备尝，而资料的整理更属不易。面对大堆资料，我们要做的最主要的工作就是根据《红会志》编纂提纲，进行分类整理，也就是"归类"，为《资料长编》的编写夯实基础。

四、《资料长编》的编辑

一般而言，编辑《资料长编》是编写志书不能缺省的重要环节，也是编写《红会志》一项基础性工作，是资料整理工作的自然延续。资料整理分类后，接着要做的工作就是筛选资料，然后将精挑细选的资料编入《资料长编》。

《资料长编》的汇编有两种做法或者叫"体例"：一种是按年月日时间顺序汇编资料，也为日后编写"大事记"做好准备；另一种是根据分类，然后按时间顺序汇编资料。从操作层面上讲，《江苏红十字会志》采用第二种做法比较合适，简便易行。

汇编《资料长编》要注意的事项比较多，其中以下几个方面不能掉以轻心：

一是去伪存真。在筛选资料的过程中，一定要进行去伪存真的考订工作，确保资料的真实性。

① 江苏省红十字会编著：《江苏红十字运动的八十八年·前言》，东南大学出版社 2001 年版。

二去粗取精。资料很多，哪些是精华，哪些重要，哪些次要，需要仔细审读，仔细甄别，不至于"捡了芝麻丢了西瓜"。

三是资料来源最好注明出处，重要资料要有复印件单独装订成册，以便核对。

四是要契合历史。随着社会的发展，市县政区变动较大。如 1983年后苏州市实行市管县新体制，下辖常熟、沙洲（后更名为张家港）、太仓、昆山、吴县、吴江 6 个县和平江、沧浪、金阊、郊区（后更名为虎丘）4 个区。之后 6 个县先后撤县建市（县级市）。1992 年和 1994年，先后从吴县及郊区划出部分乡镇，设立苏州新区和苏州工业园区。2001 年 2 月，撤销吴县市，分设吴中区、相城区。2002 年 9 月，苏州新区、虎丘区区划调整，成立苏州高新区·虎丘区。为契合历史，资料中的地名应该保留不同时期的不同称谓。其他市也有类似情况。

资料问题直接关系到《红十字会志》编纂的质量，是一项基础性的大工程，应该给予高度重视。相信在省红会的直接领导下，在各市红会的努力配合下，这项工作一定会取得预期的成功，为《江苏红十字会志》的编纂奠定坚实的基础。

（2011 年 9 月 20 在南京《江苏省红十字会志》编纂工作会议上的辅导报告）

文化研究

新媒体管理与红十字会公信力建设

新媒体传播时代，传播者与受众之间相互影响、相互作用，极大改变了传统的社会互动方式与组织公信力塑造方式。红十字会如何在遵循媒体传播特点和新兴媒体发展规律的前提下，充分利用新媒体创新管理与运行模式以提升公信力，成为亟待解决的重大课题。

新媒体带来新机遇

作为当前重要的传播平台，以互联网为代表的新媒体对于红十字会应对公共危机、开展人道工作具有重要作用。因此，媒介管理能力势必成为红十字会能力建设的重要内容之一。

首先，新媒体改变了以往的传播环境，提升了民众在社会公共事务中的参与度。所谓"互联网+红十字"，即要借助互联网为平台的新媒体力量，利用微博、微信等新媒体形式，将传统方式与新兴信息技术结合。在这种情况下，互联网不只是一个媒介，也是一种思维方式和工作方法。与时俱进，借助新媒体可以有效推动红十字事业的发展和公信力、美誉度的提升。

其次，新媒体具有传播范围广、舆论引导能力强的特点，可以更好地发挥传播媒体的舆论引导作用，有力推动红十字会公信力建设。"两微一端"成为当前舆情引导的重要前沿阵地，任何新媒体用户都可以通过手机客户端随时获得信息，并进行即时反馈与分享，网络舆论场很快形成并发挥其影响力。"大数据"结合现代化的信息管理手段，对于准确把握舆情，丰富和完善舆情处理系统提供了条件。

最后，新媒体具有开放性、及时性的特点，互动功能强，打破了传统媒体传播中的层级和地域界限。民众与红十字会之间沟通渠道更加畅通，相互之间的认知和理解增强，对于红十字会公信力建设大有裨益。

网络空间是亿万民众共同的精神家园。红十字会所具有的社会性、组织性、公共性特质使其成为现代公信力的承载主体之一。从这一层面讲,公信力不仅是红十字会立身之本,对新媒体环境下社会信任系统的确立也具有重要意义。

新环境与新挑战

机遇与挑战并存。新媒体的广泛应用提高了红十字会信息传播的速度,同时也将红十字会置于更开放的舆论环境,部分恶意的舆论攻击曾经演变为一场社会危机,意味着红十字会的公信力建设面临前所未有的挑战。

挑战之一:众说纷纭,信息来源不确定。新媒体的广泛普及使民众的知情权和表达权被放大,新媒体从传播渠道变成了传播主体,掌握了传播活动的主动权。新的传播场域中,受众已经不是被动的信息接收者,而是主动地介入信息传播,不断地对信息进行加工处理,进而影响着传播内容与过程。在红十字会遭遇的网络舆论危机中,网络谣言形成的"次生灾害"的危害性远远大于舆论本身。

挑战之二:传播渠道多样化,难以有效监控。在传统媒体受到新媒体强烈冲击的情况下,传统媒介与新媒体之间构成了错综复杂的关系。在网络舆论事件的传播过程中,新媒体和传统媒体相互介入,密切互动,这种集体编撰的方式使得任何一个环节的信息失真都会带来谬误,包括一些有影响力的网络意见领袖,也因此陷入真假难判的尴尬境地。

挑战之三:市场导向之下,媒体的社会责任意识弱化。受利益驱动,点击率成了媒体的关注点,受众的低俗化倾向又加剧了部分媒体的市场屈服,不实信息、虚假讯息屡见不鲜,在真相揭开之前,谣言早已不胫而走,对社会组织的社会公信力建设带来了极大的消极影响。"微博炫富"成为影响红十字会公信力的导火索,事件发生后各种谣言兴起,网络点击率攀升,社会大众因缺少对传言的理性判断而对谣言信以为真,事实真相则被甚嚣尘上的网络舆论掩盖。

主动作为重振公信力

公信力作为红十字文化软实力,既有赖于红十字会长期自觉开展的人道行动,也与红十字会的自身管理能力息息相关。面对新机遇和新挑战,红十字会要积极应对,自觉行动,主动作为,为树立良好组织形象不懈努力。而树立新媒体运作理念，加强媒介管理能力建设，在新媒体平台上提升媒介反应能力与舆论导向能力，是红十字会需要长期高度重视的管理问题。具体而言，可采取如下措施：

第一，完善法律体系，推动自我管理规范化。公信力的建立和完善是一项长期持久的工作，在法律的框架体系内开展行动是前提，法律约束和自律规范缺一不可。5月8日即将施行的《中华人民共和国红十字会法》必将为公信力建设提供强有力的法律保障。红十字会要坚守自己的职责，在法律的框架内，以理性的逻辑和冷静的处理方式面对舆论危机，为维护组织的良性运行保驾护航。

另外，行动能力和管理水平是红十字会社会公信力的基本保障。一方面，红十字会要能够敏锐察觉工作运行过程中出现的问题，主动自觉地进行调整改善；另一方面，红十字会工作人员要积极提高自己的工作能力和职业素养，以身作则，展现"人道为本、博爱为怀、奉献为荣"的红十字文化，进而搭建起红十字会与公众之间信任的桥梁，深化民众对红十字会的认知。

第二，强化制度建设，实现监督管理透明化。在危机事件处理过程中，红十字会的媒体管理方式的选择，需要制度性保障。依据制度安排，应在尊重公众知情权的基础上，保证信息传播活动的有序、有效展开。正所谓"流言止于真相"，公开透明是红十字会社会公信力得以重振的必要条件。

加强内部防范和外部监督，尤其是注重发挥外部监督机制的作用，已是势在必行。新修订的《中华人民共和国红十字会法》中"监事会"的设置，从法制层面确认了决策、执行、监督三位一体的运行机制，完善了红十字会监督体系。伴随新媒体发展，网络监督将成为红十字会外部监督的一种便捷有效的形式，要把这种新的有效形式纳入红十字会制度体系建设中。从当前的发展趋势来看，媒体监督是公众参与监督的有效方式，利用新媒体做好信息公开，可以有效避免信息不对称造成的信任危机，满足人们参与红十字活动的需求，打造公开透明的红十字会。

第三，运用互联网思维，促进互动方式专业化。社会运行过程中，那些"正常的东西支撑社会的运作，反常的东西导致社会的变化"，红十字会借助新媒体正确引导公众舆论和行为，及时与公众交流互动，可以防止"伪信息"的扩散，避免更大的"次生灾害"。为此，既要善于"听"，也要善于"说"，信息互动要符合网络传播特点。具体而言，红十字会一方面要在危机事件处理中，积极主动获取网络舆论的有效信息，进而分析、识别公众对于危机事件的态度，准确把握舆情；另一方面要善于主动表达，及时公布相关部门对于事件的看法和处理方式，引导网络舆论向积极的方向发展。

红十字会与公众之间以新媒体为平台的交流互动是一种信息输出与信息反馈机制，交互式的文化传播方式为个体充分参与红十字会组织活动提供了有利条件。简言之，新媒体的蓬勃发展将红十字会置于更激烈的舆论环境中，为重振红十字会公信力提出了时代性课题。只有加强红十字会的媒介管理能力，才能更好地发挥自身职能，也有利于助推整个社会信任环境的改善。

（原载《中国红十字报》2017年4月11日。与王萍合作）

新媒体与红十字会法传播

2017 年 5 月 8 日，在第 70 个世界红十字日到来之际，新修订的《中华人民共和国红十字会法》（以下简称"红十字会法"）正式实施。如何借助新媒体平台，因势利导，构建开放、互动、分享的互联网时代红十字会法传播新格局，切实提高普法活动的有效性，值得探索。

发挥新媒体普法宣传优势

新媒体被称为"第五大传播媒体"，具有传播速度快、互动性强、操作便捷、覆盖范围广等特点。作为当前最重要的传播媒介，在红十字会法宣传普及过程中，新媒体的应用形式不断推陈出新。"5·8"期间，各地红十字会通过知识竞赛、互动问答、微信关注、征文等形式，推送法律资讯和信息，让受众通过手机方便、及时参与其中，形成了参与性、互动性的普法新模式，引人瞩目。

首先，新媒体实现了公众参与的普法新模式。

红十字会开展的普法宣传是一种有针对性的传播行为，受众的参与程度和感受很大程度上决定了普法活动的效果。公众通过关注红十字会官方微信公众号的形式参与答题，可以有效提升公众参与社会公益活动的热情。参与度越高，对于红十字会活动的认识和了解就越深，社会行动力就会越强。比如，湖北省红十字会和武汉市红十字会共同举办的"首届最酷小红人挑战赛"，全国的手机用户都可以通过扫描二维码参赛，或者关注红十字会官方公众号参与活动。竞赛内容是红十字会法律知识以及红十字运动基本知识，以答题时间和正确率为成绩评定指标，获奖者可获得爱心企业捐助的奖品和证书。本次活动通过竞赛的形式，借助新媒体平台，以公众参与的形式普及红十字会法，全国 5.06 万人参赛，总挑战 42.3 万次，活动参与面广，宣传成效好，是一次卓有成效的创新和突破。

其次，交互式的传播方式增强了公众"在场感"。

新媒体具有开放性、即时性特点，互动功能强，打破了传统媒体传播中的层级和地域界限，公众与红十字会之间沟通渠道更加畅通，相互之间的认知和理解增强。交互式的传播方式有效提升了受众在普法活动中的参与程度。传统的普法教育多为精英普法模式，主要由普法主体向受众单向灌输法律知识，传播主体与传播受众之间的互动受时间、空间的限制，在加强理解和认同方面受到很大局限。而互联网平台却可以不受时间和地域的限制，讨论双方不同时在线也可以进行交流。如浙江省红十字会开展"爱在'浙'里，感谢有你"的网上普法宣传接力活动，网民通过读法、学法赢取流量，活动为期 12 天，共有 11 万余人参加了网上知识竞答活动。安徽省桐城市红十字会通过手机扫描二维码、关注红十字微信公众号、参与红十字会法知识问答的形式进行普法宣传，参与活动者可以领取手机流量作为奖励，如此等等。以关注公众号的形式进行普法，参与方式便捷，更加贴近公众，法律条文和相关知识变得鲜活而灵动。此举提高了红十字会官方公众号的关注数量，同时也显著提升了普法活动的公众在场感。以娱乐游戏的方式进行互动式普法宣传，参与者的需求满足程度高，普法效果明显增强。

最后，借助新媒体提升了普法宣传的便利性。

近年来，"两微一端"作为新型的传播媒介迅猛发展。2016 年政府工作报告指出，要促进传统媒体与新兴媒体融合发展。紧随这种潮流，是"与时俱进"的现实需要。微博、微信公众号、新闻客户端的使用，以多样化的传播手段提高了法制宣传教育的吸引力。传播者与受众之间实时沟通、相互影响，极大提升了普法活动的便利性。在红十字会"5·8"普法宣传活动中，除了传统的文艺演出、散发传单、法律咨询、专栏报道等形式之外，人们还可随时随地通过手机报、微博、微信、新闻客户端等新媒体学习红十字会法律知识。

正视新媒体普法实践的不足

借助新媒体传播平台是做好红十字会普法工作的现实所需，也是今后红十字会加强自身建设的一个重要方面。运用新媒体开展普法宣传作为一种全新的普法实践活动，也出现了用户关注度不高，宣传形式和内容较为单一，重单向灌输、轻参与互动等方面的现实问题，这意味着红十字组织在新技术、新平台的应用能力方面还有待提高。红十字会在利用新媒体进行普法实践活动中的不足主要体现在以下方面：

一是人才缺乏，难以满足现实需求。在实践中，普法活动的专业性强，从业人员需要熟悉红十字会专业知识，准确理解红十字会法相关内容，同时又要具备新媒体的策划、编辑和应用能力。人才队伍是推动红十字法制建设的基本保障。现实情况是具备这种综合素养的人才缺乏，难以满足工作的实际需求，人才缺口瓶颈制约了新媒体普法活动的开展。

二是任重道远，新媒体自身公信力亟须提升。新媒体的使用提升了法制宣传教育的宽度，但是一些新媒体在运作过程中，信息发布的门槛较低，虚假信息和不实信息充斥其间，受众难以鉴别，容易造成混淆视听的局面。部分网络新闻片面追求点击率，传播内容庸俗化、媚俗化。在这种情况的影响下，新媒体作为传播主体的权威性受到挫伤，公信力不足，连带部分抵消了普法宣传活动的成效。

三是观念陈旧，对新媒体认识不足。一些地方红十字会没有充分认识到新媒体的力量，在普法宣传的活动中，对新媒体的认识不足。媒体传播的内容更新不及时，"僵尸公众号""空壳微博"的现象不少。重视程度不够，人力物力不足，缺乏专业的制作团队，新媒体平台制作的精品内容少，活动创新不足。有的红十字会心有余而力不足，创作的作品缺乏专业饱满的新媒体表达形式，普法宣传的效果受到制约。

善用新媒体助推普法宣传

习近平总书记指出："读者在哪里，受众在哪里，宣传报道的触角就要伸向哪里，宣传思想工作的着力点和落脚点就要放在哪里。"在新媒体蓬勃发展的情况下，"人人都有麦克风，个个都是自媒体"，加强普法活动与新媒体融合，提高普法实效，动员更广泛的社会力量参与红十字事业，需要取长补短，转换互联网思维、改革管理体制、创新内容形式，积极探索新形势下普法宣传技巧和舆论引导策略，这是新媒体时代的客观要求。因此，在日后的普法宣传中，如何善用新媒体，至关重要。

一是加强平台建设，搭建普法宣传新阵地。在普法活动中，除了坚持传统的普法渠道之外，更要加强传统媒体和新媒体之间的资源整合，将红十字组织的传统品牌优势集中，结合新媒体的多元化渠道，开拓受众广泛、时效性强、互动性强的综合传播渠道，使传统普法方式和新媒体的优势互补、资源整合，形成多维度的普法格局。

二是坚持推陈出新，创新普法活动特色项目。交互式传播途径的核心在于信息的交换，而不是劝服和信息灌输，注重用户体验至上。由于活动形式和内容的吸引力至关重要，所以在新媒体平台构建互动参与式的普法活动时内容尤为关键。创新普法手段，借助移动互联网的人际传播，结合新媒体形式，以更多的活动创新为普法宣传提供更多可挖掘的空间。

三是培育人力资源，加强综合性专业人才建设。新媒体普法格局平台建设需要一支专业化的人才队伍，他们一方面要具备红十字法律知识、准确掌握红十字文化内涵、熟稔红十字运动历史、善于引导网络舆论，同时也要能够熟练操作数码软件工具、熟悉多媒体，可以运用新技术编辑图片、录音、视频，并能够借助新媒体迅速开展宣传报道。加强人才队伍建设，培养具备综合素质的新媒体专业人才无疑是一项重要而紧迫的工作。

总之，在新媒体时代普及红十字会法，要求红十字人树立新理念，具有认识新媒体、了解新媒体、掌握新媒体的意识。红十字组织需要借助互联网为平台的新媒体力量，利用微博、微信、新闻客户端等新媒体形式，创新工作思路，丰富活动内容，将传统方式与新兴信息技术结合，使新媒体在红十字会法普及中发挥更大能量。

（原载《中国红十字报》2017年6月9日。与王萍合作）

新媒体与红十字文化传播

文化传播构建了人与人之间、人与社会之间的连接纽带，以手机客户端为代表的新媒体，颠覆了传统的社会文化传播方式，是一个高效而开放的参与式传播平台。在复杂而多元的新媒体公共话语空间中，如何做好红十字品牌塑造和文化传播，是一个值得探究的问题。

新媒体之新

关于新媒体的概念，目前学术界众说纷纭，莫衷一是。一些学者倾向于用比较的概念去理解新媒体，在这类语义环境中，新媒体主要是指建立在互联网基础上的移动社交媒体平台，相对于报纸、杂志、电视等传统的传播媒介，新媒体更多的是一个发展概念，是一种新的媒介传播形态。也有学者认为，手机客户端的微信、微博等媒体之所以被称为新媒体，是因为相对于报纸、电视、杂志等大众传播媒介来说，它们具有非常强的互动性，正是这种特征，区别了传统的单向输出式传播，把人们的使用习惯和需求考虑其中，是一个开放的交流、传递、分享平台。

可见，新媒体作为目前对人们社会生活影响最大的传播媒介，具有数字化、网络化、参与式、互动性等特点，是一种软件和硬件的更新，也是一种新的媒体服务方式。

新媒体推动文化传播进入了新时代，为红十字文化传播提供了广泛参与、便捷高效的途径。如今，"人人都有麦克风，人人都有话语权，人人都是新闻记者"，这对红十字事业发展具有强大的推动力。利用新媒体传播红十字文化，能在社会公共话语空间中发挥积极的引领和导向作用，促进人道事业发展。新媒体的多渠道传播，实现了线上线下的结合，突破了地理、文化、社会和自然条件的限制，可成为连接红十字文化与人道实践的纽带。

新媒体给用户提供了体验式、互动性的参与方式，具有较强的示范性，可以凝聚更多社会力量参与人道公益事业。

新媒体之优

新媒体作为重要的传播媒介，改变了以往的传播环境，提升了民众在社会事务中的参与度，是信息技术发展和社会文化进步的新成果。在新的传播场域中，任何个体都可以利用微信、微博等平台发布信息，同时也能广泛地接收信息，新媒体的传播优势明显。

技术优势明显，覆盖面广。1994 年，我国被国际承认为少数拥有互联网技术的国家；1995 年，普通群众开始享受互联网接入服务。截至 2017 年 6 月底，我国拥有移动电话用户总数 13.6 亿，手机上网用户突破 11 亿，其中 4G 用户达 8.88 亿，基本实现了新媒体全覆盖。以新媒体为媒介的文化传播，给人们带来了前所未有的便利。例如，"今日头条"运用新闻自动聚合技术，在 5 年时间里，成为中国最大的话语平台之一，日活跃用户超过 2 亿，充分体现了技术的强劲力量。

传播具有针对性，实效性强。以微信为代表的新媒体传播渠道，是基于熟人朋友圈的群体，信任度高，可以使红十字文化有效获得民众的支持、理解与参与。例如，某一筹款项目在微信朋友圈发起之后，受众基于对发起者的信任，对活动本身也有了信任。便捷的支付渠道和参与方式，也为受众参与红十字活动提供了捷径，参与之后还能及时获取反馈信息、实现良性互动，从而调动了更广泛的参与力量。

2017 年 10 月 17 日，由中国红十字会总会主办，中国红十字基金会、北京轻松筹网络科技有限公司承办的"全国红十字系统首届众筹扶贫大赛"在江西南昌圆满收官。本次大赛从 7 月 5 日启动，共计 22 个省、市、自治区 228 个项目参赛，137 个项目进入初赛线上筹款，最后有 50 个闯入半决赛的项目上线，两周共筹款 277 万余元。本次大赛是红十字系统主动拥抱互联网、创新人道资源动员模式、积极推动社会筹资渠道多元化的一次有益尝试，积累了有益的经验，活动成效显著。

传播成本低，渠道便捷。在新媒体的参与下，公众通过手机可以实时与红十字组织实现双向互动。以微信为代表的新媒体平台的高速发展，使红十字文化传播进入了黄金时代，并极大地降低了红十字文化传播的成本，克服了软件、运营商、硬件等诸多技术和资金壁垒。红十字会在项目推广过程中，无须专门建设和维护一个网站，就可以达到同样的传播效果，有利于动员更多社会力量参与红十字事业。

在新媒体迅速发展的形势下，红十字文化传播迎来了全新的发展机遇。各地红十字会应迅速行动起来，利用新的传播方式和理念，积极推进红十字文化传播工作。

新媒体之困

新媒体给予民众更多的舆论宣传自主权，但是新媒体本身也存在不足，若使用不当，任何问题都可能在新媒体的助推之下，发酵成一场舆论风暴，使组织的文化品牌受损。因此，正视问题、正确用好新媒体是一项系统性工程。

新媒体应用范围有限，部分人员缺乏相关意识和实践能力。作为当前受众最广泛的传播空间，新媒体也是多种文化和思想交流的重要阵地，对技术水平和作品内容要求较高。一方面要及时迅速采集信息素材，另一方面要对内容进行快捷和恰当处理，需要复合型、专业化的传播人才。从近几年的发展情况来看，很多红十字基层组织积极探索新媒体运行方式，开设了微信公众号、微博等，并借助新媒体进行普法宣传和活动推广，传播红十字文化，取得了良好的效果。但是，也有一部分红十字会工作人员对什么是新媒体、如何使用新媒体了解有限，利用新媒体开展工作的能力有限，很大程度上制约了新媒体在红十字文化传播工作中的效果。

新媒体迎合民众需求易使其忽略社会责任。在新媒体迅速发展时期，个体既是受众也是传播主体，民众的知情权和表达权被放大。越惊悚、越离谱的说法，越吸引眼球，而事实真相则往往被甚嚣尘上的网络舆论掩盖。在传统媒体受到新媒体强烈冲击的情况下，传统媒介传播方式与新媒体之间构成了错综复杂的关系。在市场导向下，新媒体为迎合受众，用夸张和劲爆的讯息来吸引眼球，忽略了自身的社会责任，而受众的低俗化倾向又加剧了新媒体的市场屈服，弱化了新媒体的社会责任意识。每个人对于信息的理解能力、辨别能力、分析能力高低不同，网络乱象频繁发生的舆论生态是红十字文化传播工作需要克服的难题。

信息来源多元，更新速度快，分散了传播效果。文化传播效果一方面受到舆论力量的影响，同时也受到个人旨趣和价值观的影响，受众的旨趣反过来会倒逼传播主体。以互联网为代表的新媒体，每天产生海量信息，在如此多的信息面前，如何占据手机屏幕，吸引用户关注，是一个大问题。在海量信息中，还有相当数量的虚假信息，造成了网络环境被污染。在红十字文化传播过程中，新媒体对于速度和效率的追求，使得对问题分析不够深入，对事实真相呈现不足，话语主动权极易丢失，导致传播主体在网络舆论场的角力中陷入尴尬境地。

红十字之路

借助新媒体平台传播红十字文化，可以突破人与自然的障碍性因素，提升红十字文化的感召力。当前，新媒体技术迅速发展，对红十字文化传播要求日益提高，应努力打造"可读性强、可信度高"的红十字文化传播品牌，将新媒体与传统传播形式相结合，形成"开放、互动、信任、自觉、主动"的传播新态势。

互动共享，做好红十字文化宣传工作。在红十字文化的传播工作中，"一报一刊"（《中国红十字报》与《博爱》杂志）是主阵地和重要载体，应结合当前社会发展趋势，将新媒体平台与"一报一刊"相结合，一方面借助传统媒体的公信力和庞大的忠实受众，另一方面要发挥新媒体的传播迅捷和互动共享优势，共同做好文化宣传和舆论引导，积极拓展红十字会在新媒体平台的传播渠道，实现多维度、全覆盖、立场客观、公信力强的有效传播。

除了传统媒体和新媒体的结合，还应做好"线上线下"结合。一方面在新媒体平台不断推出热点活动，吸引受众的关注；另一方面还可将线上活动与线下活动相呼应，在宣传中行动，在行动中宣传，提高人们对红十字文化的理解水平和认同感，增强社会责任意识，将红十字文化宣传变成公众内化的自觉行动。

以人为本，打造红十字文化传播专业队伍。在红十字文化传播过程中，科技创新是重要推动力，而科技创新必须要有人才基础。随着社会的发展，人们的文化观念逐渐变化，对文化和审美的要求日益提高，因此在红十字文化传播中必须有效地运用新媒体，不断进行内容与形式的创新，对工作人员队伍的要求也随之不断提升。从事宣传工作的人员一方面要懂得新媒体的特性，熟练掌握媒体话语方式，熟悉读者的阅读体验；另一方面也要准确把握红十字文化的精神内涵、红十字的发展历史、红十字的工作实践，将新媒体技术与红十字事业特点结合，将技术优势转化成宣传优势，才能更好地弘扬红十字精神，推动人道事业发展。

完善法制，加强媒介管理的制度化建设。2016 年 9 月 20 日，最高人民法院、最高人民检察院、公安部联合发布《关于办理刑事案件收集提取和审查判断电子数据若干问题的规定》，从具体法则上细化了电子证据的形式，并确认了电子证据的法律效力，这既是遏制网络谣言和舆论暴力的重要举措，也为新媒体管理提供了必要的制度保障。

众所周知，制度建设本身强调社会规则的重要性和社会秩序的稳定性。在新媒体蓬勃发展的形势下，红十字会的媒体管理需要制度性的保障，应在网络舆论危机管理体制内，依据制度的安排，在尊重公众知情权的基础上，保证传播活动有序且有效。

新媒体使红十字文化传播得到了常态化发展和广泛性参与，给红十字事业发展带来了新机遇。新媒体本身也是现代文化系统中的重要组成部分，在红十字文化传播中有着特殊地位，可以为其提供充足的活力和强劲的动力。新媒体的传播方式是对红十字文化传播的全面而综合的呈现，也为人道事业研究探索出了一种与时代发展相适应的模式和途径。正确利用新媒体平台，将进一步推动红十字事业向更高水平发展。

（原载《中国红十字报》2017 年 12 月 19 日。与王萍合作）

找准“结合点” 开辟“新渠道”

——关于拓宽红十字会法传播渠道的思考

新版《中华人民共和国红十字会法》（以下简称“红十字会法”）已于 2017 年 5 月 8 日正式施行，宣传传播红十字会法，成为各级红十字会当前和今后一段时间的中心工作。如何寻找“结合点”，开辟传播“新渠道”，对实现多方位立体传播红十字会法至关重要。

与习近平总书记系列重要讲话精神及重要文件的宣传相结合

近年来，国家主席习近平多次“点赞”红十字会，尤其在会见红会“十大”代表时发表的重要讲话，强调“我国红十字事业是中国特色社会主义事业的重要组成部分，中国红十字会是党和政府在人道领域联系群众的桥梁和纽带。党和国家高度重视这支力量”。党的十八大以来，习近平总书记多次对中国红十字会的工作做出重要批示，对营造全社会支持、参与红十字事业的氛围，起到了重要作用。

2012 年 7 月 10 日，国务院下发《关于促进红十字事业发展的意见》，这是新中国成立以来国务院为红十字会工作专门下发的第一个文件，这种前所未有的举措，充分体现了中国政府对红十字事业的重视、关怀与支持。

红十字会法将这种重视、支持“法制化”，体现了国家意志。因此，宣传传播红十字会法，与习近平总书记系列重要讲话精神及《关于促进红十字事业发展的意见》有机结合起来，是必要的。

与世界红十字日相结合

全国人大法律委员会就何时正式施行新版红十字会法征求红十字会

的意见时，中国红十字会总会建议把5月8日作为施行日期，得到了法律委员会的赞同。这样的安排非常睿智，也为红十字会法的宣传传播营造了良好的环境与氛围。"5·8"世界红十字日是红十字会的盛大节日，各地红十字会会举行各种活动，弘扬红十字精神，传播红十字文化，展示红十字运动成果。将红十字会法施行日期与之有机结合起来，宣传普及效果倍增，可收相得益彰之效。

还应该强调的是，1948年世界红十字日确定以来，并没有统一的主题，自1961年以后，国际红十字协会才每年提出纪念活动口号。直到1996年，各国红十字会在本国公众活动的基础上选择自己的主题，给予世界红十字日一个新的方向，赋予"世界红十字日"全球性的意义。历年世界红十字日主题有"保护人类生命和人类尊严""保护战争受害者""人道——团结起来共御灾害""人人享有尊严""红十字在行动——关爱生命""捐献骨髓　关爱生命　展示人道力量""处处为人人"等。今年，不少地方红十字会以"红十字会法与你同行"为主题，作为活动主题口号，产生了一定的放大效应。这在以后的世界红十字日纪念活动中，可以进一步吸收借鉴。

与"两微一端"相结合

广播、电视、报纸杂志等传统媒体在红十字会法宣传传播过程中无疑扮演着重要角色，不容忽视，但新媒体以其传播速度快、受众面广的优势，日益受到青睐，其作用不容小觑。尤其是微信、微博和客户端，应用广泛，在人们的日常生活中具有举足轻重的地位。

将红十字会法传播与"两微一端"结合起来，可以有效拓宽传播路径，提高知晓率。红十字会微信公众号的使用越来越普遍，令人欣喜，但不可否认，目前红十字会法的传播范围多局限在红十字会系统内，"体内循环"现象突出，社会关注度不高。如何让红十字会法走进千家万户，关键在于内容和形式上的不断创新，这是信息化时代新媒体传播方式的客观要求，我们必须适应，把"两微一端"做得更好。

日前，全国首款红十字主题游戏——"指尖上的红十字"正式登录上海市红十字会微信公众号，这是上海市红十字会借助时下流行的微信平台，进行红十字运动基本知识传播的一次新尝试；湖北省红十字会、武汉市红十字会借助微信公众号于5月4日至8日共同举办"5·8世界红十字日首届最酷小红人挑战赛"，设参与奖3333名，把红十字会法与红十字运动知识传播融汇到一起，超过 5 万人参与挑战；不少地方红十字会通过微信推出有奖问答等形式，传播红十字会法。红十字会法的宣传普及同样可以借助这样的新形式，为宣传传播插上翅膀。

与业务工作相结合

红十字会法赋予红十字会 9 项职责，依法开展这方面的工作，本身就是对红十字会法的传播与实践。

红十字会可将"三救""三献"作为载体，将红十字会法的宣传传播贯穿其中，以加大传播力度，扩大影响范围。比如"三献"工作入法，是新版红十字会法的一大亮点。红十字会法明确规定，"红十字会参与、推动无偿献血、遗体和人体器官捐献工作，参与开展造血干细胞捐献的相关工作"。我们在传播过程中，至少要让公众知晓这只是红十字会法定职责之一，红十字会也不是"三献"工作的主体，而是"参与者"。宣传、推动、协调、见证、表彰，是红十字会担当的"角色"，从而使公众对红十字会法有较深入的了解。

与文化传播相结合

不少地方红十字会成立了宣传传播志愿者工作委员会、新闻与传播工作委员会、新闻传播志愿服务队等组织，通过各种形式，广泛宣传红十字运动知识，传播红十字文化，红十字会法自然成为文化传播的重要内容。这些团队组织宣讲团的做法也值得借鉴，总会组织了专门的宣讲团，地方各级红十字会同样可以组织。这些宣讲团进机关、进学校、进社区、进企业、进农村，广泛宣讲红十字会法，可以大大提升公众知晓率。举办知识竞赛也是文化传播的一种行之有效的方式，借助《中国红十字报》以及新媒体，举行大规模的红十字会法知识竞赛，建立激励机制，对优胜者进行表彰奖励，同样收到了可观的效果。

文化传播的渠道很多，我们还应不断挖掘、构建更多的传播介质，所谓红十字文化传播的"多媒体"，就是要创造多样化的传播载体，助力红十字会法的传播。比如重庆市红十字会 2017 年 4 月 26 日开出的"新红十字会法宣传专列"就很有创意，在重庆主城 1 号线、2 号线、3 号线和 6 号线等 5 条轨道交通干线，每列轨道车车厢内的横幅广告、海报栏、吊旗等位置都贴上了"新红十字会法"公益宣传的海报，效果显著。

与典型案例相结合

新版红十字会法的亮点之一即新增"法律责任"一章，规定红十字会及其工作人员、自然人、法人或者其他组织，抑或各级人民政府有关部门及其工作人员，只要违反红十字会法中的相关规定，就要承担相应的法律责任，使红十字会法由"软法"成为真正意义上的"硬法"。

不过，应清醒地认识到，无论过去、现在还是将来，都会有违法现象的存在。红十字会法的宣传传播，可以结合典型案例，进行警示教育。

如2005年，西安光中影视公司制作的电视剧《红十字背后》，未经授权片中多次使用红十字标志，而被中国红十字会总会告上法庭。2006年经法庭调解达成谅解，《红十字背后》改名《背后》播出，并赔偿中国红十字会人民币1元。光中影视公司负责人赵安在接受采访时说："之所以以1元钱赔偿，主要是希望引起大家对滥用红十字（标志）的重视，我们也愿意声明，希望该剧不会对观众有所误导，而且为了维护红十字法和红十字标志使用权，我们特别捐出1万元给中国红十字会总会。"

通过典型案例的剖析，可以使公众知法、懂法、用法，自觉维护红十字会法的权威与尊严。在现实生活中，这类违法案例依然存在，希望红十字会会同法律界人士进行追查，消除负面影响。

知法、守法、用法、护法，为红十字事业发展营造良好的法制环境，是红十字会法宣传传播的目的所在。只要各级红十字会群策群力，上下联动，一定会达到预期的目标。

（原载《中国红十字报》2017年7月18日）

润物细无声

——红十字文化传播教育基地建设漫谈

中国红十字会总会十三五期间确立重点建设上海、贵州图云关、辽宁营口、陕西延安四个文化传播教育基地。上海是中国红十字运动的发源地，图云关是中国红十字会救护总队部的大本营，营口是红十字会战地救护起源地和中国红十字会第一个分会，延安则是中国红十字会敌后抗战救护的重心。东西南北，四地在中国近代史上演绎了波澜壮阔史诗般的红十字赞歌，历久弥香，建设文化传播教育基地，理所当然，且从四地运行情况看，成效初显。不过，作为红十字文化传播平台，仅有四处，未免过少。在我看来，文化传播教育基地，多多益善，这对增强红十字会软实力至关重要。那么，为什么要多设文化传播教育基地，基地如何遴选，怎样建设，如何运行？就是值得探讨的问题。

传播和教育"双核"功能

文化传播教育基地，名称本身就昭示其所具有的传播和教育"双核"功能。这两个核心功能是设立基地的出发点，也是它所要达成的目标。

应该说，"舆论风波"之后，红十字会的知晓率飙升，但认知率却很低；换句话说，知道红十字会的人多，真正了解红十字会的人却很少，而且由于"舆论风波"的负面影响，使得很多人对红十字会存有偏见、曲解、误解，使红十字会公信力受挫。如何重建公信力，文化传播是关键。设立红十字文化传播教育基地，正在于通过这一载体，告诉人们一个"真实的红十字会"，从而使人们认识、认知、认同红十字，支持红十字事业，为红十字事业发展营造良好的社会环境。

中国红十字会秉持"人道、博爱、奉献"精神，开展人道工作，在中国近代史和中华人民共和国史上留下了闪光的足迹，理应继承与弘扬。同时，正如《国务院关于促进红十字事业发展的意见》所强调的那样，"人道、博爱、奉献"的红十字精神，"与中华民族优秀传统文化一脉相承，与社会主义核心价值体系高度契合，是人类社会文明进步的重要体现。弘扬红十字精神，传播红十字文化，是繁荣和发展社会主义文化、加强社会主义核心价值体系建设的重要内容，是提高中华民族思想道德素质、推动社会主义精神文明建设的必然要求。"红十字文化传播教育基地，正承载着这一"教育"功能。

传播和教育"双核"功能，相得益彰，可以有效拓展红十字文化输出路径，增强红十字会的软实力，传播正能量，提升公信力。

文化传播教育基地的遴选与认定

红十字文化传播教育基地的设立不是随意的，而是有条件的，其中有两个前提是遴选基地的决定性因素：

一是要有红十字历史遗存且保存完好。基地不是空中楼阁，理应具备承载文化传播功能的基本设施。

二是要有感天动地，至少也是动人心弦的红十字会历史"故事"，向世人诉说，感染人，教育人。

除了这两个基本条件外，地方红会强烈的意愿以及党委、政府的鼎力支持、积极协助，则是基地成功创建的关键。

确立了遴选标杆，我们可以发现，符合认定条件的地方不在少数，例如：

广东中山，是孙中山的故乡，孙中山故居得到精心保护。众所周知，孙中山翻译《红十字会救伤第一法》，第一次将红十字救护知识系统引进中国；民国肇始，他颁布"大总统令"，确立了中国红十字会牢不可破的地位；他还题词"博爱"，使红十字文化薪火相传，激励一代又一代人献身人道事业。依托孙中山故居，创建中山红十字文化传播教育基地，是可行的。

江苏常州，是盛宣怀出生地，且盛宣怀故居保存完好。盛宣怀是中国红十字会首任会长，在中国红十字会创始、维持、发展过程中，发挥了巨大作用。依托盛宣怀故居，创建常州红十字文化传播教育基地，是必要的。

山东临沂，有罗生特医院。奥地利医生汉斯·希伯和罗生特是抗战时期通过红十字组织驰援沂蒙革命事业的典型代表。尤其是罗生特，足迹遍布莒南、河东、沂南、临沭等县区，被陈毅称为"活着的白求恩"。位于莒南县的罗生特医院，是对他最好的纪念。将罗生特医院打造成中国红十字会文化传播教育基地，把弘扬沂蒙精神与红十字精神有机结合起来，是可能的。

四川汶川，有汶川地震纪念馆。汶川特大地震，中国红十字会全国上下总动员，募集款物总额199亿元，共援建了18万户民房，2000多所学校，5000多所医院和卫生站；重建了康复中心、敬老院、福利院及备灾减灾设施。在此过程中，国际红十字会组织亦伸出援手。红十字会发挥的作用有目共睹，建立文化传播教育基地，理所应当。

类似的例子还有，需要我们去"发现"、发掘。

要说明的是，在中国红十字运动史上具有重大影响的基地，自然应由总会来挂牌设立。在地方红十字事业发展中具有举足轻重地位的基地，由省级、地市级红十字挂牌设立，因此，"分类管理"也是必要的。

文化传播教育基地的建设模式

文化传播教育基地如何建设？应因地制宜，视情况而定。大致可以归纳为两大模式：

一是"借船出海"。类似于孙中山故居或孙中山纪念馆、罗生特医院、汶川地震纪念馆，均已有序运作，无须基建投资，只要与相关部门协商，"借船出海"，在授牌的同时，增加红十字文化元素，尤其是与馆主相关的红十字文化展品。这样既丰富了陈列的内容，同时也传播了红十字文化，可收"双赢"之效。

二是"合作共建"。如盛宣怀故居，是清同治六年（1867）盛宣怀父盛康与侄盛宇怀共建，现存大厅5间、花厅4间、楼屋2间及花园、黄石假山等，均为硬山造清代木结构建筑。1992年12月，常州市人民政府公布盛宣怀故居为市文物保护单位。2006年6月，省政府公布为江苏省文物保护单位。但目前住有公房租户21户，总面积887平方米，还有一套私房，约200平方米，加起来超过1000平方米。租户的妥善安置，故居的修缮以及配套设施的建设，没有地方政府的支持，是难以设想的。因此合作共建，资源共享，成为最基本的建设模式。

文化传播教育基地的建设，需要必要的资金投入。总会投入一定的建设经费，地方红会给予配套，必要时还可以引导社会资金参与基地的建设，以形成"合力"。

基地建设是一项功在当代、利在千秋的文化工程，动员各方面的人道资源，创新建设模式，一个又一个文化传播教育基地可望"拔地而起"。

基地的管理与运行

按照中国红十字会总会《关于建设红十字文化传播教育基地的通知》（中红办字〔2016〕47号）精神，红十字文化传播教育基地要建立"有场馆、有制度、有队伍、有保障"的管理体系。"四有"之中，"场馆"是硬件设施，"制度"是规范管理与运行的准则，"保障"是基地运行的支持系统，毫无疑问，哪方面都不可或缺，而"队伍"建设更是至为关键。

文化传播教育基地的"队伍"，除了应有的接待人员外，讲解员队伍建设显然"首当其冲"。没有一支素质过硬的讲解员队伍，"双核"功能就无法很好的发挥。一般来说，合作共建的基地，应有专职讲解员，同时还应配备兼职讲解员，"专兼结合"，可以更好地满足基地建设的需要。兼职讲解员来自于志愿者，他们通过培训，可以胜任讲解员的角色。

文化传播教育基地免费向公众开放，具有公益性的特点。这就意味着观众来自于社会各阶层，职业不同，身份不同，年龄分布也会有较大差异，因此讲解的内容和形式，理应"因人而异"，这对讲解员而言，也是一种挑战。

文化传播教育基地是一个平台，但在互联网时代，其运行绝不限于"场馆"，网站、微信、微博、客户端同步上线，各基地建立"联盟"，互联互通，形成一个巨大的"场域"，可以产生规模效应，扩大基地的影响力。

（部分内容发表在《中国红十字报》2017年12月29日）

红十字标志保护史

2017 年 5 月 8 日施行的《中华人民共和国红十字会法》（以下简称"红十字会法"）规定："红十字标志和名称受法律保护。禁止利用红十字标志和名称牟利，禁止以任何形式冒用、滥用、篡改红十字标志和名称。"毋庸置疑，该规定的出台意义重大。事实上，对红十字标志的滥用和保护一直贯穿于中国红十字运动的历史进程之中。

回顾历史，探寻中国红十字会和官方对红十字标志的保护，对我们贯彻执行红十字会法，或有所裨益。

冒用滥用，层出不穷

符号的生命在于社会的约定。红十字作为象征符号，它的创立和使用完全依赖于群体性的约定，所以遵守尤为重要。但在近代法制不完善的社会背景下，红十字标志所具有的光环效应使它很容易被一些不法分子用以牟取非法利益。各类假冒红十字名义诈捐、骗捐以及盗用红十字旗帜、徽章等负面事件层出不穷。

一是假冒红十字名义骗募捐款。1913 年，社会人士傅宗溪、古勇和张汉秋等自称上海、广东红十字会代表，在南洋槟港等埠到处募捐。杭州人金奎向异想天开，仿造红十字会图章，意图骗取捐款；另有上海法界大马路救护团公然打着红十字的名义在报纸上募捐；1937 年全面抗战爆发后，陆金龙竟冒充红十字会北平分会会长向各方募助，"伪称慰劳绥远前方将士，诈得款项甚巨"。

二是滥用红十字标志谋求身份认同。影响较大者有：南京一女子救护团未经授权使用红十字标志请求军队保护，汉口人道总会假借红十字标志出发救护，以及卫生机构和医药界滥用红十字标志等事件。对此，红十字会以有悖于红十字条约，妨害国际信誉为由，呈请政府一律取缔。

三是冒用红十字标志非法从事军事活动。辛亥革命时期，清军陆军卫生队公然佩戴红十字佩章，并借红十字名义杀人。1913 年癸丑之役中，有军队私造红十字旗帜、袖章从事侦探活动，并用红十字会旗私运子弹。军队冒用红十字标志的行为伴随战事的推进愈演愈烈，甚至明目张胆。1932 年，据时人观察，"在黄埔滩见有装货汽车满装军火，插有红十字旗一面"，并"见有搬场汽车插用红十字会旗，满挂标语"，如此等等，不一而足。

　　四是盗用红十字标志谋取商业利益。1929 年，上海市四马路永泰油行公然发售红十字油，并将红十字标记作为商标。出于"彰国信"的考虑，中国红十字会总会致函内政部和工商部以永泰红十字油公司"违背日来佛红十字条约，以红十字为制造标"，要求一律取缔，不准发卖。最终永泰红十字油公司将"樽头绘有之红色十字删去，惟名称则一仍其旧，照常出售"。

　　这些负面现象，"或以十字会为发财之媒介物，或以十字会为奸细之传舍居"，严重损害了红十字会的公信力，也折射出那个时代国人对红十字标志保护意识的淡薄。

主动作为，严惩不贷

　　"红十字标记之滥用有关外交之威信，若不严加取缔，一经发觉，则贻笑外人之口实，影响国际至重且巨。"为维护红十字品牌的声誉，红十字会积极作为，不遗余力。

　　一是即时登报声明和通告，防患于未然。中国红十字会多次发表声明，通告各省分会会员遵守国际红十字会章程，自律自爱，禁止滥用红十字会记章、旗帜及佩章。1913 年，中国红十字会第七次常议会决议，"禁止滥用红十字职员名义并私穿制服，罪议当遵陆军部暂定章程惩罚"。1923 年，中国红十字会蚌埠分会救护队通告各队员不得招摇舞弊，败坏红会名誉，"违则褫夺会员及职权，送请县警斥责"，并劝诫社会人士不得冒充该会会员私用红十字旗帜、袖章，否则"仿照伪造印信法律惩办"。

　　除对会员和社会人士苦口婆心地规劝外，红十字会也时常通告军队关于战时冒用红十字标志的处罚措施，"于战争时冒用红十字标帜，有六月以上之监禁，设如战争时用红十字名义为作战机关，私运军火、谋害敌人者，应在格杀勿论之条"，告诫军队"不准随意挂用红十字旗帜袖章,以符章制"。

二是联合政府积极惩处,消患于已然。对于滥用红十字标志的各种行为,红十字会高度重视,严惩不贷。如1932年,中国红十字会鉴于上海市面上红十字旗帜袖章触目皆是的状况,呈请华界、租界当局援用红十字公约"在战争时私人妄用红十字旗及红十字臂纱时,则照备用军徽罪处罚之",并加紧取缔。

三是悬赏缉拿违法之人。为防范假冒红十字名义骗捐的行为,中国红十字会多次登报通告"本会向不派人在外募捐",提醒社会人士格外注意,"切勿受愚"。同时呼吁社会人士"如遇此种败类,立即扭送警务机关,或报告本会,依法办理",并采取悬赏方式发动民众,"如能查获实据,鸣捕扭送警局捕房通知本会外,证明实在,赠洋一百元,备款以待"。总而言之,对假冒红十字名义骗捐的行为,红十字会绝不姑息。

当局支持,竭力保护

在红十字标志的保卫战中,当局积极支持,竭力保护,为红十字事业的健康运行撑起"保护伞"。

一是制定法律规章,为红十字标志的保护提供制度依据。1907年,清政府将商标禁用红十字标志一事提上议事日程,修订刑律,"起草所有滥用该徽章罚则,当即酌量编入"。民国初年,陆军部严行取缔私立红十字会、滥用红十字记章的行为。陆军部部定暂行章程规定,"凡假冒红十字会标帜及滥用纪章臂章,一经发觉,照暂行新刑律伪造及行使公文图样罪办理",冒用者处以三个月以上六个月以下之监禁。其后,南京国民政府对商标法进行了重新修订,"商标法第二条第三款已明定相同或近于红十字章不得作为商标,此后如有此项红十字章商标,无论相同或近似来局申请注册,自当依法予以取缔",加大了对红十字标志的保护力度。

二是发布训令和公函,严厉禁止和取缔滥用红十字标志的行为。民国初年,陆军部通电各军队,红十字总会所用旗章袖章均经军方盖印,对于其他救护团体所用旗章"应就近核予盖印,以杜冒滥",并通饬战地各司令严禁滥用红十字旗章。对于上海法界大马路救护团滥用红十字标志事件,当局应红十字会请求,勒令该团即日取消,并发出通告,凡未经中国红十字会认为附属机关者,不得滥用红十字会名义,"如有假名敛捐等情弊,一经查出,定予究惩不贷"。

三是颁发布告，通令所属保护红十字会。在红十字会受到危害的情况下，当局积极予以保护。1913 年，江苏某分会被抢，陆军部咨行江苏都督查办。1931 年，海陆军总司令部应红十字会所请，颁发布告，通饬各部队禁止占住分会会址、医院。次年，江苏民政厅转饬各县对红十字会救护队"妥为保护，并加以协助"。

总体而言，在红十字标志的保护方面，红十字会和政府基于资源互馈的角度实现了良性互动，最大限度地保护了红十字品牌的公信力。

新时期，面对新的世情和民情，对红十字标志的保护显得尤为迫切。红十字会法的修订和出台恰逢其时，为红十字品牌的维护、公信力的提升以及红十字事业的健康良性发展保驾护航。

（原载《中国红十字报》2017 年 5 月 19 日。与郭进萍合作）

能 力 建 设

中国红十字会如何适应"新常态"

主讲人： 池子华

参与讨论者： 苏州大学社会学院高级访问学者王萍，苏州大学历史系硕士生大野健一、杨凤鸾、周一丹、史百花、於淑娟、王燕、费艳红、夏雪、欧贺然、杨帅、周峰、刘思瀚

整理者： 刘思瀚、欧贺然①

主讲人简介：

池子华，男，1961 年出生，安徽涡阳人。1985 年毕业于安徽师范大学历史系。1991 年考入南京大学，师从著名历史学家茅家琦、方之光教授治中国近现代史，1994 年毕业，获历史学博士学位。1995 年 12 月，任安徽师范大学副教授。1996 年 7 月，任河北大学教授，中国近现代史、人口学硕士研究生导师，河北省职称评审委员，河北大学学位委员会委员。2001 年至今，任苏州大学教授、博士研究生导师，江苏省重点学科苏州大学中国史一级学科博士学位点负责人、红十字运动研究中心主任、江苏红十字运动研究基地负责人。独著有《中国近代流民》《张乐行评传》《晚清枭雄苗沛霖》《旷世明相曾国藩》《咸丰十一年》《中国流民史：近代卷》《流民问题与社会控制》《农民工与近代社会变迁》《近代中国"打工妹"群体研究》《红十字与近代中国》《中国红十字运动史散论》《红十字运动：历史与发展研究》《红十字运动：历史回顾与现实关怀》《红十字运动：历史审视与现实思考》等，主编"红十字书系""红十字文化丛书""近代国家与社会丛书""东吴史学文丛"等系列丛书，在海内外发表学术论文 400 余篇。

池子华： 2014 年 5 月，习近平总书记在河南调研考察时，首次提及

① 按：此文系根据课堂讨论整理而成。

"新常态"这一概念。7月29日，在中南海召开的党外人士座谈会上，习近平又一次使用了"新常态"概念，正式提出"要正确认识我国经济发展的阶段性特征，进一步增强信心，适应新常态，共同推动经济持续健康发展"①。随后，《人民日报》在8月5日、6日、7日分别以《经济形势闪耀新亮点》《经济运行显现新特征》和《经济发展迈入新阶段》为题加以评论，在形势分析的基础上具体阐释了"中国经济新常态"的内容和政策含义，标志着"新常态"这一概念的正式出炉。那么，中国红十字会应该如何适应"新常态"？在"新常态"下中国红十字会应当注意哪些问题？现在，请同学们就此谈谈自己的见解。

史百花："新常态"这个概念无疑是对我国国情的全新揭示，它囊括了中国现代化发展的方方面面。我认为，无论是经济建设上的"新常态"，还是社会建设上的"新常态"，都是以"创新"为主旋律的，所以红会的建设与发展也应该追求创新。例如，在"东方之星"沉船事件的救援现场，我们看到了中国红会的身影，红会不仅在人力、物力、财力上给予了大力支持，还特别提供心理咨询服务，心理专家深入受难群体之中，为受难者的家人进行心理咨询与治疗，这既是对红会人道主义精神的完美诠释，也是中国红会追求治理创新的一大创举。

夏　雪：我也认为"创新"是中国红十字会适应"新常态"的一把"钥匙"，以新服务适应"新常态"，是中国红十字会适应新常态的一个可行之道。其中，服务高考便是一例，红十字会可以通过服务高考的实际行动弘扬"人道、博爱、奉献"的红十字精神。高考期间，红十字会可以出动爱心车队、设红十字会服务点服务高考。红十字会可以与交通运输部门、雷锋出租车队等合作为考生提供免费接送服务。红十字会服务点，可以为考生免费提供饮用水、中性笔、橡皮等，为考生提供胃肠、感冒及预防中暑的药品，并为考生家长提供方便座椅、坐垫等。针对考生考前紧张、情绪波动大等特点，各服务点还可以安排心理医生对考生进行健康心理咨询和心理疏导，确保考生安心考试。红十字志愿者同样可以利用服务高考的契机，向考生家长发放宣传品和志愿者招募名片，扩大红十字志愿者队伍和红十字会影响力。此外，红十字会还可以拓展留守儿童的救助方式。目前中国农村有留守儿童6100多万，其中大部分是贫困儿童。他们所面临的亲情缺失、意外伤害、心理健康、成长教育等问题日益突出。2015年6月9日，贵州省毕节市发生的4名留

---

① 《中共中央召开党外人士座谈会》，《人民日报》2015年7月31日。

守儿童服农药中毒死亡的事件①，便是这些问题的集中体现。红十字会应加大对留守儿童的救助，呼吁更多的组织和人员关注留守儿童问题，向更多的留守儿童伸出援手，尽量避免这种悲剧的发生。

周　峰：在帮助留守老人和儿童的问题上，我想补充一些具体的建议。我认为，红十字会应当充分利用互联网这一公众平台，鼓励社会公益组织开展更多的公益项目，如之前中国红十字会淘宝公益基金开展的公益项目征集公告做得就很好，其中征集项目的范围与时下社会环境紧密联系。例如，助医项目包括普及健康卫生知识，对儿童、老年人、残疾人进行健康再教育，促进社区卫生维护，开展儿童大病救治等；助学项目包括改善偏远贫困地区中小学办学条件，提高教育水平，资助贫困学生的生活和学习，对留守儿童进行心理辅导等；助弱项目包括帮助社区易受损人群获得可持续收入来源，改善本人及家庭的生计，帮助易受损人群融入社会生活，积极营造社区包容、稳定、和谐的氛围。

池子华："创新"确实是红十字会适应新常态的重点所在。刚才夏雪同学提到的"新服务"概念，尤其应当关注，并且应当作为接下来工作的重点。其中，针对留守老人和儿童的人道关怀工作，确实是值得进一步加强的，这个工作在中西部地区开展得不错，但还有进一步推广的空间。这实际上是由于部分地区的红十字会还是把城市作为工作中心，忽视了基层红十字会的建设。尤其是在农业大省，这是一个严重的问题。

欧贺然：我也认为红会基层组织建设的问题会影响到红十字会更好地适应"新常态"。以我的切身经历为例，我家乡的县城红会组织，专职工作人员较少，而且仍然与卫生组织有千丝万缕的关系，组织体系尚未理顺，红会的工作地点还是在卫生局大楼里开辟的一间办公室，而且县红十字会直到2014年5月才开通网站。另一方面，红十字会的爱心医院建设在相对偏僻的地方，且并不为人所知，我是通过红十字会爱心医院发布的招聘信息，才知道我们县竟然还有红会的爱心医院。显然，普通群众很难接受红会医院的帮助，这种情况可以说是具有代表性的。长期以来，中国红十字会一直存在地域发展不平衡问题，一些贫困落后地区的红会建设存在很多问题，组织不够健全，专职人员较少，这对基层红会的发展产生很大影响。我觉得中国红十字会在适应"新常态"的同时，必须大力进行基层组织建设，针对一些落后地区，要投入更多的精

① 网易新闻：《贵州毕节4名留守儿童农药中毒死亡　疑似集体自杀》2015年6月10日，http://news.163.com/15/0610/20/ARPAU3TN00011229.html。

力，使各地红会发展日趋壮大，以扩大红会的影响。

在此基础上，我认为要想加强红会在基层的发展，必须首先解决红会在基层宣传不力的问题。无论哪个地区，宣传问题都是红会工作的一个重要方面，特别是在基层的宣传。在中国的很多农村地区，信息相对落后，人们了解红会大多是通过电视或广播，了解相对较少。大部分群众对红会的认识只停留在知道名字的程度，还有部分人甚至没有听说过红十字会。作为世界三大国际组织之一，在宣传方面确实存在很大问题。我认为红会在农村地区加强宣传可以采用以下方法：在村民相对集中的地方，通过发放小册子，放纪录片以及宣传应急救护知识等方式，集中进行宣传；也可以将红会的小册子发放到学校，通过在孩子中的流传，将红会知识带入家庭。一些交通不便的地区，应急救护一直是个严重的问题。发生紧急情况，救护车没法及时到达，这就需要红会加强应急救护知识的宣传，为病人赢得时间。我相信红会应急救护的宣传以及实施，会使人们进一步认识到红会的作用。

王　燕：红十字会的宣传工作确实存在着较大的问题，不仅阻碍了红十字会基层组织的发展，也为红十字人道救助工作的开展带来诸多不利。我认为，在红会的人道宣传方面，有三个方面的工作值得探索：首先，我们可以深入发现典型红会人物，深度宣传他们的光辉事迹。除了一般纪念日的群众性宣传活动之外，我们可以举办类似于"感动中国十大人物"的这种活动，并借助媒体来增加宣传度。浙江省已经做了尝试并将持续推行下去。当然，这只是一个点，我们可以采取"由点及面"的方法，不光地方做，总会更要举办这种一年一度的大型表彰活动。其次，目前基层的红会宣传力度不够。今年"5·8"博爱周活动，以太仓市红十字会为例，举办了"进社区、进学校"的群众性宣传活动。但是笔者发现，活动涉及的社区、学校只有一两个，没有达到普及的程度，而且学校大多集中在公办学校，并且只是一些靠近市中心的学校，离市较远的镇、村，就没有相关的宣传活动，而且在村中，也没有相关的红十字救援中心，普通村民对红十字的概念也十分淡薄。最后，目前"互联网+"思维比较流行，我们要如何利用互联网来宣传红会是值得深入探究的。红会的掌上急救课堂这样的 App，应该要增加它对群众的吸引力，增加它的知名度，而目前不少红会已经开通的微信号如何增加它的关注度，也是值得我们深思的。

王　萍：实际上，同学们提到的问题涉及了中国红十字会如何在传统媒体日渐式微之时，利用好新媒体进行宣传工作的问题。我认为，红十字会应当在尊重新媒体传播规律中顺势而为。具体而言，新媒体以其交互性、非强迫性、多元性、时空广泛性等特征弥补了传统媒体在公益宣传上存在的一部分缺陷，在一系列公益事件中发挥出强大的宣传功效，其与公益的结合已成为趋势，而更多更好的结合方式则需要各公益主体在实践中进行不断的探索。与此同时，相关制度与管理体系的不完善、技术手段的局限，使得新媒体公益传播存在一定的问题，传播方式与传播内容有待于继续改善，需要集结政府、公益组织、媒体等多方力量进行完善与解决。

当前，公众更加关注参与感比较强的体验式公益、快乐公益，其中不乏新型、新兴的公益思想和创新实践，满足的是人们对自我形象塑造的需要，这是红会在宣传工作中需要重视的一点。在此基础上，红会人应当主动融入新媒体传播时代，这要求我们做到三点：一是要转变故步自封的传统理念，及时开辟、占领新媒体舆论阵地，以公众最熟悉、最喜欢的内容或方式，吸引他们主动关注红十字活动与工作。组建文字功底好，能够熟练使用和掌握新媒体技术的专业宣传队伍。二是要转变"沉默是金"的保守理念，要以开放包容的态度尊重公众的知情权，与公众分享工作成果，及时地回应民声。三是要转变重业务、轻宣传的理念。要转变"业务本位"思想，充分认识到在新媒体时代下红十字宣传与活动、业务的统一性。

池子华：红十字会的宣传工作确实存在值得改进的地方，红十字系统的工作人员也一直在进行反思，"宣传是做好红会工作的半壁江山"，这个认识够深刻了，但是反过来说，红会目前的舆论形势依然十分严峻，甚至呈现"一边倒"的态势。我们并不能将导致这种情况的原因简单地归结为公众正义感的缺失，而是由于个别人、个别媒体错误的引导，比如有些公众人物居然称全世界只有中国没有加入国际红十字组织，简直是"滑天下之大稽"。这些不负责任的举动，给红十字会的宣传工作带来了很大的困难，所以，王萍刚刚提到的要在尊重新媒体传播规律中顺势而为，很有借鉴意义。如何处理好与媒体的关系，也是红十字会宣传工作的重点之一。

於淑娟：在红十字会的宣传工作方面，我也有几点想法。我认为，宣传中国红会应该加强对其进行的社会救助和公共服务方面的宣传。我之前浏览中国红十字会网站时发现，主页大都是介绍领导视察或是调研的新闻。现在"互联网＋"成为一个新趋势，中国红会可以借助网络，比如研发手机客户端，并通过微博和微信等与网民进行互动，并及时向大众宣传红会的活动情况。筹款方式上，和淘宝、新浪等平台合作，让自己的资金来源更加多元化。

在宣传工作之中，我认为中国红十字会特别需要重视针对高校学生的宣传，除了成立红十字社团，要更广泛地在高校中建立中国红十字会的分支机构，并密切与高校的合作，最大限度地调动高校学生的热情和爱心，发挥出学生中蕴含的巨大能量。

杨凤鸾：针对红十字会在高校中的工作，我有一点想法想与大家探讨。最近我校某一学院的红十字会在食堂附近放置了一个大概1.8米高、1.3米宽的绿色有盖的箱子，作为旧衣回收箱，号召同学们捐赠衣物。但衣物捐赠后期的具体管理方法我们并不知悉。只是在几天后，发现箱子里衣物已经堆满，盖子已经合不上，地上还散落地堆着一些旧衣服，却并没有人搜集整理。虽然是一件很小的事情，但至少还是反映出目前高校红十字组织缺乏有效的管理，红十字组织的参与者对红十字事业尚无强烈的责任感，我认为这一点是今后高校工作中应当注意的问题。此外，通过这一事件，我也联想到了红十字会拒收捐赠人捐助的衣物这个问题，从中能发现许多目前红十字工作中存在的遗憾，值得我们深思。

红会为何拒收旧衣？重要原因在于旧衣捐赠成本高。一件旧衣服自募捐后，要经过一系列过程，才能到达受助者手中，需要耗费大量的财力、物力、人力，这使许多慈善组织，包括红十字会望而却步。从这个角度来说，红十字会拒绝接收也事出有因。另外，有许多受助者不愿意接收旧衣物，担心皮肤病或传染病感染，扩大了旧衣捐赠的矛盾。同时，旧衣捐赠的信息不及时、不完善，导致某些贫穷地区或受灾地区急需衣物，而存有大量旧衣的居民或应接不暇的慈善组织却将旧衣送往垃圾站的情况发生。实际上，如之前几位同学所言，这正是红十字会的宣传工作尚未完全到位的结果。宣传工作不到位还带来了其他后果。例如，许多居民想要捐赠旧衣，但苦于找不到捐赠地点，或者因没有事先了解具体捐赠要求而被拒。尽管网上有一些捐赠信息，但信息并不全面，也真假难辨。

针对以上问题，我觉得红十字会可以利用自身的影响力与权威，做好榜样与示范作用。对于信息不及时、不完善的问题，红十字会作为中国影响最大的公益组织，可以统一采集、核实、推荐与管理需要衣物捐赠的地域或灾区的信息，实时发布更新，让民众接收准确及时的消息，减少因信息延迟产生的失误。在制度建设方面，红十字会可以制定一套旧衣捐赠制度，从接收捐赠到清洗消毒、包装入库、运输发放等，建立一个完整的流程，并作为各个慈善组织回收旧衣的准则和纲领，同时定期公开衣物捐赠后期处理发放的消息，以规范取代无序。对于接收捐赠衣物后处理成本高的问题，红十字会慈善超市的做法可以推广并解决部分资金问题。慈善超市负责接收居民捐赠的旧货，经过商店超市的清洗、补修等处理，再以低价出售，以微薄盈利支撑超市经营，从而降低旧衣捐赠成本。

池子华：关于杨凤鸾同学提到的回收旧衣的问题，其实一些地方的红十字会已经尝试设立了慈善超市，不仅有旧衣回收的功能，还有日常用品的免费领取服务，提供了一个较为便捷的平台。但是，在目前的回收衣物的工作中，还存在着各地需求不一的问题，红十字会应当努力搭建信息平台，让各地的需求及时得到满足。

费艳红：我想结合目前红十字会的遗体捐献工作，谈谈红十字会应该如何适应"新常态"。2013年，上海市曾出现一例红会工作人员误将器官捐献当作遗体捐献的事例。当捐助者的监护人代其表达了器官捐献的愿望后，红会工作人员却拿出了一份《遗体捐献登记表》让其监护人签署[1]，这至少表明有关器官捐献的相关知识没有普及。首先，政府对公民生前签署《器官捐献登记表》的宣传力度不够，以至于有意愿捐献的人，很难在短时间内找到捐献途径。其次，在寻找捐献途径的过程中，医院的工作人员对器官捐献的具体操作程序也不甚了解，器官捐献工作在具体落实上是存在问题的。更为重要的是，只知道遗体捐献，而不了解器官捐献，将两者混为一谈的认知是可怕的。因此，器官捐赠组织系统仍未完善，全国联网的器官捐献体制尚未建立。

有鉴于此，面对这类具体问题，红会在"新常态"下应当做好以下几点，以支撑具体工作的完成。

首先，应当明确红十字会在器官捐献工作上的领导职责。曾有学者将器官捐献与移植工作分成上游（宣传动员、报名登记）、中游（器官的获取与分配）、下游（器官移植监管）三部分。我认为，红十字会应当负责上游工作，卫生行政部门负责下游工作，而中游部分工作则由两部门会同社会各界力量共同完成。同时，红十字会还应作为第三方，参与到下游的监督与见证工作中来。此外，下游工作还应包括救助与缅怀，这同样需要红十字会来承担。在器官捐赠结束后，红会也应该给予

---

[1] 《海归女捐器官　大爱留存人间》，《新民晚报》2014年2月8日。

捐赠家属一定的经济补偿。

其次，针对宣传不力的情况，应当深入开展学习宣传活动。组织主题培训，如在卫生计生系统、红十字会系统开展"器官捐赠"内容、形式、规章制度等的主题培训，准确把握其主要内容和精神实质，深刻理解其内涵和重大意义，通过培训提升依法履职能力。同时，依靠社会媒体宣传，组织全方位、多层次、高强度的宣传报道，普及捐献知识，引导社会舆论，及时解答和回应社会关切的热点问题，营造全社会关心、支持和参与人体器官捐献事业的舆论环境。

最后，应当建立人道救助机制，推动人体器官捐献可持续发展。通过政府财政拨款、彩票公益金投入和社会募捐等多种渠道和方式，建立人体器官捐献救助基金，为生活困难的捐受双方家庭提供必要的人道救助。政府有责任，企业事业单位同样义不容辞，社会团体和个人也有义务奉献爱心，集大众之力量为人体器官捐献的大爱、大善、大义提供人道救助保障。

王　燕：结合费艳红同学的意见，我想再针对器官捐献或遗体捐献的工作提两点建议。众所周知，一个肝脏或肾脏的移植手术，医药费是相当昂贵的，大约要三四十万元，对于肝脏和肾脏的受赠者来说，独自承担如此昂贵的手术费并不现实。我认为，红会可以尝试与医院方面达成一个协议，即受赠者只需支付30%～40%的医药费，而由红会支付余下的医药费。此外，对于捐赠者的家属在今后可能需要器官移植等方面，也可以出台相关的规定，比如，在医药费方面也可以采取部分减免，并且优先使用器官资源，以达到鼓励捐赠的目的。

同时，对于器官或遗体捐赠者，我们还可以给予一定程度的精神补偿。例如，甘肃省红十字会对遗体、器官捐献者缅怀纪念园陵建设已落实园陵建设用地，并完成了园陵初步设计，计划于今年下半年动工建设①。辽宁省红十字器官捐献志愿服务队相关负责人表示，人体器官捐献志愿者可持"中国人体器官捐献志愿登记卡"或辽宁省红十字会"眼组织自愿捐献卡"，配合个人身份证，免费游览沈阳故宫。除沈阳故宫外，沈阳东陵、北陵公园将与辽宁省红十字器官捐献志愿服务队协商，在特定日期组织人体器官和眼组织捐献志愿者免费入园游玩②。我认为

---

① 中国网：《甘肃省遗体器官捐献者缅怀纪念园陵下半年开建》2015 年 6 月 7 日，http://zgsc.china.com.cn/huining/zsmq/2015-06-07/357492.html。

② 沈阳网：《全国人体器官捐献志愿者即日起可免费游沈阳故宫》2015 年 5 月 19 日，http://news.syd.com.cn/system/2015/05/19/010706007.shtml。

类似的做法值得推广。

杨　帅：针对遗体捐献或者器官捐献的问题，我也有一个不成熟的想法想和大家一起讨论。同学们刚才都谈到了，"新常态"下应当鼓励创新精神，在捐献问题上，也可以发挥创造力，探索新型的捐助模式。我认为，可以在原有的义务捐献的基础上，加之适当的有偿捐献，即在器官捐献的领域内，尝试推行义务捐献与有偿捐献的双轨制政策。目前，我国捐献事业面临的是求大于供的尴尬局面，如何调动人们的捐助热情是一个重要的问题。结合目前的实际状况，我们很难依靠讲求"社会道义""人道精神"等理论宣传，来达到大量增加捐助者的目的。所以在这样的社会条件和实际情况下，我认为可以考虑适当实行有偿器官捐献方案。其实早在2012年中国卫生部副部长黄洁夫就曾表示过考虑在中国的器官捐献体系中纳入一定的激励机制，给予一定的人道救助经济补偿。具体而言，由于器官的获取等都会涉及必要的经费，考虑到器官捐献者在医院治疗过程中的医疗费用和捐赠者的困难，给予捐助者提供一定的人道救助经济补偿，如住院医疗费用部分减免、捐赠者家庭的医疗保险、困难救助、学费优惠、税收减免，包括丧葬费用等都可以纳入考虑范畴。当然，目前尚无有效的法律条文支撑双轨制的推行与运转，我认为政府要加快相关法律法规的制定，从制度上肯定有偿捐献的可能性，同时，各级红十字会等社会公益机构要加强引导、宣传，媒体和公众要加强监督。最后，我想强调的是双轨制终究只是权宜之计，最终目标还是实行全社会的义务捐献。我依然希望看到国民并不是因金钱刺激而被动地捐献器官，而是依据道德或者高度的社会责任感，主动去无偿地捐献器官，去奉献自己应有的一份力量。

池子华：杨帅同学提出的"双轨制"的设想，虽然不成熟，但确实值得探讨。在"新常态"的环境中，我们就是应当努力尝试，努力探索。在当前的社会情况下，"双轨制"有一定的合理之处，也有一定的可行性，在供需矛盾难以短时间解决的情况下，有偿捐献也不失为无偿捐献的一种补充，至少可以打击日益猖獗的黑市器官买卖活动。可以先考虑在小范围内开展试点，总结工作中遇到的问题，再加以推广，是有可能获得成功的。毕竟，有那么多病人日夜挣扎在死亡线上，翘首以盼捐献器官的到来，尝试"双轨制"，对这些病人来说有着巨大的帮助。当然，在尝试"双轨制"之前，有必要对可能遇到的伦理道德问题展开研究，做好应对的准备，以免在遭受非议时无力应对，从而导致"双轨制"胎死腹中。

周一丹：我认为红十字会要适应"新常态"，必须使功能定位明确。中国红十字会最初主要从事卫生救护，后来逐渐扩展为"三救""三献"等很多方面，其功能越来越广泛。这也导致其功能定位不明确，公众对红十字会的职能认识不清。对于红十字会，更多的人的印象还停留在献血和灾害救助方面，以至于许多红十字会的工作成果，都不为人所知。例如提起心灵阳光工程、爱心工程、嫣然天使基金等项目，大家可谓耳熟能详，但是大众可能都不清楚红十字会在其中起到的作用。我认为要解决这种尴尬的局面，首先，必须明确红十字会的服务对象。只有确定服务目标群体，才能更明确服务的内容和方式，更好地开展服务工作。其次，红十字会应注重自身的品牌建设，突出特色，打造红十字会的核心竞争力。确定自己的主要品牌，特别是在其他慈善组织无法发挥作用，而红十字会更有能力做的事情上面"做文章"，明确自身定位，做好基础性工作，循序渐进地拓展服务内容。

周　峰：我同意周一丹同学的说法。但是在明确自身定位之后，红十字会还应当注意如何处理与政府的关系。其中，社会呼声很高的财政透明问题值得关注。红十字会的财务严重不透明是问题的核心，但由于人员不够和资金缺乏等问题，改革不能一步到位，应当按公开级别自上而下、内容由略到详地进行财务公开。透明公开是现代慈善的灵魂，红十字会要挽回在公众心中的形象就要不断提高透明度。但棘手的是，政府财政和红十字会财政有千丝万缕的关系，公众无法将两者分开而分别监督。如果要求慈善机构公布财政明细，就一定会牵涉政府财政，公众只要求慈善机构公布财政明细而不涉及政府财政显然不现实。同时，政府也不可能对慈善机构进行强有力的监督，因为对慈善机构的监督在一定程度上就是对自己的监督，这种监督的成效可想而知。政府对慈善事业插手过多或者直接把部分慈善机构行政化，本身对慈善事业的发展非常不利。救灾是政府的法定职责，救灾款项应该来源于财政拨款，即来源于国家税收。如今政府救灾既用财政拨款，又用公众捐款，那么两者之间必然混淆，公众无从知道财政拨款是否到位，也无从监督政府是否在利用民间力量之外尽到了政府自己的职责。政府应当发挥民间慈善机构的广泛性、针对性、灵活性、及时性以及低成本运作等长处，适当放权。

刘思瀚：我十分赞同周峰同学提到的政府适当放权的问题。根据红十字会近年公布的财政拨款的报告，一个明显的趋势是政府的财政拨款数目在逐年下降①，这也与目前政府努力实现的减少财政开支这一目标相一致。这势必要求红十字人做好准备工作，以应对"新常态"。同时，减少财政开支也意味着政府正在调整政府体系，精简机构，随之而来的，也是目前党和政府一再强调的，便是要充分激发社会组织活力，这正是红十字会发展的大好时机。结合周一丹同学所谈的红十字会明确自身定位的问题，我认为红十字会要在此基础上，进一步专业细分，向专业服务救助转型，同时转变以极端案例、个案救助为主的筹款模式；强化与政府的协同，努力建成全国联网的涉及社会各个部门的信息共享体系；最后继续依法治会的努力，目前，不少地方出台了有关红十字会的地方性法律法规，如杭州市政府出台了《关于推进关爱生命工作的实施意见》，对红十字会志愿者的权利与义务做出了详细而明确的规定，具有相当的可行性。我认为各级红会应当加强与当地政府的合作，积极出台符合地方情况的法律法规，最终把各个地方的实践经验汇总起来，取其精华，对《中国红十字法》做出严肃而认真的修改，以解决当前红十字会发展中面临的法律保障不足的问题，同时还可以明确红十字会自身的定位，一举多得，势在必行。

池子华：杭州市出台的《关于推进关爱生命工作的实施意见》，可以说是非常有先见之明的，对于志愿者在工作中可能产生的纠纷做出了明确的处理意见，为志愿者提供了有力的法律保证。如果能在此基础上，制定、颁布一部全国性的志愿者法律，就更有意义了。虽然红十字总会有类似的规定，但是没有像杭州市一样有明确的表达，包括经费支持、志愿的责任与义务以及人身保护，都是很关键的要素。所以旧的志愿者工作条例，目前看来已经有些陈旧，需要及时更新，以应对新的工作环境，这也是适应"新常态"的一种举措。

大野健一：我认为"新常态"就是不同以往的状态，应当说是"江山易改、本性难移"的，所以"新常态"应该是对"本性难移"的挑战。具体而言，有三点值得红十字会注意：一是"上有器量，下有创造力"。领导人只要有器量，工作环境就有活力。工作环境有活力，工作人员就能发挥自己的积极性。工作人员只要有活力，组织就能更加发展。二是要注意人事制度的公平性。红会是从事人道事业的社会救助团体，最重要的方针就是"道德性"和"公信力"。为了坚持这些方针，

能力建设

---

① 详见中国红十字会网站近年公布的《中国红十字总会部门预算说明》。http：//news. syd. com. cn/system/2015/05/19/010706007. shtml。

红会应该重视人事制度的公平性。三是要设立第三方监察机关。"风气不正"和"贪污腐败",对红会来说,是天敌。为了防止"风气不正"和"贪污腐败",红会应当接受第三方监察机关的审查。

池子华: 大野先生讲的问题,我认为都切中要害,说到了点子上。比方说,上有器量,下有创造力,就是一个耐人寻味的表述。红十字会的领导人的器量大小,决定了很多工作是否能够顺利展开,只有领导重视某些工作,红会的工作人员才能投入全部力量,做好工作。

今天的讨论,同学们针对红十字会如何适应"新常态"这一问题,提出了许多具体的意见,其中有不少见解很有参考价值。希望红十字会能够利用好"新常态"的东风,重整旗鼓,吸取经验,发挥创造力,将各项工作做得更细更实,谱写红十字事业发展的新篇章。

（原载《〈红十字运动研究〉2016 年卷》）

人道需求与公益组织能力建设

公益组织如何才能更好地应对日益增长的人道需求？毫无疑问，这是一个大课题，也是所有社会公益组织需要面对的问题。这里以红十字会为例，谈点自己的看法。

红十字会是什么？谈到这个问题，我想到一个人，当然这个人不是大家熟悉的亨利·杜南，也不是南丁格尔，而是民国时期著名文人、长篇小说《续孽海花》的作者张鸿。抗战期间张鸿担任中国红十字会常熟分会会长。对红十字会到底是什么，他发出这样的"惊人之语"，说："红十字会者，世界不祥之物也。"续读下文方知，张鸿会长会有此令人震惊的"宏论"，自然有他的道理。在张鸿会长看来，红十字会总是与天灾人祸联系在一起，他解释说，红十字会"肇端于英俄之战祸（指1854—1856 年克里米亚战争中南丁格尔救死扶伤的人道之举），推而广之，凡疫病饥馑有害于社会者，靡不从事以救恤之。世无凶灾，则会（即红十字会）中无事焉，谥曰不详，孰曰非宜？"换句话说，红十字会现身于大灾大难之中。既然如此，红十字会就是"不祥之物"，谁也不希望见到红十字会活跃的身影，红十字会的活跃，就意味着"凶灾"的肆虐，就意味着大灾大难的肆无忌惮。

可是，谁都知道，祈望"世无凶灾"，只能是一厢情愿。人们诅咒战争、呼唤和平，但战争总是不期而至；人们希望安居乐业，远离灾祸，但灾祸不时横行无忌。不管何种原因，"凶灾"不可避免。面对残酷的现实，人们渴望有能逢凶化吉的"吉祥物"降临，红十字会于是有了用武之地，并以其博爱之行给予被"凶灾"者人道关怀，驱散"不祥"之阴霾。正所谓"有灾难的地方就有红十字会，有红十字会的地方就有希望"。难怪张鸿会长感慨，"执此例以观于会中之事，专以救助困苦颠连为惟一之责任，则所谓不祥之物者，亦可谓为大吉祥者"。

红十字会既是"不祥之物"，也是"大吉祥者"。张鸿会长的"辩证法"，耐人寻味。

当今世界，天灾人祸依然频繁，战争不断、地震频发、洪水滔滔以及其他危害人类生存与发展的灾祸和诸如人口老龄化、留守儿童等问题不断给人类的生存、发展带来极大困扰。这就意味着人道需求的与日俱增，而且人们普遍感到人道需求越来越复杂化、多样化。这对社会公益组织来说，无疑是一个巨大的考验。要应对复杂多变的人道需求，必须加强能力建设。

那么什么是能力建设？能力建设包括哪些内容？能力建设的特征是什么？如何提高能力建设的有效性？这些基本问题弄清楚了，能力建设才能有的放矢。

20世纪80年代，联合国系统和国际NGO（非政府组织）率先提出"能力建设"的"新概念"，可是直到20世纪末，这一问题才引起中国学者和民间组织的关注。1999年，在青少年发展基金会、UNDP（联合国开发计划署）和福特基金会主办的"希望工程与NGO发展国际研讨会"上，"能力建设"首次提上议事日程，之后迅速传播，成为政治、经济、社会生活中的"流行语"，更是攸关社会公益组织生存与发展的核心理念。

什么是能力建设，可谓仁者见仁智者见智，不同领域也会有不同的界定。按照联合国计划开发署在相关会议文件中的界定，能力建设是指"建立适合国情的政策和法律框架的环境、机构的发展，包括社区的参与者（特别是妇女的参与）和人力资源发展和管理系统的完善"。这是一种比较宽泛的定义，包括了组织生存环境的不断优化、组织自身的管理与完善、人力资源的开发与社会动员的广泛性等方面的内涵。就红十字会的能力建设而言，我们可以把它定义为：依据红十字会的宗旨和使命，不断满足人道需求和实现自身可持续发展的综合能力。这两个大的方面，都有各自的能力结构系统，由此构成能力建设的网络体系。第一个方面，要不断满足日益增长的人道需求，自然需要不断强化能力建设，其主要内容包括运筹能力、筹资能力、执行能力、监管能力。但运筹、筹资、执行、监管等能力的建设，是以红十字会组织为载体的，因此，第二个方面自身能力的建设尤为关键。红十字会自身可持续发展的能力建设，应该包括适应能力、创新能力、公关能力、文化建设能力等方面的内容。

必须强调的是，文化是灵魂，是红十字会能力建设的永恒主题。文化建设呼唤理论研究的不断加强。其实自21世纪以来，海峡两岸红十字组织都很重视理论研究。这里应该提到一位已故的红十字人，他就是台湾红十字组织前领导人徐亨，他也是国际奥委会委员，北京申奥，徐亨先生给予了宝贵的支持。在我们进行红十字运动研究过程中，他关心备至，并担任《百年红十字》一书的顾问。在我出版《红十字与近代中国》一书时，他又题字鼓励——"弘扬博爱精神，达成两岸和平"，借以表达他对两岸关系的希冀。《金门协议》的签署、两岸红十字组织合作交流的开展，徐亨先生是强有力的推动者。不仅如此，他还委托台湾相关研究机构，推出了《百年会史》。《百年红十字》和《百年会史》交相辉映，为红十字理论研究和文化建设增添光彩。不过，截至目前，两岸红十字组织理论研究合作交流还没有形成机制。2012 年，在第二届海峡两岸红十字博爱论坛期间，两岸同仁曾就设立海峡两岸红十字运动理论研究中心进行过探讨，这是一个非常好的动议，希望能够早日落地，为提升红十字文化建设能力贡献智慧。

以上八大能力，相互联系，相互作用，相互影响，构成了红十字会能力建设的基本体系。在这个体系中，"人"是根本，无论哪种能力，都要靠红十字人去建设，因此能力建设也要以红十字人"为本"。这是红十字会能力建设的一个突出特征。

第二个特征是开放性。能力建设的体系和内涵不是封闭的，而是开放的，国际红十字运动各成员、NGO 以及各种公益组织，只要在能力建设方面有可取之处，皆可纳入红十字会能力建设体系，"为我所用"，丰富其内涵。比如台湾的慈济，不仅有自己的大学作为人才培养基地，而且有电视台、出版社等文化传播机构，功能强大。慈济所以能驰骋四海，与文化建设能力的强大密切相关——而这方面，恰恰是红十字会的"短板"。吸收借鉴"慈济经验"，可以有效提升红十字会能力建设水平。开放性的另一表现在于，不仅"八大能力"建设，而且随着社会的发展、时代的进步和环境的变迁，社会现实会对红十字会能力建设提出新的要求，因此新能力建设"准入"能力建设体系，使能力建设体系在"与时俱进"中臻于完善。

第三个特征是长期性。能力建设是一个持续的、长期的过程。红十字会无论是应对挑战，还是面对机遇，都需要不断强化能力建设，只有这样，才能实现"能力发展"。因此，红十字会能力建设绝不是"短期行为"，相反，需要建立"长效机制"。

如何提高能力建设的有效性呢？从总体上讲，除强化能力建设意识、建立能力建设的评估机制之外，还必须进行"供给侧"改革；而"供给侧"的改革，是建立在"需求端"基础上的。没有对人道需求的

"精准"把握，能力建设的有效"供给"，就会难尽人意。同时，公益组织加强合作，取长补短，尤其是两岸公益组织携手合作，汇聚人道力量，更加紧迫。"海峡两岸博爱论坛"就搭建了非常好的平台。《金门协议》开启的两岸红十字组织的合作机制，已经大大拓展。我们希望两岸红十字组织进一步开拓合作空间，凝聚共识，形成合力，共同推进人道事业的发展。

（本文为 2016 年 6 月 11 日在厦门举行的"海峡两岸博爱论坛"上的演讲。后载于《中国红十字报》2016 年 7 月 5 日）

人道需求与中国红十字会能力建设

主讲人：池子华

参与讨论者：侯如晋、贾二慧、李宁宁、朱佳丽、张文慧、龚超、伍广庆、赵婕、单珍娜、魏宪伟、张健、李金、高波、袁海洋、李睿

整理者：侯如晋、赵婕①

主讲人简介：

池子华，男，1961 年出生，安徽涡阳人。1985 年毕业于安徽师范大学历史系。1991 年考入南京大学，师从著名历史学家茅家琦、方之光教授治中国近现代史，1994 年毕业，获历史学博士学位。1995 年 12 月任安徽师范大学副教授。1996 年 7 月，任河北大学教授，中国近现代史、人口学硕士研究生导师，河北省职称评审委员会委员，河北大学学位委员会委员。2001 年至今，任苏州大学教授、博士研究生导师，江苏省重点学科苏州大学中国史一级学科博士学位点负责人、红十字运动研究中心主任、江苏红十字运动研究基地负责人。独著有《中国近代流民》《张乐行评传》《晚清枭雄苗沛霖》《旷世明相曾国藩》《咸丰十一年》《中国流民史：近代卷》《流民问题与社会控制》《农民工与近代社会变迁》《近代中国"打工妹"群体研究》《红十字与近代中国》《中国红十字运动史散论》《红十字运动：历史与发展研究》《红十字运动：历史回顾与现实关怀》《红十字运动：历史审视与现实思考》等，主编"红十字书系""红十字文化丛书""近代国家与社会""东吴史学文丛"等系列丛书，在海内外发表学术论文 400 余篇。

池子华：当今世界，战火依然在燃烧，灾害频繁发生，所有这些都意味着人道需求的日益增长。灾祸不仅有传统的，也有非传统的，而且

---

① 按：此文系根据课堂讨论整理而成。

呈现出多元化的趋势。如何应对日益增长的人道需求，这就要求包括红十字会在内的公益组织加强能力建设。关于能力建设，我曾提及有"八大能力"，究竟从哪些方面进行能力建设，人道需求有哪些方面，红十字会如何去应对？这是我们要进行课堂讨论的主题，请大家各抒己见，有任何想法或不同意见均可提出。

侯如晋：为了更好地满足困难群体的人道需求，我认为以下几方面是红十字会加强能力建设不可不做的。

第一，要格外重视基层工作。红十字会基层组织建设的好坏，决定其沟通群众质量的好坏，也就决定其服务群众水平的高低，所以基层组织建设是红十字会能力提升的重要一环。要形成多种基层红会组织，如红十字团体会员单位、学校红十字组织等，以扩大红会组织覆盖率；要形成基层红十字工作有领导班子、专职干部、会员单位、会员家庭及基层会员的网络构架；要积极组织开展红会工作者的知识和业务学习，为有效的执行工作提供有力保障。

第二，要完善信托管理机制。据我所知，中国红十字会作为"花冈和平友好基金"受托人，曾遭受过不小的质疑。如记录花冈事件的著作《尊严》的作者旻子对《法治周末》记者表示，花冈基金肯定是被托管单位中国红十字会乱花了，并且她"曾多次要求采访中国红十字会，要求公开接受赔偿受害者的人数，但始终没有得到"。这一"控诉"从一个侧面反映出红十字会在信托管理上的不成熟与不受信任。中国红十字会当时虽然出面做出了相关回应，但终究不是治本之策，关键要完善信托管理体制和运行机制，使其公开化、透明化、规范化，从社会公众那里获得信任，否则就会不断陷入"塔西佗陷阱"。唯有如此，贫困人群的人道需求才能得到满足，红十字会自身也才能更好地实现可持续发展，所以完善信托管理机制对红十字会满足人道需求和实现自身可持续发展两方面的能力提升具有重要意义。

第三，要在尊重民意的前提下做好供给侧改革，即坚持以人为本，从"需求端"出发，深化服务理念，不能仅凭一腔热情，要用专业水准和优质服务对待需要帮助的人。其一，要创新红十字会服务群众的方式，如开展儿科医生培训、老年介护培训等常规服务。其二，各地可根据实际需要，把红十字备灾救灾中心或物资库建设列入当地防灾减灾规划统筹考虑，重点对贫困人口集中的地区加大救助力度，推动实施"红十字博爱送万家""红十字博爱家园""红十字天使计划"等品牌项目和活动。当然，由于资源有限等因素，红十字会的工作无法面面俱到，所以要抓重点。

池子华：三个方面，第一是要加强基层组织建设，基层组织这方面的工作红十字会重视得还很不够，最近几年甚至有所忽略。这里面有一个怪论，就是取消红十字会的基层组织，这当然不可取。没有基层组织的建设，红十字会的生存和发展都是问题，通俗地说："基础不牢，地动山摇。"红十字会的基础是民众，而基层组织生存在民众之中，最接地气，最贴近民众，最能感知民众的需求。所以，基层组织不仅不应该削弱，而且应该加强。尤其应大力加强农村红十字基层组织的建设，在很多地方，农村是红十字的真空地带，很多农村见不到红十字会，甚至没有听说过红十字会，这是普遍的现象。总之，加强基层组织建设是提升能力的一个重要方面。

第二是要完善信托管理。怎么完善信托管理机制？别人出于信任，把钱、财、物交给红十字会，怎么管好，怎么用好，就是一个问题。在花冈事件中，红十字会在基金管理方面被曝出不公开、不透明，它也做了辩解，这实际涉及一个问题，就是公开透明是所有公益组织、慈善组织都应做到的，红十字会也不例外，但是不是所有东西都要公开？有的部分公开比较合适，全部公开肯定不合适，这里面就有一个度的问题。不管怎么说，完善信托管理机制肯定是必要的，红会及其他公益慈善组织，都会在信托方面扮演越来越重要的角色，因为目前人们的慈善热情很高，慈善意识也在不断提升。除了钱物方面的捐赠，还有一些不动产的捐赠，如房产，红十字会对这些捐赠怎么管理、怎么使用？这就要考验红十字会的能力了。

第三是供给侧改革，这一块也非常重要。关于这一点，红会首先要弄清楚自己可以提供什么服务，是否能够满足日益复杂多样的人道需求。所以，在进行供给侧改革的时候，只有从需求端出发，才能有的放矢，要思考如何实现供给端与需求端的无缝对接。老年介护的问题，随着老龄化的全面到来，老人的需求日感紧迫，怎么照顾他们的生活，特别是对重症老人，这就需要医疗方面的介护。这方面工作，红十字会和其他公益性的组织肯定会进一步增强，因为这是时代的要求。针对不同的患者群体，介护方式、方法也不一样。可是还应注意到，老年介护也存在城乡不平衡的问题，城市的老年介护不断发展，农村却荒草一片。在城市甚至可以私人订制，它是以经济基础作保障的。可是在农村，由于医疗保障体系的不够完善，"大病致贫""大病返贫"的现象十分突出，一旦老年人患大病可能倾家荡产。因此，从需求端而言，老年介护事业的需求非常旺盛，城市农村都是如此，尤其在农村。但在供给一端，又显出能力不足，根本无法满足这些方面的需求。红十字会虽然有志愿者参与，但远远不能满足需要。那么，怎么提升能力就是一个问题：有没有更好的办法？老年介护中心能不能多办一些？是不是可以大力发展志愿者、大力弘扬志愿服务精神？但是仅有志愿者仍然是不够的，老年介护更讲求医疗介护，所以它非常渴望专业人才的大量涌现，而恰恰在这方面我们缺口太大。不说老年介护中心的人才，就是正规医院在医疗卫生方面的专门人才都短缺，缺口很大。专门从事老年介护方面的人才还未提到日程，所以人才培养也是目前红会老年介护工作能力建设方面的一大障碍。老年介护事业是一个"细腻的"工程，不那么简单。这是针对侯如晋刚才讲的内容需要跟大家交流的，大家有没有需要补充的意见？

贾二慧：我觉得关于加强基层组织方面可以补充一些。红会要不断创新活动载体，引导红十字基层组织开展内容丰富、形式多样、针对性强、群众参与度高的活动，提升红十字会的社会影响力，比如南京市鼓楼区红十字会在社区建立了红十字生命安全体验馆，体验馆分为7个区域，集体验、自主学习、教学培训为一体，并向市民免费开放。市民通过体验馆掌握急救知识和技能，争取救命的"黄金4分钟"，从而达到"挽救生命，减轻伤残"的目的。这种寓教于乐的模式，吸引了很多市民前往参观和体验。再如2015年以来，常州市红十字会为市民免费开设了救护知识大课堂和生命健康讲座；杭州市余杭区开展"亲历者现身说法"活动，就造血干细胞捐献是否有损健康问题，请捐献者陆雪贤赴高校和大学生分享自己的捐髓经历与感受，当场吸引50余位大学生报名。这些有特色的宣传动员活动，使红十字会的知名度和影响力得到提高，也在一定程度上提高了红十字会的公信力。其实，目前农村和城市的差距很大，城市中的动员方式比较多样，农村有些地区是不是有条件达到市区的效果？市区的一些活动能否搬到农村，而不仅仅局限于市区呢？

池子华：南京市的红十字体验馆我没去过，现在很多红十字会建设生命体验馆，主要是防灾避险方面的知识。在农村推广是不大现实的，但是如你所说，可以组织农村的中小学生去生命体验馆体验，通过学生这一媒介再去普及相关知识。有关生命知识的讲座应大大加强，依托基层组织尤其是学校去推广比较合适。现在有很多红会把学校红会工作作为它的重点去建设。湖州市红十字会有一个非常好的做法，如大学生都要进行军训，军训中有一个很重要的环节，就是生命救护知识的强制性学习，这样达标率就有百分之百，可以达到一定的目的。所以，我们讲红十字会也有进工厂、进学校、进街道、进乡镇、进军队的"五进"目标追求，通过"五进"来普及救护知识、救护技能。据统计，目前全国掌握救护知识的人只有百分之三，比例非常低，与国外不能比。在中国这种人口大国背景下，如果达到百分之二十，就非常了不起了。且平心而论，国外比我们更重视。所以，从主观方面来说，我们重视程度不够；从客观方面来说，经费不足等多种原因也限制了我们能力的提高。如安徽省某市红十字会全年经费只有 3 万元，甚至还不够买个模拟人，所以很多红会显得有心无力。经济条件比较好的比方说上海，浦东新区红十字会一次性就投放了 100 多台自动除颤仪。在人员密集的场所，遇到猝死的情况，就可以拿来使用了。但是在内地，在边远地区，很多人都没听说过自动除颤仪，这就是差距。所以针对内地、欠发达地区，国家如何在能力建设方面助他们一臂之力，也是可以探索的。救护知识、救护技能的普及非常必要，但在我国还有很长的路要走，那么在能力建设方面怎样才能做得更好，除了应把注意目光放在在校学生身上外，高危行业也是亟须关注的，像建筑业、公共交通行业的从业人员要懂得一些自救、互救常识。南通市红十字会救护培训做得非常好，在全国都是典型，我把其概括为"救护培训的南通模式"。只有通过救护培训，才能拿到驾照，可是现在叫停了，非常遗憾。有些地方出现不规范的现象，要进行救护不是无偿的，需要交费，交费的标准也不一样。有些地方甚至交钱就可以给凭证，那是一种极不负责任的做法，是一种管理上的漏洞。所以，高危行业救护培训应该加强，特别是驾驶员这一群体，对其实施强制性的要求是很有必要的。一方面，社会对这方面的需求旺盛，另一方面我们能力提升空间很大，但是救护师资是一个限制性的因素；还有场地也跟不上，红会工作又必须开展，不得已之举就是放视频、放录像，但是效果肯定不一样，所以能力提升不是一句空话，也不是那么简单的事。

李宁宁：针对老师刚才提到的信托管理体制，我认为红十字会以及其他慈善组织，要想提高公信力的话，必须强化慈善组织与慈善行为的透明度，这是慈善事业赢得公信力的主要途径。但是，不能将透明度理解为"裸体"呈现，不能突破其底线。首先，要把握信息公开的原则，法律规定必须公开的一定要公开。比如，登记事项、备案事项、是否具有公募资格、募捐方案、慈善服务、项目信息以及年度报告等内容。其次，法律规定不能公开的一定不能公开。比如，捐赠人要求隐去身份、受益人提出保护隐私等，都应当尊重当事人的意愿。如果慈善组织将不宜公开的信息公开了，就要承担相应的法律责任。第三，关于善款使用情况的公开申请，捐赠人只能申请公开自己捐赠部分的善款的使用情况，这是一种有限权利。另外可以设立专门的捐赠账户供捐赠者查询，以保证每位捐赠者都能对自己所捐善款的流向、使用情况等细节问题有较详尽的了解，保证捐款者对红十字会服务质量放心。在组织运行过程中，需强调信息公开的强制性和自愿性，打破捐赠者、民众与慈善组织不完全信息博弈的态势，以实现红十字会信息流通的流畅和高效。

池子华：就你所说年度报告一定要公开，这是对的，因为红十字会每年都有年度报告，但是不透明，我觉得这个可以公开。"郭美美事件"使红十字会的公信力受到了很大的冲击，直到现在还没有完全复原，所以红十字会要重拾公信力，就应该加强信息公开透明，这也是提升能力所必需的。各位对讨论的主题还有哪些看法？

朱佳丽：我讲的是关于加强农村的基层红十字工作。首先，以农村留守儿童为例，红十字会可以组织志愿者队伍定期对进城的农民工兄弟进行亲子教育培训。很多务工人员片面地认为只要给孩子创造了好的经济环境，孩子就可以接受到好的教育，就算对孩子负责了，而疏忽了孩子心理上的需求。志愿者们应当对他们的错误观念及时予以纠正，让他们了解孩子的心理需求，明白心理健康对孩子未来的重要性，纠正他们以往在教育子女的认知和观念上的偏差，让他们尽可能拿出时间与孩子加强联系，创造更多的机会与孩子对话沟通，更多地关注孩子的心理需求。

其次，红十字会可以加强与当地学校合作，组织心理干预专业人士，搭建心理救助的平台。以学校为桥梁，了解孩子们的心理状况和需求，并协助学校针对其出现的问题提出专业性的建议和方案。专业人士可以运用专业知识和技巧，帮助留守儿童在生活、学习上进行自我调适、疏导，培养他们独立生活和自觉学习的习惯，增强他们适应家庭及社会环境变化的能力，提高他们的心理适应能力，帮助其树立正确的人生目标，发挥自身的潜能。同时，基层红十字会也可以充分合理地利用其身边的各种支持性资源，帮助留守儿童创造一个和谐的生活学习环境，让他们也能与其他非留守儿童一样平等、健康地成长。

除此之外，基层红十字会还可以搭建一个旨在完善留守儿童监护体系的爱心平台，让社会上的爱心人士如退休教师等作为志愿者一同参与构建农村留守儿童心理救援体系中来，让他们可以在解决农村留守儿童心理问题方面发挥各自的专业特长，为孩子提供多方位的帮助和支持，为留守儿童的健康成长提供全面的保障。比如，可以组织"红十字青少年夏令营"活动，把留守在家的孩子组织在一起，再召集一些具有亲和力的志愿者担任"代理母亲""代理父亲"的角色以替代留守儿童的父母，通过夏令营的生活让他们之间能相互沟通、相互帮助，让留守儿童找到心理的支持，快乐健康地成长。基层红十字会也可以定期举办各种培训及讲座，组织为农村留守儿童提供帮助的志愿者们来一起学习有关心理救援方面的专业知识。

池子华：我觉得朱佳丽说的内容与我们讨论的主题非常契合。留守儿童的心理问题也是引起社会各界普遍关注的问题，怎么使他们健康地成长，需要各方面的支持，不仅是物质支持，更重要的是精神支持，如何建立健全社会支持系统，是一个值得探讨的大问题。那么，在社会支持系统里，基层红会组织扮演了怎样的角色？刚才你提到的几个路径都非常好，比如和当地学校合作，成立比较专业的心理救援队，对这些留守儿童进行心理疏导。还有就是利用那些退休老教师，对留守儿童进行帮扶，利用身边的资源对他们进行有效的帮助等等，都是非常重要的。还可以招募一些志愿者，让他们成为"代理父母"，给予他们父母般的关爱，这是一个方面。我觉得另外一个不能忽视的问题就是，父母在儿童心理健康方面的作用同样不能忽略。那么，怎么通过红十字会加强亲子之间的联系呢？现在有微信，都可以面对面地交流，微信需要流量，需要钱，红十字会可以给他们提供免费服务，这就比较好。关于课堂讨论主题，请同学们继续发表自己的意见。

张文慧：我想通过一则新闻，导入我对"人道需求与红十字会能力建设"的认识。2016年6月1日，微博上的一条新闻引起了网友的关注和讨论。一个母亲为了生病的女儿，去超市偷了鸡腿，经过一些明星和媒体的转发之后，这位母亲得到了30多万元的捐款。当然，也有人提出质疑，认为这是助长不良之风。但从此次事件可以看出，需要救助的人通过微博这个平台，得到了大家的捐助。

微博成为很多人日常浏览的平台，许多高校、政府部门都有自己的官方微博，中国红十字会总会也有官方微博，截至2016年6月5日，中国红十字会总会微博关注人数是27万，粉丝数量并不算少，但微博互动很少。在一些社会热点问题上，中国红十字会似乎没有发出自己的声音，并没有走亲民路线。

中国红十字会如何管理自己的微博账号，是一个值得思考的问题。一些政府部门的微博，如"平安北京""江宁公安在线"等，还有一些高校微博，如"上海交通大学""上海交通大学研究生会"等，都有一定的受众群体，且反响也不错。因此，中国红十字会可以通过微博这个平台，对微博上存在的人道需求，发出自己的声音，表达自己的关切，同时展现出自己的努力，走亲民路线。

池子华：走亲民路线，有很多路径。国外红会有种博爱超市，衣食住行等生活用品都有。只要人们需要，就可以到博爱超市里面去取，不要钱。家里如果有不需要的日用品、旧衣服，也可以随时送到博爱超市，他们有专人进行洗涤、熨烫等等。设想一下，如果在中国各城市都有这样的博爱超市，那么你所提到的这位母亲就不需要到超市里去偷，她可能只需去博爱超市"取"就可以了。这就意味着对于红十字会而言，这方面工作可以做，也应该做。很多需要帮助的人可能碍于情面不愿意张口，如果有这样的博爱超市，这些人就可以没有什么顾忌了。有些地方在这方面已有所作为，像苏州，它有不少慈善超市。这些慈善超市，都是慈善组织或宗教团体开办的。寒山寺就开办了这样的慈善超市，它跟社区互动，对需要帮助者进行调查核实，然后每个月发给取用券。不是人人都可以去取，要达到一定的贫困程度，是真正的贫困人口，才可以得到救济。在现有的国情下，这也是无奈之举，如果人人都可以去取的话，可能这个超市一开门就空了，不需要的人可能也会去占点小便宜。不可否认，这与国情及国民素质是有关系的。所以，进行必要的管制是不得已而为之的下下策。

龚超：我要说的是红十字会的网络建设对能力提升的影响。由于网民数量增多，到2016年我国已经有7亿多网民，网络传播速度十分迅速，及时性和互动性很强。重视网络平台建设已经势在必行，其主要内容包括网络宣传和网络公关。网络宣传方面，网络平台发布的内容要有实用性，比如一些急救知识，以吸引网友关注；定期公布一段时间内的相关救助成果，以及每次天灾人祸之后红十字会的救援报告，这既有助于大众了解红十字会的众多工作成果和捐款去向，又会消减对红十字的误解。网站要及时更新，据我了解，红十字官网很多最新信息都是2012年、2013年的，这些不利于大众及时了解最新动态；而且在用户超过3亿的微博平台上，红十字的官方微博"中国红十字总会"并未显示出专业性。网络公关方面，众所周知，对中国红十字会形象造成巨大打击和信誉危机的"天价餐事件""郭美美事件"等都是网友在网上曝出来的，引发了公众对红十字会的强烈质疑与不满。在媒体的不断追踪和报道之下，红十字会的官方解释却没有及时跟进，即使后来调查出事件的真相，但是周期较长，大众已经形成了对红十字会的不信任感，所以危机公关的及时性和专业性非常重要。及时性，就是在危机产生的第一时间做出澄清。平时可以在一些比较重要的门户网站上开辟专区，一旦出现危机，就可以全网联动澄清真相，引导网友，使其成为危机公关的先锋队，减少时间差带来的巨大损失。专业性，一定要由专业人士负责，公关是为了缓解事态、消除危机，如果采取不恰当的措施或者不恰当的言行，只会让事态变得更糟糕，因此要培养专业的公关团队。

池子华：红十字会的网络建设是饱受诟病的，红会的门户网站不仅更新不及时，而且板块非常死板，很多功能都很不健全。上海市红十字会网站有英文版，做得相当不错。但是，国家红会的门户网站却连英文版都没有。

红十字会应该真诚地跟广大民众去沟通，消除误解，从而达成谅解，然后才能赢得公众的信任。之前张文慧提到的走亲民路线，我觉得特别重要，因为红十字会本来就是民间团体，应该面向公众。只有亲民，才能被民所亲。所以，在公关能力这一块红十字会要做的事情不少。现在大家用得最多的是微信，作为新媒体这一块，红十字会在做，而且有些地方红会微信做得相当不错。但是红会宣传传播，包括利用新媒体，最大的局限就是无法走出自我，仍然封闭在自己的圈子之内，这就存在很大局限性。怎样才能走出去，这是一个大问题，是提升能力建设很关键的一步。这里面涉及传播的载体、传播的媒介、传播的内容、传播的形式，还有传播的效果。我觉得传播效果是检验能力建设成效的一个标尺。所以，有没有可能建立一个检验能力建设效果的评估机制，通过这个评估机制看出红会在能力建设方面取得了多大的成效，还存在哪些问题与不足，如何改进呢？这个我们不妨去尝试，去思考。相关方面还有没有需要补充的？

伍广庆：人道需求与能力建设是紧密相关的一体两面，只有把能力建设搞上去，才能满足不断增长的人道需求，而人道需求得到较多满足后，就会反过来对红会的能力建设起到一定的推动作用。我认为，红会目前需要加强宣传，任何工作都离不开宣传，红十字会虽然是百年老店，但其性质、宗旨、任务还没有被多数人了解，尤其近年来发生的一些事件极大地损害了红会的公信力；在红会的许多工作领域，尤其是艾滋病预防与关爱、遗体（器官）捐献等方面也没有被绝大多数人接受，究其根源，与宣传工作不到位有很大关系；普通民众对红会公信力的疑虑还在很大范围内存在，这些认识的提高、观念的转变、疑虑的消除，都需要各级红十字会的身体力行和广泛宣传，争取激发每个民众身上的博爱和公益之心。加强与公众的交流与沟通，可以通过各类媒体平台，传播红十字人道精神、国际人道法知识，充分展现红十字会在人道服务领域做出的贡献和成就，弘扬人道、博爱、奉献精神。

此外，为切实增强能力建设，红十字会还要提高组织协调能力。红十字会工作的社会性决定了红十字会的许多工作不是由红十字会的专职人员完成的，而是由红十字会员、红十字志愿者以及社会各界共同完成的，因而加强红十字会的组织协调能力建设，提高工作效率极为重要。组织协调能力的提高主要通过组织活动来实现，在活动的组织中要制定好方案，做好分工，按流程，分步实施。组织协调能力是自身素质的试金石，要通过活动的开展、及时的总结来检验组织协调能力。

赵　婕：在宣传方面，我想做进一步补充。目前，社会公众对红十字会的认识还不够全面与深入。一些公众人物竟声称"全世界只有中国没有加入国际红十字组织"，让人啼笑皆非，同时也让人们意识到我国红十字会的宣传传播力度还是远远不够的，要不断增强红会的宣传与传播能力。

首先，中国红十字会必须提升自身对宣传工作的重视程度，吸纳各个领域的人才，组建一支专门的、长期的、稳定的宣传队伍，尤其是网络宣传队伍，还要加大宣传资金的投入，积极开展宣传工作。政府也要适当地投入资金，以支持红会开展宣传工作。

其次，宣传内容与宣传形式也要适时进行调整。在宣传内容上，要不断提高红十字会宣传工作的针对性、时效性及吸引力、感召力，重点宣传红十字会核心业务与品牌项目等精品工程，加强重大主题活动的宣传，比如每年的"5·8"世界红十字日纪念活动。

在宣传形式上，第一，丰富适应性强、感染力大的宣传形式，开展创新性宣传，增强宣传效果。比如，可以制作以红十字会为主题的电视纪录片。中国红十字会还可以与央视合作举办大型颁奖晚会，评选热爱并且积极从事慈善公益事业的杰出人物，在晚会中传播红会的精神与宗旨，扩大红会的影响力与感召力。此外，红十字会还可以拍摄一些公益宣传片，将红十字会组织救护、救灾，进行人道救助的场景展示于公众面前，让公众深入了解红十字会的日常工作与红十字精神，重塑红十字会的形象。第二，充分发挥网络、报纸等新老媒体的传播作用，强化媒体资源建设。尤其是充分发挥网络的传播功效，比如建立互动平台，加强与网友的沟通与交流；增添全国各省市红会运行板块、社会救助项目库以及救助款项查询等内容，形成内容丰富、形式活泼、注重时效、符合红十字会特点的网站风格。同时，注重红十字会论坛、贴吧、微博与微信的宣传作用，在这些网络交流平台中加强与网友的互动，可以根据网友反馈的信息，对红会的工作进行调整与完善。此外，中国红十字会还可以与微博、微信、腾讯等社交网络平台以及乐视、腾讯等视频播放网站合作，在这些平台上开设专栏，利用新的传播媒介开展宣传工作。总而言之，我们要充分利用网络平台，扩大红十字会的影响力。第三，积极组织广大会员、志愿者在社区、学校、城乡之间开展宣传、义诊及各种救助等社会实践活动，发放法律法规及各种业务宣传资料、活动简报，开展各种讲座，举办宣传专刊。学校红十字会还可以举行红十字知识竞赛等宣传活动。

在宣传过程中，要以活动促宣传，切实维护好红十字会的公益形象，把提高社会公信力作为最高目标，积极探索更加科学、高效的宣传工作理论、方法和措施，最终构建一个以特色活动、品牌宣传、红十字运动基本知识传播、重大自然灾害和突发公共事件救助等宣传活动为重点的宣传格局，不断推动红十字事业的发展。

池子华：宣传能力，也就是传播能力建设。苏州市红会原副会长郝如一认为，宣传是红十字会工作的"半壁江山"，说明宣传传播在红十字事业发展中的重要地位、重要价值、重要作用。与电视台合作举办先进人物的颁奖典礼的确应该好好做。浙江省红十字会有一个品牌叫"感动浙江的红十字人物"，每年都有这项评选。我就曾经提议，为什么不可以在全国范围内评选"感动中国的红十字人"这样的活动。我觉得浙江省红十字会的做法可以在全国范围内推广，这对宣传传播红十字精神、红十字文化显然是非常好的载体。一般来说，现在红十字会系统还是非常重视宣传传播的，所以各个地方红会都有宣传传播的志愿者服务组织，有的叫协会，有的叫宣讲团，如上海嘉定区红十字会，他们有这种宣讲团进工厂、进学校、进企业、进农村、进机关，去宣传传播红十字文化。这个形式非常好，他们已经举行很多场。有的红十字会也组织起网络志愿者，来传播红十字精神。比如舆论方面的问题，他们通过网络进行危机公关。宣传传播有很多形式和方式，我曾在《中国红十字报》发表一篇题为《构建红十字文化传播的"多媒体"》的文章，大家可以参考。

单珍娜： 下面我想结合自身的思考，讲一些关于红十字会公信力、宣传筹资等方面能力建设的问题。对此问题，我对身边的同龄人做了一个简单的调查。大多数人表示，他们很少捐款，有时候是学校社团组织捐款。而对于红十字会谈不上信任不信任，因为日常生活里很难直接接触到。一方面，红十字会已经成为一个高度科层化的机构，层层分工之下，像工厂流水线一样，情怀、热爱等非理性因素已经变得次要，只要能按照规则做好自己的本职工作就行。另一方面，一些传统社会关系有所遗留，并且他们在共同世界的意义上，还算信任红十字会，然而，却也觉得机构色彩、工具色彩重于情怀、人道。而另一些人则对红十字会表示不太信任，也不太了解。他们更加愿意在支付宝里的"爱心捐赠"中捐款，因为他们更加信任支付宝，这不得不说是一个社会现状。支付宝方便快捷，而且可信度高，存在于人们生活的方方面面。打开"爱心捐赠"的链接，人们会清晰直观地看到公益项目、数据、进度条等资料，更加方便且更有选择性。通过这些调查，我发现大家对红十字会都不熟悉，都没有渠道去了解红十字会。鉴于此，我提出两点建议。首先，结合我自身的经历，从小学到高中，我们学校到了放寒暑假的时候，都会发盖有居委会会章的活动记录表。所以，我们在居委会参加了不少的实践活动，其中包括救护常识的讲座（讲解人工呼吸、心肺复苏、包扎伤口等等）、去敬老院看望老人、打扫街道等等。我们从中学习了很多的知识。我建议创造一条学校到居委会再到红十字会的渠道，让学生们了解红十字会，并通过学生让家长也对红十字会加深了解。其次，除了增加与学校和居委会的联系，红十字会还应该与公信力高的企业和医疗卫生部门合作，如支付宝、移动公司、医院等等，可以学习其管理、经营经验，并提升自身形象。

池子华： 跟移动公司的合作，红十字会已经在做了，其实这种跟企业合作、购买企业的产品，相应的这个企业就从它的利润中提取一部分捐给红会的方式，不少红会在做，有的比较成功，有的不太成功。在网络时代，网络筹款这种形式很新颖，也很方便。现在比较流行的做法是通过微信平台筹资，这方面浙江省红十字会做得比较好。宣传与筹资实际上联系在一起，通过筹资可以达到宣传的目的，江苏省红十字会有一个部门叫宣传筹资部，因为他们认为宣传和筹资是分不开的。现在对宣传筹资方式也在探索中，有的地方以发文的形式要求机关干部向红十字会捐款，暗含了强制的做法。强捐，这种现象过去一直存在，是慈善市场发育不成熟的表现。借助行政手段来筹款募捐，说明公权还很有市场，这恰恰与慈善精神背道而驰。所以，强捐现象在《慈善法》实行以后不能说绝对没有，但一定会越来越少。强捐、诈捐等现象都无助于中国慈善事业的发展，这一点是明确的。红十字会的信任度不高，单珍娜做了一些调查，这是难能可贵的，从调查中发现有一部分人支持红十字会，有一部分还不太相信红十字会，这就涉及公信力问题。公信力不高，与红十字会宣传工作不到位，甚至缺位有很大关系。比方说日本，在救护知识的培训方面分为三个阶段——小学、初中、高中，学的内容是递进式的，所以高中毕业时学生都掌握了急救知识、急救技能，大学就没必要普及了。我们现在还没有做到这一步，所以现在有些地方红会就在大学阶段，结合新生军训，传授一些救护培训的技能，可以达到一定的目的。但这是补课性质的，我们应该从小抓起，从小学到初中再到高中，贯彻下来，到大学就不需要了。通过这种培训，红会很自然地传播了红十字文化，大众也会了解红十字会，继而相信红十字会，支持红十字会。如果对红十字会都不了解，所谓支持只能带有一定的盲目性，纯粹是一种奉献爱心的举动。如果连组织者都不知道，就把爱心献出去，万一碰到诈捐，怎么办呢？因此，献爱心也要明辨是非。诈捐行为很多，去年天津大爆炸案中，有人就利用这种悲惨的事情在网上诈捐。所以，宣传传播的确有很多方式，与有公信力的企业、医疗卫生机构合作，都可以扩大红十字会的影响力。与公立医院的合作是没问题的，像苏大附一院、附二院都是红十字会的团体会员单位，有利于宣传传播红十字会，但是对私立医院的确要十分谨慎，因为红十字会的标志也是一种无形资产，有些私立医院会借用红十字会的标志来达到自己的目的，功利性很强，这个目的从本质上说是为了医院本身的利益，或是扩大知名度。总之，绝大部分是出于私心，而不是公心。所以，跟医疗机构合作也要擦亮眼睛，合作不好会带来很大的麻烦。有的私立医院很好，跟红十字会合作得比较融洽，而且它们也做公益，这类医疗卫生机构值得信赖。有的的确是自私自利的。大家看还有什么要补充的。

魏宪伟：我想谈谈红十字建设"第一响应人"的问题。"第一响应人"是指地震、火灾等突发事件发生后，就在事发现场或能在第一时间赶到现场，具有快速组织、指挥协调、专业处置能力，能够指挥现场民众徒手或利用简单工具开展抢险救灾的人员，如事件现场的居民、警察、官员、消防人员、医护人员、志愿者等。

生活中随时随地都可能发生意外事故，大灾大难尚且不说，仅仅是在日常生活中发生交通事故、溺水事故等意外时，周围是否有懂得简单医疗救护、现场指挥等的"第一响应人"就显得至关重要，关系到少则一人、多则数人的生命健康安全。青岛市红十字会提出的"第一响应人"活动，就是针对这些实用性较强的安全问题展开的卓有成效的培训活动。

青岛市红十字会"第一响应人"活动的开展算是比较成功的，这项活动的开展体现了"从群众中来，到群众中去"的群众路线，贴近群众，贴近生活，具有很高的实用性和可操作性。在人民群众对红十字认知缺失、信任度降低的情况下，多做一些实事，让群众切实感受到红十字会的存在才是关键所在。

红十字会能力建设应该从点滴小事做起，以"第一响应人"这种模式，将救助的重点放在普通民众身上，努力让每个人都有临危救济的能力，使每个人都成为红十字宗旨的宣传者和践行者。这样既提高了红十字会在普通群众中的影响力和知名度，又切实履行了红十字的义务和责任。同时，红十字会应加强与救助团队的合作，鼓励类似"蓝天救援队"等形式的救助组织的发展，可以设立专项资金，与救援队合作，在灾难面前依靠救援队的力量救济灾民，宣传红十字理念。

池子华：你提到的"第一响应人"，是指首先到达灾难现场，拥有救护证书且能够在应急救援中提供基本生命救助的人员。从整体上来说，红十字会的应急反应能力应该是不断提高的，现在基本上可以做到"立体"行动——陆地、海上、空中。比如北京市红十字会就有救援直升机，其他地区还比较少见，这跟整个地区发展水平有很大关系。现在专业的应急救援队各省都有，其中最活跃的是蓝天救援队。蓝天救援队现已成为一个全国性的救援组织，也是一个民间组织，跟红十字会的合作比较多。但它又不是红十字会的专门组织，而是相对独立的民间救援组织，跟其他公益组织、慈善组织以及政府机关都有合作。这一组织都是志愿服务人员，不拿薪水，但是必要的设备总归要有，所以在这种情况下，红十字会、政府部门、其他公益组织会给予他们必要的资助。这的确不容易，我去青岛参观过蓝天救援队应急救援的一次活动，他们用自己的特长、专业的设施，很利索地把一个被困山顶的驴友救下来了，像这种专业的救援队对提升红十字会的应急反应能力、救援能力都非常有帮助。目前，红会在救援能力建设方面朝着专业化的方向推进，因为很多救援如果没有专业人士是无法开展的，很有可能帮倒忙。所以，我们非常需要像蓝天救援队这样专业的应急救援组织。类似的组织还有水上救生队，它需要一些必备条件，比如能力很强的救生人员，还有专业设备等等。对魏宪伟这个问题，大家还有什么需要补充的吗？

张　健：有关人道主义与红十字会能力建设问题，我觉得有一个问题是始终绕不过去的，就是红十字会内部人员人道主义精神的培养。红会内部人员毕竟是整个红会能力建设的主体，怎么选拔红会工作人员，采取哪些途径培养人道主义情怀，红十字会内部人员相关的优胜劣汰机制，以及怎样通过红会内部的人道主义氛围带动整个社会绝大多数人群所共有的人道主义精神，并将其内化为从事公益活动的本能，这些问题至关重要。红会内部人员首先不能有官本位的思想，要放下官架子，走进人民群众的生活。总的来说，红会能力建设归根到底是思想观念的建设，一切都应当围绕人道主义这个核心来进行，而非仅仅停留在能力这些看得见的层面。我相信只要人道主义观念在现实世界能深入每个红会人员的内心，红十字会的能力建设问题就只是具体技巧问题，而非红十字会面临的实质性问题。

具体而言，红十字会应该对农民工群体给予更多的关怀和帮助。新时期，公平问题越发突出，有尊严地生活或为每个个体的诉求，我们所做的一切无非都是为了使人民生活过得更加幸福。农民工群体是广大劳动人民的重要部分。正是基于此，红十字会不仅应该给予农民工物质层面的帮助，更要对其精神方面给予更多的关怀。具体而言，红十字会应该成立专门的农民工帮扶小组，进行专项帮扶。比如针对农民工的就业问题，红会可以和企业合作，成立一些免费的职业介绍所，提供有效的工作渠道，对特别困难的农民工有必要进行车费补助。此外，对于农民工日常生活的关注也很重要，毕竟农民工不只是劳动的"工具"，也是具有思想人格的人，需要享有一定的精神文化生活，比如定期组织他们看电影、爬山、户外休闲；对农民工的关注也应分年龄群体而进行，年龄小的可以定期举办些免费的婚姻介绍活动，年龄大的可以定期举办体检活动、心理辅导等。总之，红十字会的任务任重道远。

池子华：红十字人的人道精神的培养确实很重要。只有对红十字精神认同的人，才能从事红十字工作，这一点应该强调。今年4月份召开的十届二次理事会上，陈竺会长带头补交会费，这对红会工作来说是很好的教育。而且在很多方面，红会的工作人员的确应该坚决抛弃"官本位"的思想。这种思想要不得的，衙门作风更要不得。红十字会本身是一种志愿服务组织，服务的理念应该在工作人员的心中根深蒂固。比如，倡导无偿献血，红会人自己都没献过；倡导遗体器官捐献，红会人自己都不带头，这类工作人员不能说不合格，但起码做得不够好。我很佩服前几任会长，他们都签署了遗体捐献协议，我觉得这是应该做的。红会其他专职工作人员也应做到这一点。

至于农民工群体，红十字会在可能的范围内也应该对其提供服务。但是按你刚才所说，很多工作都要红十字会去做，显然又超出了其能力范围。有些它可以做，有些做不了，需要其他职能部门给予配合。能做的，比方说对生病的农民工群体的关注，苏州红十字会每年对受工伤的农民工就会给予援助。帮不上忙的，比方说婚姻家庭问题。最近有一则消息，就是8个农民工家庭同居一室，仅仅用布帘隔开，令人心酸。针对这种情况，雇用单位应该为他们提供物质上的帮助。郝如一会长曾写过一篇文章，是针对农民工群体的，叫《安全帽与安全套同样重要》。苏州市红会曾专门到工地上派发安全套，这也是符合人性的一种做法。所以，针对这种情况，红会应根据自己的能力尽力提供帮助、帮扶。

李　金：我检索浏览过后，归纳出中国红十字会总会官网的品牌项目有"博爱家园""红十字博爱送万家""艾滋病预防与关爱""心灵阳光工程""扶贫救心""爱心工程""灾后重建""国际人道法传播"。但是，受近年各种负面报道影响，红十字会公信力受到较大冲击。

品牌代表组织的信用和形象，是组织最重要的无形资产。谁拥有诚信可靠、透明度高的品牌，谁就掌握公益市场竞争的主动权，就能处于市场的领导地位。诚信能让公众满意，透明度高能让公众乐于做品牌的忠诚粉丝，组织就能提升自身的品牌价值。

红十字会救助社会上遭受各种苦难需要救助的人群，如遭受各种自然灾害的人群，社区生活困难的人群，生活在经济文化落后的老、少、边、山、穷地区的困苦人群，以及其他有特殊困难的人群。改善最易受损害群体生活境况，包括物质生活和精神生活两个方面，如衣食住行及医疗卫生保健条件，受尊重、受教育、享受文化生活等内容。首都医科大学红十字会多年来坚持将失独、残疾、空巢等老年人群体作为工作对象，发挥医科学生的专业优势，针对老年人生理、心理、生活、娱乐等方面的需求开展志愿服务，让学生在敬老爱老活动中充分感受和大力宣传中国传统的孝文化。南京师范大学红十字会定期在专门网站上公布经费收支情况，每一名学生会员都能检索到自己的会费缴纳情况，此外还邀请学校审计部门对经费使用及管理进行审计并公开审计结果，在公开透明的环境中凝聚和增强大学生对公益慈善事业的信心。

我国慈善组织能力建设的优化方案：（一）确立慈善组织的法律地位；（二）理顺慈善组织与政府的关系；（三）积极探寻慈善组织的筹资

路径；（四）设计特色项目，建立长效品牌；（五）加强慈善组织的公信力建设。因此，我对于红十字会未来建设的建议有：加大中国红十字会的自我监督力度，确保各下属机构的合法有序运行；打造红十字会与政府之间的合作伙伴关系，实现社会救助与政府救济互补；做好红十字会品牌宣传和信任危机的防范和处理工作。

池子华：你通过品牌建设这个方面对红十字会更好发展提出了自己的一些设想。你提到的"博爱家园"项目，是红十字会未来5年重点打造的一项品牌。2016年6月15日，红十字会专门在贵州省召开了"博爱家园"的现场会，这个项目主要是针对贫困人群开展的一项服务，目的是通过输血的办法使贫困地区具备造血功能，不是简单的救济。从输血到造血，这种转变是理念上的飞跃。救济贫困只能纾解一时之急，不是长久之策。所以，红十字会未来5年要实现"博爱家园"项目在全国贫困地区的全覆盖。这将造福一方，与国家的扶贫战略也是结合在一起的。扶贫攻坚，精准扶贫，这其中也包括了针对留守儿童和留守老人生理、心理方面的志愿服务，不仅是物质方面的脱贫，也是精神方面的脱贫，双管齐下，才能达到预期的目标。所以，国家的脱贫战略也应该双管齐下。还有监督问题，不光是自我监督，还要有社会监督、法律监督、政府监督，要构建一个完整的监督体系，保障各类品牌项目有序地实施，这当中要做的工作还有很多。现在全国还有很多贫困地区，主要集中在中西部地区，而恰恰是在这些地区，红十字会可以大有作为，而且当地的红十字会组织建设也是落后的，所以要提升这些地区红十字会的能力建设水平，关键一点就是要加强红十字组织的建设。国家红会的支持毕竟有限，地方红会理所应当加强组织建设。很多问题是连带的，不少工作需要加强。

高　波：中国红十字会1904年成立，建会以后从事救助难民、救护伤兵和赈济灾民活动，为减轻遭受战乱和自然灾害侵袭的民众的痛苦积极工作，并参加国际人道主义救援活动。112年间，中国红十字会活跃在每一个战场，活跃在每一次灾难的现场，为人道主义救助做出了杰出的贡献。

然而，在取得巨大成就的同时，我们也看到了目前红十字会存在的诸多问题，"郭美美事件""天价帐篷事件""审计虚假开支事件"等一系列事件严重损害了中国红十字会的公信力，也极大地打击了红十字品牌的公众认可度。重新树立红十字会的形象，扩大人道主义援助，是当前红十字会能力建设的核心主题。

第一，正本清源，提高公信力，推进红十字事业发展。2011 年的"郭美美事件"引发了人们对红十字会公信力的质疑。国务院于 2012 年 7 月发布的《关于促进红十字事业发展的意见》进一步明确了中国红十字会的性质、地位、作用和职能职责。正本清源，明确红十字会人道主义救助组织的性质，是红十字会开展工作的基础；规范红十字会经营的范围和程序，是红十字会发挥作用的关键；建立必要的红十字会资金筹集和管理制度，是红十字会得以开展工作的前提；贯彻公开透明的原则，则是红十字会不断发展壮大的力量源泉。提高公信力，坚持公开透明原则，是重树红十字会公信力的保障。

第二，建立健全工作网络及运行机制。为了更好地推进红十字会建设，必须加强基层组织建设，提高人员专业素养，建立健全独立自主的红十字会工作网络，实现开放式、社会化的运行机制。（一）努力提高工作人员的素质，建立一支有素质的人道主义援助队伍，才可以为人道需求提供更有力的支撑。（二）优化组织结构，建立科学的工作体制。建立健全红十字会组织，将组织更加细化，建立有效的人道主义援助网络，一方有难，最快支援。（三）始终坚持以人道主义援助为宗旨，保障人民大众的基本需求，完善长效机制，不因人而废、因事而废，在制度上确立长效的、科学的人道需求援助体系。（四）加强法制建设，建立科学的法律体系，有法律保障才可以真正地确立红十字会在人道主义援助中的地位。建立健全红十字会相关法律体系，是红十字会发展的必然需求。

第三，提升社会影响力。中国红十字会要更好地服务于社会，提升红十字会的社会影响力，必须加大宣传工作力度，大力宣传"人道、博爱、奉献"的红十字精神，提高红十字会的社会知晓率和影响力。做好专业报刊在宣传红十字精神、传播交流信息、总结经验、行业指导等方面的工作，完善网络功能，加强网络宣传力度。注重舆论宣传，发挥新闻媒体的宣传引导作用。

池子华：我们曾经出了一本书，书名是《红十字：文化传播、危机管理与能力建设》，针对高波的很多问题，这本书都做了探讨，有些方面探讨得比较深入。能力建设是一个长期性的过程，就像高波提到的，要建立一个长效机制，它不是一朝一夕能够完成的，当然还要有公益组织之间的相互合作。这一点长期以来被忽视，大家都是单打独斗，甚至恶性竞争，损人不利己。相互拆台的现象是存在的，但是谈到合作，却做得很不够，所以公益组织有时候需要通过合作来提升自己的能力，错位发展。现在同一个领域如扶贫，很多公益组织同时在做。经常影响了别人的生活，也没有考虑被帮扶者的需要。这就提出了一个很值得思考的问题，就是公益组织、志愿服务组织能不能错位发展、分工合作？你来了，他就不来了；你到敬老院，他就到福利院，错开。如果大家能够有一种合作精神，有分工有合作，皆大欢喜。在"郭美美事件"中，我到南京大学出席了公益事业论坛，当时大家都有一个普遍的感觉，就是公益组织应该"报团取暖"，为什么用这个词呢？因为"郭美美事件"冲击的不仅是红十字会，也是整个公益慈善事业。所有公益慈善组织无一幸免，都遭受了池鱼之殃。红十字会也做了力所能及的努力，比方说在芦山地震中，就以红十字会为中心，联合其他的公益慈善组织建立了公益合作平台。我觉得这就是一个进步。但那是在非常时期，可是在平时呢？难道就不需要合作吗？我觉得合作对公益组织提升能力、进行能力建设是非常关键的，所以再次强调合作精神对公益组织能力建设的价值。

袁海洋：前几日，"母亲偷鸡腿为女儿过六一"的新闻铺天盖地，从而引发如潮捐款。短短几日，生病孩子住进了医院，有了专门的治疗方案，网络捐款也超过了 30 万元。从这个事件中，本人看到了网络媒体在社会救助中起到的作用，从而进一步确认了我的一些想法。

第一，2015 年，全国人大常委会副委员长、中国红十字会会长陈竺在北京会见了来访的红十字会与红新月会国际联合会主席近卫忠辉一行，近卫忠辉提出"红十字运动要发挥新媒体力量"的想法。实际上，中国红十字会十分低调，不被社会大众熟知，而红十字如果要提升在民众中的信任度，其工作就必须要为人们所了解。在当今社会，网络媒体发展迅速，大多数民众通过浏览网页获知新闻。因此我认为，红十字会应与网络媒体建立合作关系，借助网络媒体宣传其工作。

第二，具体的合作形式：（一）选择一家或几家社会形象好的主流网络媒体与红十字会合作；（二）当有人求助媒体或媒体自身发现有需要救助的人或事情，在网络上公开报道，引发社会关注；（三）对于所要救助之人之事，媒体先做基础调查，若情况属实，红十字会将做进一步调查，在确定救助者符合条件后，根据红十字会制定的救助标准划分救助等级，向个人或相关机构拨款，媒体则需全程跟进，向公众报道最新动态。

关于双方合作的好处，我总结了两点：（一）加大被救助之事的真实性，真正有困难的能得到有效帮助。（二）红十字会得到媒体与社会的双重监督。除此，原来的红十字会与媒体的合作，囿于写文章、开座谈会之类，属于"静态合作"，难以引起社会大范围的关注；而红十字会与网络媒体的"动态合作"，由于网络媒体的报道，民众可以看到红十字会在其中的种种行动以及所起的作用，于无形中提升红十字会的公信力。

不过，借助媒体提升公信力只是暂时的手段，能得到救助的人还是占少数的，最重要的是让红十字会成为中国的常规救济机构，比如美国政府实行的"医疗照顾计划"和"医疗救济计划"，都是免费的医疗保险，毕竟"常规救济才是穷人的希望"。

池子华：媒体的力量的确非常强大，其实你刚才说的"常规救济"，说到底就是完善社会保障体系。这方面政府有义不容辞的责任，所以在社会保障建设方面，国家也出台了有关社会救助的指导意见和几个相关政策，包括大病救助这一块，它应该是常规的，可是现在国家还做不到，所以包括红十字会在内的慈善公益组织，还有发挥作用的空间。如大病救助这一块，国家划分了比例，一部分由国家承担，另一部分需要自己解决，红十字会可以向贫困人口伸出援手，帮他们把其余部分，就是国家不能报销的部分，由红十字会来救助，使他们能够照常生活下去。在中国，因病致贫、因病返贫的现象是客观存在的。所以，针对这种情况，我认为红十字会及其他公益组织应该能够"兜底"，使贫困人群在生活上得到帮助。通过救助，然后跟新媒体合作，来扩大红十字会的影响力，我觉得就更好。近卫忠辉的那句话是耐人寻味的。

李　睿：我想谈谈中国红十字会在国际人道主义方面应尽的职责。通过一组数字，我们可以了解全球人道主义救助与需求的现状。

6000万：冲突和暴力造成的无家可归者。武装冲突和暴力事件对全球人道主义形势的破坏极为严重。联合国最新数字显示，过去10年间，由战争和冲突导致的流离失所人数显著增加。目前，全球有超过6000万人无家可归，其中2000万人逃到其他国家成为跨境难民，其余为留在自己国家境内的流离失所者。

1.25亿：2015年，全球有1.25亿人需要立即得到人道主义援助，包括难民、流离失所者、由环境导致的饥荒造成的"饥饿人口"。

200亿：人道主义救援资金缺口。全球人道主义援助的需求不断攀升，但由于各种因素掣肘，相关救援行动所需的资金和国际支持却没有显著增加，而经费持续严重短缺使相关行动"捉襟见肘"。目前，全球人道主义救援资金缺口高达200亿美元。

3000万：世界各地现有超过3000万儿童因为战争、自然灾害以及其他各类危机流离失所，创下自1945年以来流离失所儿童人数的最高纪录。在全球流离失所的儿童难民中，只有一半接受了小学教育。全球青少年难民中，就读中学者仅为四分之一。难民中的女童接受教育情况更为糟糕。

3000亿：每年自然灾害造成的经济损失。全球每年受到干旱、风暴、地震等自然灾害影响的人口数以百万计，目前每年因自然灾害所造成的经济损失高达3000亿美元。未来在气候变化等因素影响下，这一数字还有可能继续增加。预计到2050年，全球将有40%的人口居住在严重缺水地区。

约300万人：救援行动每年拯救的生命。联合国每年向全球9000万人提供食品，为全世界58%的儿童接种疫苗，拯救约300万人的生命。同时，各国政府和非政府机构也在向数以百万计的人们提供帮助。

这些数字令人感到震惊与悲伤，中国红十字会在不断提高自身应对人道危机能力的同时，应积极参与国际人道事务，为最易受损害群体提供服务。比如，之前参与了菲律宾海燕台风、尼泊尔地震等重大灾害的国际救援行动，与埃塞俄比亚、乌干达等非洲国家，缅甸、朝鲜、哈萨克斯坦等亚洲国家合作开展社区发展项目，收到了很好的效果。

池子华：中国红十字会在国际救援中应该发挥更大的作用。国际红十字会组织中，红十字国际委员会的主要任务是战争救护，红十字会与红新月会国际联合会的主要任务是灾害救济，所以两大组织分工明确，并且它们也有合作。因为无论是战争还是灾害，它们的影响是复杂的，战争导致大量难民，所以每年用于战争难民的救助资金都在飙升，而且缺口很大。这笔资金来自各国红十字会交纳的年费，实际上不管红十字会是否直接参与国际救援，它都在尽国际救援的义务，因为它每年都要交年费。根据国情的不同，发达国家和发展中国家年费缴纳标准不同。中国红十字会直到现在一直被定位为发展中国家的红会，所以年费交纳方面比发达国家少得多。发达国家由于年费交得高，又被称为"富豪俱乐部"，所以它们有更多的发言权，更多的话语权。中国目前还没有进入这一"富豪俱乐部"，但是中国红十字会承担的国际义务确实越来越多，包括国际救援方面。国际红十字组织的经费也来源于一些大企业的赞助，但最主要的还是国家红会的年费。如果今年有200亿的缺口，那么明年的经费预算会大大提高，然后按不同国情分摊到各个会员国。所以，经费是共同承担的，中国红十字会在国际历史舞台上扮演重要角色，发挥越来越重要的作用，这也是国际红十字会所期待的。

（原载《〈红十字运动研究〉2017年卷》）

红会创新能力建设的观察思考

创新品牌建设，打造具有影响力的特色品牌
创新动员方式，提升红十字会的社会参与度
创新传播方式，展现红十字会的成绩和亮点
创新奖励机制，为志愿者服务创新提供平台

创新是"引领发展的第一动力"，创新能力建设关乎红十字事业的长久发展。"盘点"近年来各地红十字会创新能力建设的经验及成就，其实有不少可资借鉴之处，归纳起来，有以下几个方面值得分享。

创新品牌建设，建立特色品牌

品牌是红十字文化的重要载体，是红十字"软实力"的体现。因此打造具有影响力的特色品牌，是对创新能力建设的有力推动。

多年前，"微尘"作为山东省青岛市红十字会的公益品牌被广泛传播，而今青岛红会依然坚持微尘品牌为引领，发挥品牌聚集效应，通过举办微尘基金公益义演、微尘爱的交响音乐会等系列品牌筹资活动，既拓宽了筹资渠道，也使得品牌影响力显著提升；云南省红十字会打造了艾滋病预防与关怀、博爱助学、助困助残和老年人服务等品牌，品牌影响不断扩大；河南省红十字会为创新品牌建设，近年来不断巩固提升老品牌，培育打造新品牌，并将2014年定为"品牌建设年"，以品牌建设促进红十字会的改革创新；河南各市县红十字会也涌现出一些响亮的品牌，如驻马店的"博爱在天中"、濮阳的"捐资助医行动"、固始县的"红十字博爱一日捐"及"遗弃精神病人救助计划"等。这些品牌项目成为展示红十字会形象的良好载体，同时扩大了红十字会影响力，提升了公信力。

创新动员方式，扩大红会影响

红十字事业需要公众的积极广泛参与方能获得更好发展。因此红十字会要不断创新动员方式，引导红十字基层组织开展内容丰富、形式多样、针对性强的活动，才能提升红十字会的社会参与度。如南京市鼓楼区红十字会在社区建立了红十字生命安全体验馆，体验馆分为 7 个区域，集体验、自主学习、教学培训为一体，并向市民免费开放。市民通过体验馆掌握急救知识和技能，争取救命的"黄金 4 分钟"，从而达到"挽救生命，减轻伤残"的目的。这种寓教于乐的模式，吸引了许多市民前往参观和体验。

再如 2015 年以来，常州市红十字会为市民免费开设了救护知识大课堂和生命健康讲座，这些创新的活动形式，得到大家一致好评；杭州市余杭区红十字会举行"亲历者现身说法"活动，就造血干细胞捐献是否有损健康的问题，请捐献者陆雪贤赴高校和大学生分享自己的捐髓经历和感受，当场吸引 50 余位大学生报名；青岛市红十字会联合媒体跟踪报道捐献造血干细胞志愿者的典型事例，市民对捐献干细胞的认知进一步提高，3.1 万人登记捐献造血干细胞，成功实施捐献 48 例；南阳市红十字志愿服务队参观南阳医学专科学校的人体生命体验馆，接受关爱生命、关注健康的红十字宗旨教育，体会了遗体和人体器官捐献工作的重要性。

红十字会应多组织志愿者服务团队参观这样的体验馆，既给志愿者亲身体验的机会，也能增强宣传力度。这些有特色的宣传动员方式，使红十字会的知名度和影响力得到了提高，也在一定程度上提高了红十字会的公信力。

创新传播方式，展现红会理念

要让公众了解和支持红十字会，就要学会讲述红十字故事。红十字会在紧急救援、应急救护、人道救助，推动无偿献血、造血干细胞捐献、人体器官捐献，以及参与国际红十字运动、开展国际人道援助和对外交流合作等方面做了大量工作，发挥了重要的、不可替代的作用。但是这些贡献公众了解的有多少呢？行业内为数不多的报刊也只是业内人士自己阅读为主，"两微一端"等线上平台运营效果也有待提高。要将红十字会工作的成绩和亮点向公众展现出来，吸引群众的眼球，创新传播方式至关重要。

首先，可以选聘形象大使代表红十字会在微博、QQ、新闻客户端等网络平台进行专场直播，与网友互动，解答疑问，营造良好的舆论氛围。直播专场可以是普通人参与红十字事业的感人故事；可以是红十字运动知识，讲述红十字历史，传播红十字人道理念；也可以介绍红十字运动的宗旨和愿景，让红十字理念深入人心。总之，每个专场直播抓住不同的主题，展现红十字会的人道理念。形象大使可以从一些长期从事公益事业、具有亲和力和知名度的人士中选聘。

其次，除了网络直播平台，红十字会更要重视已经建立起来的微博、微信平台，及时更新内容，不定期与网友开展互动，听取公众意见，分析公众对红十字会服务的需求，使公众与红十字会的联系更加紧密，以提升人道服务质量。通过微博热门话题，可以让红十字会"走红网络"。借用网络的力量，能激发最活跃最庞大的网民对红十字工作的关注，如南通红十字会从开发官网、QQ平台到开通"两微一端"和支付宝、微信捐赠通道，并通过各种线上线下推广活动，不断用"互联网+"思维推进红十字工作和宣传。武汉市红十字会的"博爱江城"微信平台也很有特色。各地红十字会都可因地制宜巧用网络，相信网络可以为红十字会的发展做出重要贡献。

再次，制作公益宣传视频，在各大网络平台以及电视公益广告中播放，让红十字人道理念在公众中入耳入心。

创新奖励机制，扩大志愿者队伍

奖励机制作为激励志愿者队伍的重要机制，对红十字会工作有重要的推动作用。红十字会的发展壮大，离不开志愿者团队。红十字会应该加强志愿者队伍建设，打造志愿者活动品牌，为志愿者服务创新提供平台。

同时，不能忽略从事志愿服务的红十字志愿者的心理感受，应当建立合理的奖励机制。2015年以来，成都龙泉驿区文明办设立积分卡奖励机制，极大地激活了社区正能量，吸纳了众多志愿者。积分卡奖励机制是给每位志愿者在社区存一张类似存折卡的"志愿服务积分卡"，志愿者所做的志愿服务项目和积分都会详细地记录下来，在规定的时间内，志愿者可凭积分兑换米、油等物质奖励。这种奖励机制增强了志愿者的凝聚力，提升了居民的公益意识。红十字会可以借鉴这种奖励机制，并把积分卡与网络结合，使每名志愿者都可以通过红十字会网络系统清楚地查到自己在何时何地做了何种志愿服务项目以及自己的积分，同时对积分进行具体到地区的排名，使志愿者按照积分排名领取一定的物质奖励，或根据积分兑换系统里的奖杯，让更多的人了解红十字会，加入红十字会志愿服务队伍。

创新奖励机制与扩大志愿者队伍可以相辅相成、相互促进。在志愿者队伍不断扩大的同时，各地红十字会可以和当地政府联合出台相应的奖励机制。现在很多网络平台具有投票功能，红十字会可以让志愿者制作宣传其事迹的短片，发布在红十字会官方网站，并通过微博、微信等网络平台的滚动宣传，让网友对志愿者或志愿者团队进行投票，最终选出"志愿服务之星"，并适时举行颁奖晚会，邀请热爱公益的"大咖"到场颁奖，同时对晚会进行全程直播并在人流量较大的场所播放，使红十字理念不断深入人心。这种晚会型的奖励机制能够起到很好的宣传作用，志愿者也可以通过晚会建立彼此的联系，使各地的志愿服务团队更像一个大家庭，使志愿者亲如一家。

事实上，创新奖励机制的确可以收到预期效果。如青岛市红十字会积极推进志愿服务工作模式创新，坚持红十字志愿者队伍、志愿者服务基地、红十字志愿服务项目建设和表彰"四位一体"的志愿者工作模式，对申报优秀志愿服务队和服务基地的团体或机构颁发感谢状，对他们的工作表示感谢和鼓励，使青岛市志愿者队伍不断壮大。奖励包括物质奖励和精神鼓励，但目标是一致的，都是为了红十字会获得更好的发展，以便更好地服务群众。

创新是无止境的，加强红十字会的创新能力建设，有很多方面可以尝试。只要坚持实事求是原则，以人道需求为导向，就可以不断推陈出新，提升自身能力，推进红十字事业持续发展。

（原载《中国红十字报》2017 年 1 月 20 日。与贾二慧合作）

能力建设

观察思考

更加平衡　更多参与　更加多元

——2015 年国际红十字运动新动态

2015 年，正值世界反法西斯战争胜利 70 周年。作为在战争进程中发挥过重要作用的国际组织，国际红十字与红新月运动不忘回顾历史，弘扬博爱精神。同时，随着高新科技的发展、暴力冲突的升级，运动面临的问题也越发复杂。为此，国际人道组织与各国红会风雨同舟，勾画出人道事业发展的新图景。

一如既往，开展救援行动

这一年，部分国家武装冲突呈现蔓延之势。与此同时，尼泊尔地震、缅甸水灾等突发灾害影响了人们的正常生活，流离失所者众多。为此，国际红十字与红新月运动统筹兼顾，着力开展相关救灾救护活动。

一方面，开展紧急救援活动，保障灾民基本生活。2015 年，除叙利亚、南苏丹、阿富汗仍为红十字国际委员会（ICRC）全球行动的三大行动地外，乌克兰、伊拉克、也门等地的人道救援持续进行。随着叙利亚危机进入第五年，叙利亚和邻国的数百万民众所受苦难持续恶化。1月至 4 月，ICRC 在约旦为其所设的 4 个中转中心的叙利亚难民运送了14000 瓶水、300 条毯子、7500 块肥皂、2000 瓶洗发水、12500 个尿布、8380 个卫生巾和 50 个塑料桶。同时，国际红十字运动还积极应对各种突发性自然灾害、传染性疾病、恐怖袭击威胁等。4 月，尼泊尔地震发生后，中国红十字会向灾区提供 500 万元人民币和 50 万元港币的人道援助（其中包括 2000 顶帐篷），中国国际救援队在地震发生 24 小时之内飞抵加德满都。7 月中旬，缅甸发生严重洪灾，有 500 名来自各个受洪水影响地区的红十字与红新月工作人员和志愿者参与疏散活动并提供急救，从他们的应急储备中分发救援物资和洁净水。11 月 13 日，巴黎恐怖袭击发生后，300 多名法国红十字会工作人员和志愿者第一时间做出应急响应，救助幸存者，提供心理援助，帮助警方和外交部门收集受害者信息。

另一方面，增加项目和资金投入，支持灾后重建工作。灾害使人们流离失所，日常生产和生活秩序也遭受破坏。为此，国际红十字与红新月运动因地制宜，在部分地区加大了项目经费、生产生活等方面的投资力度。在阿富汗，因暴力局势加剧，ICRC2015年在这里的经费预算达8000万瑞郎。在菲律宾，为帮助台风幸存者重建生活，ICRC与菲律宾红十字会共同为4461户家庭提供了抗风暴房屋，并向71000多人发放现金补助。在叙利亚，从1月至8月，ICRC医疗卫生相关活动惠及当地80多万人，尤其是ICRC在此开展了60多个致力于改善哈塞克省供水系统的项目，包括维护并升级流离失所者收容中心的水泵、供水和水处理厂及水源和卫生系统，惠及约80%的人口。3月，为共同消灭埃博拉病毒，"言语抗击埃博拉"活动在欧洲和西非的媒体宣传活动中同时启动，红十字会与红新月会国际联合会（IFRC）在16个非洲国家开展了应对和防控埃博拉的项目，耗资1亿瑞郎，惠及3900万人。

上述行动表明，国际红十字运动在应对持续性战争灾难的同时，积极组织各类突发性灾害的应急救援，通过加大项目和资金投入，保障和维系灾民的日常生产和生活。

平等交流，展开和平对话

日益严峻的人道形势敦促世界各地的人民紧密团结，国际红十字与红新月运动和政府部门及其他社会团体的交流日益增多。在坚持中立、公正和独立原则的基础上，彼此就当前的人道需求展开多边平等对话。

在冲突较为严重的尼日利亚、伊拉克、乌克兰等地及其周边地区，与政府部门、社会组织等机构和群体的区域性对话是开展当地人道救援工作的有力保障。其一，与政府相关部门展开对话，以保障平民的基本权利。3月29日至30日，ICRC与伊拉克卫生部就改善库尔德斯坦地区在押人员的医疗卫生问题举办研讨会。30多名政府官员和医疗卫生专家汇聚于埃尔比勒，探讨的议题包括医疗服务的获取、监狱系统的公共医疗卫生手段、医德和医生的角色、单独监禁的影响以及对绝食抗议的处理等。其二，与当地社会机构或团体进行对话，以整合力量共同应对人道需求。5月，由卡塔尔慈善组织主办，ICRC、伊斯兰合作组织、沙特阿拉伯的国际伊斯兰救援组织及该地区的其他非政府组织协办的第三届国际人道行动论坛在多哈开幕。论坛讨论了人道行动的道德及法律基础、中立、独立和公正的原则，如何确保对平民和医务人员的保护等问题。另外，据统计，1月25日至2月28日，ICRC与中非红十字会在班吉各个地区与妇女和青年团体的300多名代表开展工作，提高人们对红十字运动使命与工作的认识。其三，与冲突双方进行交流，以保障冲突地区人道行动顺利实施。5月，受南苏丹联合州冲突的影响而逃离战地的人数激增。对此，ICRC致力于通过与交战各方对话促进人们对战争法的尊重，提醒各方牢记有关保护和尊重平民（尤其是妇女和儿童）的义务。

在展开区域内部对话的同时，基于现实人道问题而进行的国际性交流与合作也在积极推进。一是国际视野下对人道问题的探讨进一步深入。3月，来自亚太地区多国政府和IFRC的有关专家在马来西亚吉隆坡齐聚一堂，就《武器贸易条约》和加强国际人道法举行地区会议。二是ICRC、IFRC与各国红会之间的联系也越发紧密，冲破地域限制，真正实现人道救援的国际化。6月和7月，法国和意大利红十字会在ICRC支持下于意大利小镇文蒂米利亚（Ventimiglia）开展跨境重建家庭联系行动，开创了先例。随着难民危机的持续，意大利红十字会还与奥地利和瑞士红十字会联合准备重建家庭联系计划，以帮助难民与家人重新取得联系。9月，ICRC、IFRC及喀麦隆、乍得、尼日尔和尼日利亚的国家红会召开为期两天的地区会议，加强应对乍得湖危机时的协调行动。10月底，ICRC主席彼得·莫雷尔和联合国秘书长潘基文发表了史无前例的联合声明，呼吁缔约国独自或共同采取更多措施来遵守并确保遵守国际人道法。11月，主要大国首脑齐聚维也纳组织会谈，敦促与会者加倍努力，尽快结束笼罩叙利亚长达近5年的恐怖局势。

以协商与合作方式解决人道救援中面临的困难，既有利于世界的和平发展，减轻无辜灾民的苦难，也有利于提高国际红十字组织共同应对困难、谋求人道事业发展的能力。

回顾历史，拥护基本原则

以史为鉴，遵循人道法则，运用新媒体加大对红十字事业的宣传和推广力度。

首先，回顾历史，传播红十字文化。4月，黎巴嫩红十字会和ICRC为纪念黎巴嫩战争40周年及战争期间开展的人道行动举办了一场以

"回声"为主题的视听展览。6月，"红十字人道行动80载"摄影展再现了ICRC于查科战争期间（1932—1935年）在拉丁美洲开展的早期工作，反映了巴拉圭和玻利维亚战俘的日常活动、伤员如何在战场上得到救治及巴拉圭红十字会志愿者的工作。2015年是世界反法西斯战争胜利70周年。从短期来看，第二次世界大战是世界人道主义运动的转折点，《1949年8月12日关于战时保护平民之日内瓦公约》（《日内瓦第四公约》）在战后应运而生；从历史发展的长远角度看，国际红十字运动是推动人类文明进步的重要力量。回顾国际红十字运动这段光辉历程，不仅可以帮助当代人铭记过去，还可以借此契机使红十字精神与文化得以进一步弘扬和传播。作为二战时期的东方主战场，中国为抗战胜利做出了巨大贡献。为此，《中国红十字报》组织"纪念抗战胜利70周年"征文活动，从5月起开辟专栏，以此纪念中国抗日战争暨世界反法西斯战争胜利70周年。

其次，健全红十字运动传播媒介。9月，ICRC主席彼得·莫雷尔应邀出席纪念中国人民抗日战争暨世界反法西斯战争胜利70周年大会。在华期间，莫雷尔还与新华通讯社社长蔡名照签署战略合作备忘录，双方将在媒体平台、培训研讨和人道事务等方面进一步加强合作。汇集全球189个国家和地区红会关键数据的IFRC数据报告系统FDRS，以及人道行动畅言（Voices to Action）中文版先后上线，为人道行动提供了平台。此外，国际红十字运动注重实践基础上的理论总结，为一些具体问题提供有章可循的经验指导及法律依据。如ICRC就武器问题、保护平民等问题，先后出版了《服务与保护：适用于警察和安全部队的人权与人道法》《预防与惩治国际罪行：迈向基于国内实践的"整合"方法》等图书。

再次，拥护国际红十字与红新月运动基本原则。七项基本原则诞生迄今已有50周年，在2015年第1期《红十字红新月杂志》所刊关于原则问题的文章中，来自巴基斯坦的一名志愿者讲述了一次常规的食品分发任务遭遇的一系列两难处境、问题和艰难的选择，揭示了基本原则付诸实践所面临的挑战。作为国际红十字运动成员之一，中国红十字会用自己的方式予以回应。6月14日至19日，以"生命救护与人道传播"为主题，突出关爱民生、造福两岸民众核心理念的"第五届海峡两岸红十字博爱论坛"在福建厦门和浙江舟山联合举办。两岸参会代表共同起立宣读红十字运动七项基本原则，成为一大亮点。本次论坛取得了丰硕成果，两岸红十字工作者今后5年将以此次论坛主旨为导向，继续弘扬生命救护理念，助力人道传播事业。6 月 23 日至 25 日，中国红十字会代表团参加了以各国红会通过《红十字与红新月运动基本原则东亚承诺》为序幕的东亚地区国家红十字会领导人会议，与会各方共同承诺将始终拥护和坚持基本原则，按照基本原则要求开展各项人道主义工作。

审视问题，共同迎接挑战

不可否认，当今的国际红十字运动还需应对诸多问题与挑战，正如 ICRC 东亚地区代表处副主任奥斯力所说，当前人道主义环境给工作带来的挑战包括"武装组织、武器规模和安全部门日益碎片化；宗教激进主义兴起，激发恐怖与暴力；对人道主义工作的负面认识及针对人道主义工作者的袭击；人道主义援助的政治化和对人道主义机构的控制；武装斗争中各方界限日益模糊；新技术产生的新武器严重威胁人道主义行动；战乱长期延续导致人道主义传送体系失灵；地区冲突蔓延到周边国家；冲突日益政治化并极端化导致和解极其困难；战场蔓延到城市和平民中，造成人口密集区的爆炸和恐怖事件"等等。《2015 年世界灾害报告》强调地方因素在灾害响应中经常发挥有效作用，还着重描述并审视了地方因素在灾害响应中面临的挑战。地方因素面临的挑战是国际红十字运动的一个缩影，未来的人道事业仍将面对诸多困难，以下问题尤为突出。

一是平民、红十字工作人员的人身安全屡受威胁。虽然 ICRC、IFRC 及各国红会多次呼吁战斗各方尊重红十字运动的工作并保障其工作者的安全，呼吁各方避免伤害所有平民，避免攻击平民地区，但参与缅甸、也门等地救护工作的红十字车队、办事处、医疗所仍接二连三地遭受袭击，造成救援人员伤亡、机构损毁、平民流离失所。在谴责袭击者行为的同时，有人曾表示"ICRC 对于针对人道工作者的暴力事件攀升感到担忧，这阻碍了他们为急需援助的个人和社区提供援助"。这样的担忧很快得到了验证。7 月，在南苏丹发生的一场冲突迫使全部医生和护士撤离了本可实施先进外科手术的医院，患者得不到最有效的救治，造成 10 余人死亡。

二是武器使用带来的隐患仍牵动着国际社会的神经。距日本广岛、长崎原子弹爆炸已有 70 年，但其带来的毁灭性影响和幸存者的心理创伤至今挥之不去。诚如 ICRC 主席彼得·莫雷尔在《核不扩散条约》审查会议召开之前所说，"广岛和长崎的毁灭性轰炸已经过去 70 年，但核武器还在继续给人类造成不可接受的风险"。就目前情况看，消除核武器方面的进展仍非常缓慢，一些国家仍投入资金用于其核武器库的建设。此外，许多国家虽已加入国际条约，承诺要规范武器在境内外的流通，但是这些国家依然参与非法武器转让。

三是资金缺乏一定程度上限制了人道行动的进展。尼日利亚东北部发生的武装冲突持续多日，导致了大规模人道危机，并波及喀麦隆、乍得和尼日尔。由于总体资金缺乏，数十万人没有得到援助。资金不足致使红十字运动困难重重，为此，运动不得不呼吁追加捐款。如4月，为了应对东乌克兰过去一年来激烈冲突所带来的严峻人道局势，ICRC请求捐赠者追加3200万瑞士法郎（3400万美元）。这些款项将用于增加对因冲突而无家可归之人的援助、支持基本医疗服务及帮助鉴别遗骸，还将用于未爆炸武器危险性的警示，并为相应的急救服务提供帮助。

为应对这些问题，国际红十字运动开展座谈，共商对策。9月，由ICRC与中国现代国际关系研究院共同组织的"当前国际安全环境下人道行动的挑战"研讨会，旨在向中国顶级国际问题专家介绍当前国际安全形势下ICRC面临的挑战，听取专家的分析，并就其人道行动进行探讨。10月，中国国家行政学院应急管理培训中心、中国社会科学院蓝迪国际智库项目牵头主办的"共同应对人道主义援助面临的挑战"国际研讨班在北京开班，来自10余个国家、地区和有关国际组织的近100位政府官员、专家学者和企业代表参加会议，就"国际人道主义援助发展的现状和挑战"主题进行全面而深入的讨论。会上，IFRC秘书长办公室主任亚甘·扎普干通过尼泊尔地震等实例，详细阐述了联合会工作的核心原则，阐明了在现阶段用行动共同面对人道主义在新时代的机遇与挑战。ICRC东亚地区代表处副主任奥斯力指出，当前ICRC、IFRC和各国红会在合作中要确保国际人道法能够在各国切实落实、应用和遵守，并通过一线工作化解武装冲突带来的挑战，为解决冲突创造良好环境。简言之，各种问题和挑战，既给国际红十字工作者带来压力，又对国际红十字运动实践的发展以诸多启发。

首先，探索国际红十字运动与社区合作模式。利比里亚红十字会秘书长法伊阿赫·坦巴（Fayiah Tamba）说："在利比里亚，抗击埃博拉的战役从基层社区开始打响，放权社区对于开展可持续的人道行动而言至关重要。"红十字工作的开展离不开社区工作的支持和配合。IFRC秘书长哈吉·阿马杜·希3月15日在联合国第三届世界减灾大会新闻发布会上宣布"One Billion Coalition for Resilience"——旨在未来十年内推动

"社区韧性"的发展进程。8月，IFRC又发起了一项名为"人道行动畅言"的全球倡议，设立专门网站 www. voicestoaction. org，同时在5个国家举办相关的公众活动，旨在针对当今的严峻人道挑战，向公众收集解决方案。这一活动可以帮助国际红十字运动立足于本土，确定如何与不同的社区合作，以便帮助他们找到应对挑战的解决方案。10月，IFRC秘书长办公室主任亚甘·扎普干强调，面对挑战，人道主义援助今后的发展方向应是来自于全世界的那些实实在在的社区。

其次，明确对武器使用和转让的态度。在武器贸易方面，因太多国家依然在进行非法武器转让，ICRC主席彼得·莫雷尔呼吁实现更高透明度，建立健全有效的国家控制体系，限制传统武器的获取，并禁止其流入非法市场。鉴于日本核爆炸的灾难性影响，有核国家军火库中大多数炸弹威力更大、破坏性更强及《不扩散核武器条约》审议大会并未在清除核武器的工作上取得任何进展等情况，莫雷尔认为各国应就销毁核武器设定明确的时间表。

再次，必须坚定不移走国际合作道路。6月，IFRC在蒙古乌兰巴托举办东亚地区国家红十字会领导人会议，围绕"加强地区合作，推动人道创新"的主题，就东亚地区国家红会加强交流、建立合作机制尤其是加强灾害管理方面的合作，履行第九届亚太地区大会成果——《北京创新呼吁》的承诺，增强青年在红十字运动中的作用等议题进行了深入讨论。9月，由中国商务部、中国红十字会共同主办的中非国家红会人道合作与能力建设研讨班，就中国"一带一路"倡议、援外政策、社会组织参与民间外交、国家防灾减灾战略、中国红十字会紧急救援体系及国际救援工作等主题进行探讨，还就进一步加强中非人道领域的交流与合作进行深入讨论。10月，ICRC与中国扶贫基金会、联合国开发计划署、救助儿童会等多家在中国开展扶贫工作的机构共聚一堂，分享各自在扶贫领域的经验。

最后，重塑国际人道主义新体系。英国海外发展研究所人道主义政策小组主任莎拉·番图里阿诺在"共同应对人道主义援助面临的挑战"国际研讨班发言中，阐述了发展变化的人道主义行动带来的新机遇，强调变化中的多元人道主义有许多新的积极因素，如越来越多的参与方、更广的受益人和受益区域以及越来越多的项目。IFRC秘书长办公室主任亚甘·扎普干也指出，人道主义灾难频发使整个体系不堪重负。重塑国际人道主义体系从而更好地应对挑战，已成当务之急。新的人道主义体系应更加平衡、更多参与、更加多元，充分发挥发展中国家、私营部门和跨国组织、当地组织和海外移民力量在人道主义援助活动中举足轻重的作用。

12 月 8 日，第 32 届红十字与红新月国际大会在瑞士日内瓦国际会议中心开幕。大会以"人道的力量：践行基本原则"为主题，围绕"预防和应对暴力""保障人道救援和服务工作的安全和通道""降低灾害风险与增强恢复力"等三个目标开展讨论。ICRC、IFRC 主席分别在开幕式上发表主旨演讲，表示要携手团结，共同应对当前的人道危机，强调在当前复杂多变的人道局势下，尤其需要各方以国际人道法为基础，秉承红十字与红新月运动基本原则，服务基层的人道需求。

总之，尽管在人身安全、灾害救助、物资供应等方面仍面临一些问题，但国际红十字运动中的应急救援、平等对话、推广人道法等工作成效显著，为应对未来的挑战提供了丰富的实践经验。

（原载《中国红十字报》2015 年 12 月 29 日。与李欣栩合作）

人人都应得到人道待遇

——2016 年国际红十字与红新月运动新动态

2016 年 9 月 18 日，由韩国"天上文化，世界和平光复"（HWPL）组织举办的"终止战争，世界和平"万国会议两周年和平庆典活动在首尔举行。大会就世界和平问题展开讨论，体现了各国人民对和平的企盼；国际红十字与红新月运动亦当仁不让地在维护世界和平的重大使命中做出不俗贡献。2016 年，国际红十字与红新月运动除了组织救援队，为战地人民带来福祉外，还广泛宣传人道与法制，为消弭战火、人类和平不断努力。

尊重生命　发挥人道力量

因宗教分歧、地缘利益等引发的战争、冲突与恐怖活动打乱了世界和平发展的节奏，打破了民众安宁的生活。对此，国际红十字与红新月运动积极动员人道资源，合理调配物资，彰显人道的力量。

一方面，应援救灾，维持灾民生活。叙利亚是 ICRC（红十字国际委员会）目前在全球行动规模最大的国家。1 月，ICRC、叙利亚红新月会与联合国合作，将食物、医疗用品、毛毯及其他物资运送到位于大马士革的迈达亚镇及靠近伊德利卜市的富阿（Foua）镇、基夫拉亚（Kifraya）镇。

4 月，ICRC 和索马里红新月会开始向索马里北部受旱灾影响的近 6 万人派发大米、豆类和谷物，希望帮助灾民度过困难时期，迎接 4 月至 6 月间新一轮降雨的到来。

12 月，印度尼西亚发生 6.4 级地震，这次地震及近 6 次余震导致至少 99 人丧生、624 人受伤、268 所建筑物倒塌或损毁。地震后，印尼红十字会立即启动应变机制，派出紧急应变小组支援搜救、派发物资和进行快速评估，并调动 2 台水车和食水净化设施，为灾民提供安全饮用水等。中国香港特别行政区红十字会也密切关注印尼灾况，并提供灾后紧急寻人服务，协助在港的印尼人士寻找失联亲属。

另一方面，保护生命，表明人道立场。阿勒颇是叙利亚第二大城市，是过去 5 年冲突受影响最严重的城市之一。对于这一处于人道灾难边缘的城市，ICRC 叙利亚代表处主任玛丽安娜·加塞尔表示："袭击不断造成人员丧生，在阿勒颇已无安全之地，就算是医院也不例外。为了阿勒颇的民众，我们呼吁所有各方立即停止这种不分青红皂白的暴力行径。"

12 月，ICRC 还公布了 6 月至 9 月间关于世界各地人们对战争相关问题看法的调查，范围覆盖 16 个国家逾 1.7 万名受访者。结果显示，80% 的受访者认为战斗员在攻击敌方时应尽可能避开平民；同样比例的受访者表示，为削弱敌人力量而攻击医院、救护车及医务人员是错误的。对此，ICRC 主席莫雷尔表示，"我们都需要重新表明我们的立场：禁止施以任何形式的酷刑……即使在战争当中，人人都应得到人道待遇"。

国际红十字与红新月运动积极参与灾害救援，为灾民提供多种形式的帮助。与此同时，审视当前的人道形势，呼吁尊重生命，为揭露恶劣行为、引发社会共鸣及红十字运动发展创造了有利的舆论环境。

保持中立　搭建人道桥梁

在多极化世界中，国际红十字与红新月运动坚守的独立、公正和中立原则变得日趋复杂。红十字组织努力不参与政治、维持中立、展开与多方力量的对话、搭建人道沟通的桥梁。

与武装部队保持对话是 ICRC 全球行动不可分割的一部分。国际人道法要求红十字会与所有相关方对话，以此确保各级武装部队了解并在其行动中为援助冲突受难者的人道行动提供便利。为此，遇有冲突双方人质时，红十字组织会以中立者的态度，在释放在押人员之前通过与各方磋商及与所有相关在押人员进行私下讨论来协助释放和移交工作。2月 20 日，9 名与乌克兰冲突相关的在押人员在 ICRC 参与下获释并被移交其原籍国，这是 ICRC 第三次参与释放和转移与乌克兰冲突相关的在押人员。4 月 16 日，3 名在马里阿贝巴服务的 ICRC 工作人员下落不明，后获知遭地方武装组织绑架，通过交涉，于 22 日获释。ICRC 还争取定期到羁押场所探视在押人员，以监督他们的关押条件和待遇，并通过保密形式与羁押负责人讨论探视中发现的问题。

战线后方，红十字组织积极与各相关国家政府、地方组织乃至受灾群众进行对话，发挥自身优势，以其他国家和地区经验对本国人道活动提供支持。10月，ICRC主席莫雷尔同尼日利亚总统就尼日利亚的人道局势举行会晤，着重讨论了受冲突影响的东北部地区人道援助事宜。莫雷尔还会见了曾受哈科特港棚户区城市暴力影响的民众，并在拉各斯与尼日利亚私营公司或企业人士探讨创新型伙伴关系，鼓励他们更加积极地参与到人道工作中，应对受武装冲突和暴力局势影响之人的需求。中国政府也于10月决定在原有的援助规模基础上向有关国家和国际组织提供1亿美元人道主义援助，并由中国商务部与联合国难民署、联合国世界粮食计划署、联合国儿童基金会、世界卫生组织、国际移民组织和ICRC就开展具体合作进行协商，拟向上述6个国际组织分别提供100万美元，用于向有需要的国家提供人道援助，帮助他们应对人道主义危机。

国际红十字与红新月运动还积极搭建或利用各种交流平台，为运动的深入发展创造可能。6月，由中国红十字会主办、福建和江西两省红十字会共同承办的"第六届海峡两岸红十字博爱论坛"在福建省厦门市召开，论坛邀请两岸红十字同仁、民间公益慈善组织代表、专家学者等围绕红十字组织服务社会民生、生命救护与人道传播、高龄老人居家照护、青少年生命教育等4个专题，开展有针对性的学术交流和实践经验分享。这一论坛日渐成为展示中国海峡两岸人道事业发展的重要平台，是两岸人道公益组织同仁交流分享的重要渠道，对推动两岸民间交往、促进两岸关系发展具有重要意义，且具有一定的国际影响。

目前，国际红十字与红新月运动一面坚持与践行中立原则，一面积极与多方对话，针对人道问题集思广益，为推动运动发展创造有利条件。

与时俱进　促进文化传播

10月，亚洲媒体研讨会在孟加拉国举行，探讨在新媒体与创新时代国际红十字与红新月运动面临的机遇和挑战，同时也激发了红十字人思考如何传承和传播红十字文化。总体看，多措并举是推动红十字文化传播的必要方式。

一是开展多种文化传播活动。近年来，红十字组织对红十字运动历史和现状的探索、对国际人道法及其他相关法律的宣传工作日渐增多。3月，ICRC 与瑞士洛桑联邦理工学院成立人道科研中心。双方根据协议启动了一项为期4年的项目，目标是促进人道和科学领域间的合作，以及其他领域专家间的合作，开发相关技术以应对当今世界面临的人道挑战。

与此同时，ICRC 就《日内瓦公约》的实施出台重要指南，在"现在越来越流行谈论国际人道法的作用被削弱"的时刻，该指南不仅肯定《日内瓦公约》的核心地位，还强调这是一部活生生的法律，其作用不仅未削弱，还愈发重要。

为纪念红十字国际委员会成立150周年，ICRC、日内瓦艺术与历史博物馆、卡昂纪念馆曾先后在瑞士和法国合作举办展览。10月15日，ICRC 在北京与首都博物馆、中国红十字会合作举办展现国际红十字与红新月运动人道历程的大型展览，围绕"人道"这一主题，通过实物、照片、视频等形式，讲述150多年来国际红十字运动和国际人道法的发展，以及 ICRC 在全球战争和武装冲突中的人道行动，展现战争中的人道力量。

此外，ICRC 还举办"和平行动中的法律适用问题"圆桌会议、国际人道法讲座等活动，大力宣传法律在人道行动中的作用。

二是利用现代媒体进行宣传。利用网站、微博、微信、广播等途径组织、宣传人道活动已成为推动国际红十字运动发展的重要方式。在世界无线电日，IFRC（红十字会与红新月会国际联合会）围绕"紧急情况和灾难时期的无线电"活动主题，指出"面对紧急情况，无线电广播常常是救生的首选媒体"，"往往比其他媒体更能抵御冲击，更快更好地向尽可能多的人传递保护和预防信息，拯救生命"。

在1月的世界经济论坛新闻发布会上，包括 IFRC 在内的国际机构呼吁："应对危机需要思考方式上的根本转变"，"需要充分利用资源，以长远的眼光看待并解决问题"。

5月，为庆祝世界红十字日，ICRC 东亚代表处在北京举行媒体见面会，邀请中国近10家主流媒体进行面对面交流，以加强互动，探讨更多合作的可能性。

9月，IFRC 秘书长哈吉·阿马杜·希到访中国红十字会并接受中国国际广播电台采访，肯定和赞扬了中国红十字会参与的一系列国际救援行动，介绍了国际联合会针对难民、气候变化、消除贫困等全球议题的战略与行动。

三是公布统一的运动标志。4月，ICRC网站对国际红十字与红新月运动的标志予以公布，指出在ICRC、IFRC与国家红会交流沟通或共同为某项紧急人道行动、某个全球关注的议题或活动筹款时，均可使用此标志。该运动标志中，红十字与红新月标志并排显示，外部围有"国际"和"运动"字样，有阿拉伯语、中文、英语、法语、俄语和西班牙语（国际大会的官方语言）6个版本。运动标志代表的成员包括190个国家和地区红会、红十字国际委员会以及红十字会与红新月会国际联合会，展示出了全球红十字与红新月网络覆盖范围的广泛性。

红十字文化传播是红十字运动的重要工作，新媒体的出现则为红十字文化的传播提供了更多途径和方式，对红十字标志的推广、文化传播内容和技术的创新有重要影响。

直面挑战　积极探讨对策

当今世界，武装冲突、环境恶化和资源短缺等因素导致人道主义危机不断加剧，以下几点尤为突出：

其一，武装冲突呈现出与以往不同的特点。一是冲突的延展性，即冲突不再仅局限诸如叙利亚或阿富汗某个国家，冲突引发的难民问题使其他地区也受到极大冲击。二是冲突的参与方更具"分散性"。随着类似"伊斯兰国"等组织的兴起，冲突不再仅发生于国家之间，冲突各方正越来越"分散"。这意味着不能再像以前一样只要和一个或两个冲突方谈判就可以，情况变得更加复杂。三是冲突日趋"城市化"，近些年的武装冲突多发生在人口较为密集的城市。这些变化，引发了严重的难民问题。据统计，过去10年中，全球需要人道主义援助的人数翻了一番，因战乱而流离失所者人数达到70年来最高水平。10月9日至11日，在柏林举行的全球健康峰会聚焦移民及难民健康议题。ICRC总干事伊夫·达科尔在峰会上表示："难民问题需要全球合作，每一个与难民有关的数字，背后都是一个活生生的人。"

其二，人道救援物资仍相对短缺。在人道主义援助需求骤然剧增的今天，救援行动所需的资金和国际支持却没有出现显著增加，经费持续短缺使相关行动捉襟见肘。目前全球人道主义救援资金缺口高达200亿美元。10月，IFRC发布了以"韧性"为主题的《2016年世界灾害报告》。报告指出，尽管大家一致认同灾前对民众应对灾害的"韧性"的投入将减少伤亡和损失，但是，在国际援助资金中，每100美元仅有40美分用于备灾和减灾。如果不采取及时有效的措施，全球人道主义危机将在自然灾害和人为冲突双重打击下更加恶化。庆幸的是，这一问题已为社会各界重视，筹募物资推动人道援助的开展成为红十字运动的重要工作。联合国在筹备人道主义峰会过程中，专门设立人道主义筹资高级别小组，以审查当前全球人道主义筹资面临的挑战，寻求及时有效筹资和使用资金的方式等。10月，在北京举办的第八届大爱无国界国际义卖活动，以"同心共筑便民桥"为主题，所筹善款将通过中国扶贫基金会，为广西壮族自治区凌云县和田林县贫困地区修建便民桥，改善两县贫困地区末端交通条件，方便当地民众出行，为精准扶贫做贡献。88家驻华使馆、包括ICRC东亚代表处在内的国际组织驻华机构和中外企事业单位现场设展，吸引了上万名社会各界人士参加。当天共筹得善款300余万元。

其三，推行人道法任重道远。国际人道法明确规定，与冲突无关的人员应该得到保护；国际刑法中也明确指出，攻击维和人员是战争罪行。但问题是现行法律往往无法得到执行。

莫雷尔表示："战争中轰炸医院、平民造成大规模流离失所以及性暴力之祸几乎已是司空见惯。冲突中的人类苦难已是老生常谈。总体上，我们的应对措施是失败的。无论国家、军队还是武装团体都未能充分尊重《日内瓦公约》中规定的基本人道价值。如果国际人道法遭到践踏，我们终将付出代价。"国际人道法的推行面临严峻挑战。

10月，ICRC国际法与政策部主任海伦·德拉姆表示："很多时候，大家经常在新闻中读到法律如何被破坏。如何恢复大家对法律体系的信心无疑是很大的挑战，我们应向外界传递这样的信息：即使法律被破坏，也不意味着法律没用，应寻找办法防止其被破坏。"ICRC还发布了一部名为《不计后果的胜利》的短片，通过使用世界各地冲突场景的真实片段，描述了漠视《日内瓦公约》所造成的惨痛代价，旨在加强公众的国际人道法意识。

伴随着高科技的发展，现代军事武器愈加先进，在战争冲突中致使无辜群众伤残、丧生的案例屡见不鲜。11月14日，恐怖分子的化学武器攻击致使盖亚拉当地儿童身体出现莫名变黑变硬；同月27日，22名叙利亚反对派武装人员遭极端组织"伊斯兰国"人员使用毒气攻击，致使身体不适。这些事件的发生时刻提醒着爱好和平的国际人道主义者要为武器的规范使用发声。10月，在第71届联合国大会第一委员会上，

ICRC 副主席克里斯蒂娜·贝利女士指出，"在针对武器展开辩论时，有鉴于国际人道法对武器使用规定的严格限制，必须考虑到能够证明武器预计给人类造成惨痛代价的那些事实"，在认识到核武器影响的基础上，"成员国就有责任采取果断行动"，按照联合国"推进多边核裁军谈判"通过的建议行动。11 月 11 日，禁止化学武器组织执行委员会决议谴责使用化学武器的行为，呼吁所有各方不再使用化学武器，并主张对相关责任方进行问责。11 月 28 日至 12 月 2 日，在《化学武器公约》第二十届缔约国大会上，ICRC 与各缔约国呼吁朝鲜、以色列、埃及、巴勒斯坦和南苏丹立即批准或正式加入该公约，ICRC 还赞扬了各国政府、禁止化学武器组织和联合国在彻底销毁化学武器储备、调查有关化学武器使用的指控以及归因责任方面所做的不懈努力。为防止禁止使用化学武器的规定进一步弱化，ICRC 重申了在研制并使用剧毒化学物质以将其作为执法武器这一问题上所持的立场及呼吁，恳请各方遵守承诺，彻底销毁并不再使用各种化学武器。

凡此种种，无不要求国际红十字与红新月运动各组织间、红会与各国政府、红十字组织与其他组织加强团结合作，客观分析人道局势，为解决问题提出理想的方案。5 月，由联合国秘书长潘基文发起，以"同一个人类：共同责任"为主题的首次世界人道主义峰会旨在构建一个更加包容、多样、全球化的人道主义体系，为大力改进人道主义行动寻求全球支持。会议除开幕式、全会外，还有 7 场由国家元首和政府首脑参加的高级别讨论会、15 场特别会议、110 场边际会议以及展览等活动，重点是要求领导人做出行动承诺，国家元首、政府首脑、各人道主义组织负责人、私营部门将共同承担责任，改善人道主义援助工作。峰会成果丰硕，包括：做出 1500 项承诺；认可五项核心责任（预防冲突、尊重国际人道主义法、不让任何人掉队、将发展努力与人道救援行动相结合、加强筹资）；改革现有的全球人道救援体系，使之更有效率，并提高救援资金的利用率。ICRC 主席莫雷尔表示，本次峰会朝正确方向迈出了积极的一步，为改进人道主义救援行动开了一个好头，可以吸引更多的国家和利益攸关方参与其中。但是，主要捐赠大国领导人未能出席此次会议，如七国集团中只有德国总理默克尔与会，俄罗斯在峰会召开前夕指责联合国拒绝听取其意见，并公开表示俄方不受峰会共识约束，这些情况的出现使外界对本次会议的共识能否顺利落实产生疑虑。会议并没有提出履行承诺的途径，这些方案能在多大程度上引发变革还有待时间检验。此次会议的顺利召开以及俄罗斯等国的缺席给我们提出了新问题，即必须努力协调各方力量，尤其是整合大国资源参与到人道行动中。

简言之，在全球化背景下，国际红十字运动一方面要继续为部分地区提供战地救援，另一方面又要适应世界发展的新环境，科学理性地看待当前发展的机遇和挑战，协调好红十字运动与各国、各地区的利益关系，推动红十字运动及世界和平的发展。

（原载《中国红十字报》2016 年 12 月 27 日。与李欣栩合作）

直面挑战　着眼未来

——2017 年国际红十字与红新月运动新动态

2017 年，国际红十字与红新月运动取得了显著的成果，也面临着全新的挑战，人道工作的复杂程度与危险指数不断上升，这就要求红十字与红新月组织不断完善自我，为应对更加严峻的人道挑战做好准备。

一如既往　组织人道救援

2017 年，全球局势仍未见好转，国际红十字与红新月运动一如既往在艰难的条件下开展了大量人道救援行动，为受难人群提供人身保障。其中，既有在中东、非洲、乌克兰等地开展的持续救援，也不乏应对发生于菲律宾马拉维等地的突发暴力冲突的新行动。

在中东地区，也门的人道形式最为复杂。这片曾经被称为"阿拉伯乐园"的土地，已长期处于动荡之中。红十字国际委员会主席前往也门之后，在联合国相关会议上直言，"对许多也门人而言，想要过上保有尊严的正常生活完全无望"。

为了扭转残酷现实，红十字与红新月组织努力延续对也门的人道援助。红十字国际委员会呼吁交战各方在冲突期间遵守国际人道法，避免伤害平民和不再参与敌对行动的人，停止为达到政治目的而利用人道行动的行为，应当为援助物资进入也门提供便利。

由于战争对也门基础设施造成了毁灭性破坏，至 2017 年 6 月，也门疑似霍乱病例数超过 12.4 万，每 200 人中即有 1 人疑似感染。为了应对疫情，红十字与红新月运动积极开展行动。红十字国际委员会将 2017 年度的也门援助预算翻倍，增至 9000 万美元，并向也门空运了大量氯、静脉注射液和其他医疗用品。红十字会与红新月会国际联合会则向难民提供了 3350 个卫生工具包，为 4.75 万人提供了清洁饮用水。也门红新月会同时启动了关于霍乱的宣传运动，在学校和社区中心组织了 200 多次相关会议，提升民众对霍乱病情的认知。也门霍乱疫情还得到了丹麦、德国和挪威红十字会的支持。丹麦和德国红十字会为弱势群体分配清洁饮用水，同时德国红十字会提供了 1.2 万个霍乱检测工具以及 5000 个快速卫生检测工具。挪威红十字会则推动了有关使用卫生工具的宣传活动。红十字与红新月运动的一系列行动，成功扼制了霍乱疫情，将这场人道灾难所造成的破坏，控制在最小范围之内。

红十字与红新月组织在中东其他地区同样推进了大量人道行动。在以色列，红十字国际委员会强烈呼吁官方应当履行国际人道法赋予的义务，保证在押人员与家人的正常联系。在利比亚，红十字国际委员会向该国多家医院与医疗机构发放了 60 吨基本医疗物资，包括麻醉剂、敷料、药物、注射用品、消毒用品、外科手术用品等。在黎巴嫩，当地红十字会在英国红十字会帮助下，邀请紧急医疗服务（EMS）志愿者接听有关难民工作的反馈和投诉电话，以取得更好的工作成效。在叙利亚，红十字国际委员会与叙利亚红新月会继续合作，向战地平民提供各项援助，呼吁各方加强对国际人道法的遵守，为推动中东和平进程献策献力。

2017 年，非洲地区的人道问题主要表现为大规模的旱灾以及由此引发的饥荒，索马里地区的灾情尤为严重。为此，红十字国际委员会于 2 月启动紧急预案，向索马里近 14 万居民发放食物与生活必需品，并改善当地的卫生条件，以此预防干旱可能引发的流行性疾病。随后，红十字国际委员会与索马里红新月会合作，向灾民提供了现金援助，受灾最为严重的家庭最高可以获得三轮现金补助。此外，红十字国际委员会还加大了对索马里国内为儿童开设的营养补给中心的支持力度。医疗服务方面，红十字国际委员会先后设立了 25 个索马里红新月诊所和 6 个流动诊所，8 万余人受惠于此。尼日利亚、肯尼亚、埃塞俄比亚、莱索托等国民众也饱受旱灾之苦，当地红十字与红新月组织不仅为难民提供了食物、畜牧草料及生活必需品，还派出医疗小组，前往一线灾区进行医疗援救，并建设厕所与供水系统，预防传染病的大规模扩散。

近年以来，乌克兰地区一直处于低烈度战争状态，民众饱受其苦。2017 年初，乌克兰东部地区的局势进一步恶化，武装行动数量陡增，导致军事分界线两侧的数万民众被困于战区，处于断水断电的困境之中。红十字国际委员会快速反应，在阿夫迪伊夫卡、顿涅茨克、卢甘斯克等地，组织卡车为民众输送用水，同时派发食物、日用品以及取暖工具，并提供医疗服务。为了避免局势进一步恶化，红十字国际委员会积极开展协商，最终促使各方达成协议，在瓦西列夫卡（Vasilevka）第一泵站与顿涅茨克净水站周边建立安全区，以保障当地居民的日常用水。乌克兰红十字会为冲突中的军人提供心理支持和康复帮助，使他们能够与亲人一道战胜"心魔"，继续生活。

发生在菲律宾南部马拉维市的暴力冲突，成为东南亚地区亟须解决的人道难题。红十字国际委员会与菲律宾红十字会合作，派出志愿者引导难民前往疏散中心安顿，并准备了大量食物以及可供 3 万人使用 3 个月的医疗物资。冲突爆发后一个月内，便从该市疏散了 700 余人。战斗结束，菲律宾红十字会与红十字国际委员会为重返家园的马拉维市民提供了寻亲服务。

红十字与红新月运动还在其他地区开展了系列人道援助项目。在南美洲，红十字国际委员会启动了达尔文公墓所葬阿根廷士兵的遗体辨认工作，帮助英、阿政府解决双方 1982 年冲突所遗留的人道问题。在欧洲，意大利红十字会携手红十字会与红新月会国际联合会，与海上移民援助站合作，一同在地中海展开海上巡逻，寻找移民船只，挽救生命。

总而言之，红十字与红新月运动在 2017 年组织的各项人道救援行动，不仅为各地难民提供食物、医疗等方面的援助，还在各地区走向和平的进程中扮演了重要角色。

直面挑战　应对暴力袭击

2017 年，在开展人道救援行动的同时，全球各地的红十字与红新月组织还要面临针对人道行动的暴力袭击。

2 月初，红十字国际委员会在阿富汗地区的一个工作团队前往朱兹詹省（Jawzan）谢贝尔甘镇（Shibergan）南部地区途中，遭遇不明身份武装人员袭击，该团队 6 人遇害，2 人被绑架。在红十字与红新月组织的努力下，两名被绑人员最终于 9 月得到释放，得以与家人重聚。

6 月中旬，两名红十字国际委员会工作人员在刚果民主共和国向民众派发食物与生活必需品时，遭到不明人士绑架，一周后才得到释放。

同月，在叙利亚大马士革郊外，一支由来自红十字国际委员会、叙利亚红新月会和联合国的 37 台车辆组成的车队，在前往东哈拉斯塔城向 1.1 万名民众运送食物、药品和日常必需品途中，遭到了武装分子袭击，导致叙利亚红新月会一名工作人员严重受伤。

8 月初，中非共和国 6 名红十字志愿者在国内的暴力冲突中遇难，国际红十字与红新月运动对此深感震惊与悲恸。

9月，阿富汗地区再次发生杀害红十字国际委员会工作人员事件。工作于红十字国际委员会马扎里沙里夫假肢康复中心的理疗师洛雷娜·佩雷斯，被一位患者射杀身亡。有鉴于此，红十字国际委员会决定缩减在阿富汗人道救援行动的规模，关闭迈马纳及昆都士办事处，马扎里沙里夫代表分处也将大幅减员，并寻找他方接管红十字国际委员会在阿富汗设立的各类医疗机构。同时，为各地的工作人员制定离职补偿与社保计划。

在众多悲剧面前，红十字与红新月工作者们并没有被恐惧击倒，而是以莫大的勇气坚守岗位，回应暴行。同时，红十字国际委员会为了降低红十字与红新月工作者遇袭的可能性，在全球范围内发起了"我们不是目标"的宣传活动，呼吁民众与冲突地区的医生、护士、救护车司机、患者及其他医务人员站在一起，促使各方落实相关措施，停止对人道救援的攻击。红十字国际委员会主席彼得·毛雷尔多次在演讲中提出，各国和武装冲突各方应确保军事行动规划和实施阶段对医疗机构和医务人员的保护。

为了进一步保护红十字与红新月组织工作人员，红十字国际委员会与全球多地红十字与红新月组织合作，举办了大量传播国际人道法的活动。

3月8日，由香港红十字会与红十字国际委员会联合主办的"第十五届亚太区红十字国际人道法模拟法庭竞赛"在香港开幕。这项已经持续15年的著名赛事，不仅能够在青年学生中推广国际人道法，而且也是亚太地区各国学生就人道法律与行动等问题进行交流的平台。

5月，红十字国际委员会在毛里求斯举办了一系列与国际人道法相关的活动，旨在提高该法在这一地区的地位，促进相关人士对该法律的理解。

红十字国际委员会还举办了一场国际人道法研讨会，邀请超过600位即将加入警方、监狱、海岸警卫队、控暴部门及警方准军事部门的新成员与会，在他们走上工作岗位之前，为其补充相关国际人道法知识。

2017年正值日内瓦四公约1977年《附加议定书》通过40周年。5月19日，红十字国际委员会与中国社会科学院国际法研究所在北京联合举办"纪念日内瓦四公约1977年《附加议定书》通过40周年"国际研讨会。研讨会涉及一系列当前国际人道法的重点问题，如两个《附加议定书》所取得的主要成就及当前挑战，有关敌对行为的原则与规则及其在现代战争中的适用，新科技与战争，在当代武装冲突中加强对平民的保护，惩治违反日内瓦四公约及其附加议定书的行为，确保对国际人道法的尊重与中国的贡献等问题。

着眼未来　推动禁核条约

国际红十字与红新月运动推动禁止核武器的工作在今年取得重大突破。《禁止核武器条约》于 2017 年 7 月 7 日在联合国总部诞生，这是人类社会历史上第一项具有法律约束力的禁止核武器的国际法文书，是国际核裁军机制向前迈出的积极一步。

红十字国际委员会主席彼得·毛雷尔在 3 月出席联合国有关达成禁止核武器条约的会议上发言指出："核武器是迄今为止人类发明的最可怕的武器，使用核武器会导致灾难性的人道后果。"红十字与红新月组织早在 1945 年试图为所有伤者和生命垂危的民众提供救济之时，已亲眼看见了原子弹给日本广岛和长崎带来的惨绝人寰的悲剧，并且在随后的 72 年中，见证了核武器造成的长期健康影响。条约的出台将加大对使用核武器行为的谴责力度，支持减少核武器风险的各项承诺，并防止核武器扩散。它将是各国向履行既有核裁军承诺，尤其是《核不扩散条约》第六条相关规定迈出的坚实一步。

红十字国际委员会总干事伊夫·达科尔在之后举行的瑞士日内瓦联合国裁军研究所核武器风险研讨会上，进一步阐述了红十字与红新月组织对于全球范围内禁核行动的阶段设想，这些措施包括澄清核武器系统演习以及在潜在敌对国家领土近处部署核动力舰船或飞机的意图，并建立一个联合预警中心。在完成以上措施的基础上，最终实现禁止并消除核武器的目标。

为了进一步推动《禁止核武器条约》的出台，4 月 24 至 26 日，35个国家红会、红十字会与红新月会国际联合会及红十字国际委员会的负责人和专家参加了在长崎召开的禁核会议，重申国际红十字与红新月运动长久以来反对核武器的立场，并承诺加大工作力度，以确保核武器永不再得到使用。会议正式通过了一项在未来数月和数年内指导各国红会工作，并促进其参与力度的行动方案。除此之外，与会各方对联合国为制定一部禁止并最终彻底消除核武器的条约而正在进行的谈判表示欢迎，呼吁各国利用此次史无前例的机遇，向无核世界的宏伟目标迈出决定性的一步。

在联合国通过《禁止核武器条约》之后，红十字国际委员会和红十字会与红新月会国际联合会也于第一时间正式发布关于通过《禁止核武器条约》的联合声明。该声明表示，这一条约的历史意义极为重大。它代表着人类向无核未来迈出的重要一步，世人对此刻期盼已久。国际红十字与红新月运动将积极推动该条约，并敦促各国政府尽早签署并遵守该条约，以确保其迅速生效，并得到切实执行。

尽管各个核大国均未参与《禁止核武器条约》的签署工作，但是正如红十字国际委员会总干事伊夫·达科尔所言："虽然有些国家可能此次尚未做好充分准备参与禁止核武器条约的谈判，但它们必然认识到了禁止核武器使用的绝对必要性。"由此可见，在红十字与红新月运动及各方的努力之下，全球禁止核武器运动的走势已逐渐明朗。

与时俱进　推动事业发展

2017 年，红十字会与红新月会国际联合会召开第 21 届全体大会，来自 188 个国家红十字会、红新月会代表团的 1500 多名代表于 11 月 6 日汇聚土耳其安塔利亚共襄盛举。大会听取了国际联合会主席和秘书长的工作报告，审议通过了未来四年工作计划和预算，围绕制定"2030 战略"、增强各国红会间的协调与合作、修订国际联合会章程、保护与响应弱势移民群体的需求、提高志愿服务水平等议题展开讨论，通过了有关决议。在此次会议上，中国红十字会会长陈竺当选为国际联合会副主席，这表明中国红十字会的地位与工作得到了国际红十字与红新月运动的高度认可。

2017 年，红十字与红新月运动还迎来了新成员。不丹红十字会于今年的世界红十字日正式成立。该国在首都廷布举行了极富传统特色的仪式，庆祝不丹红十字会正式成立。王后吉增以不丹红十字会主席的身份莅临成立仪式，她在活动上发表讲话表示，不丹红十字会正力争成为由不丹全国各地各个社区成员和志愿者组成的网络，并将在社会融入、卫生和灾难风险管理领域提供各类服务，补充皇家政府和其他组织的工作。不丹红十字会已经制定了在接下来的三年里力争获得运动正式认定的战略路线图，并期待在 2020 年正式成为第 191 个国家红会。

在具体工作领域，红十字与红新月组织在今年也推进了许多富有创意的工作项目。在 11 月举行的红十字与红新月论坛上，美国红十字会代表介绍了由美国、英国、加拿大、荷兰等国红十字会以及红十字会与红新月会国际联合会等人道组织推动的 Missing Maps 项目。这一项目旨在连接志愿者合作创建与人道行动相关的地图数据。通过当地志愿者补充缺失的地图信息，使人道工作者能够及时在受灾地区展开有效救援。红十字会与红新月会国际联合会还与美国红十字会携手 Facebook 公司，利用该公司汇总的数据搭构"灾难地图"，以帮助人们在灾难发生后迅速了解他们的定位，供人们判断自己是否处于安全区域，并引导他们向安全区域移动。

红十字国际委员会在有关国际人道法的公众宣传中也采用了全新的方式，一款名为"请勿麻木不仁（http：//dontbenumb.icrc.org/）"的在线游戏登上红十字国际委员会官方网站。这一交互式微型网站使年轻一代得以通过新鲜方式增进对《日内瓦公约》的了解。通过该网站上的小测验、信息图表和战争规则等相关信息，游戏将考查千禧一代与 Z 世代对冲突中重要抉择的看法，以及他们对《日内瓦公约》等人道主义基本原则的认知程度。红十字国际委员会工作人员认为，随着现代战争的不断爆发，很多人认为攻击平民、轰炸医院以及处死囚犯是正常现象，如果放任年轻人在这样的环境中成长，会导致他们对冲突恶果习以为常，对各方践踏战争规则所导致的危险司空见惯。使用游戏这一年轻人群易于接受的宣传模式，或许有利于帮助他们扭转已经形成或正在形成的错误观念。

（原载《中国红十字报》2017 年 12 月 29 日。与刘思瀚合作）

中国灾害史研究的"大趋势"

中国历来灾害频发，据统计，从公元前 206 年到 1936 年，这 2142 年间，发生自然灾害（包括水、旱、蝗、雹、地震、霜、雪等灾害）共 5150 次，平均每四个多月即罹灾一次①。灾害频率之高，为世界各国所罕见。"灾""荒"孪生，所谓"无年无灾，无年不荒"，灾害与饥荒犹如形影者。正因为如此，外国人视中国为"饥荒的中国"②。也正因为天灾流行，被"譬为中国之'例行故事'"③。灾荒成为社会生活的"常态"，中国灾害史的研究自然受到关注。特别是 20 世纪 80 年代以来，在著名历史学家李文海教授和其"近代中国灾荒研究课题组"开拓性研究的引领之下，灾害史研究在经历了较长时期的停滞后，得以复兴，并逐渐成为史学研究中红火的领域。30 年来，总起来看，无论是整体性研究，还是区域性研究，还是资料建设，还是人才培养，取得的成就都是有目共睹的。尤其是资料建设，在李文海先生的主持下，更是成绩斐然，《中国荒政全书》《中国荒政书集成》的整理出版，功德无量。夏明方教授主持的国家社科基金重大项目"清代灾荒数据库"的建设也在有序推进之中，这为灾害史的研究，奠定了坚实的基础。

中国灾害史研究硕果累累，但也存在着薄弱环节。未来研究的趋势，可以更多地聚焦于以下几个方面。

一、进一步拓宽研究领域，强化当代灾害史的研究

从现有的研究成果来看，学界比较注重重大自然灾害的个案研究、

---

① 邓云特：《中国救荒史》，上海书店 1984 年影印本，第 51 页。
② 马罗立：《饥荒的中国》中译本，民智书局 1929 年版。
③ 黄泽苍：《中国天灾问题》，商务印书馆 1935 年版，第 42 页。

区域研究和农业灾荒的探究。近年来，原本较为薄弱的城市灾害、海洋灾害、环境灾害的历史研究，渐受青睐，拓宽了研究之面。不过，从内涵上来说，灾害应该包括自然灾害和人为灾害两个基本方面，也就是通常所说的"天灾"和"人祸"，而且天灾和人祸经常勾连在一起。孙中山在论及晚清政治统治的失效和腐败时就曾说过，"中国所有一切的灾难，只有一个原因，那就是普遍的又是有系统的贪污，这种贪污是产生饥荒、水灾、疫病的主要原因，同时也是武装盗匪常年猖獗的主要原因"[①]。灾害人为的现象如此普遍，显然不能漠视。以往的研究偏重于自然灾害，相对而言，人为灾害关注不够，这也预示着在"人祸"研究方面，有着广阔的开拓空间。

还应该注意的是，在灾害救助领域，官方的主导作用固然应该强调，但不能忽视各种社会力量的参与，尤其是社会组织的能量，不容小视。蔡勤禹教授对华洋义赈会的研究、朱浒教授对民间义赈的研究、高鹏程博士对红卍字会的研究等，都做了很好的探索。苏州大学红十字运动研究中心成立10年来，也结合自己的研究方向进行了若干专题性研究，先后出版了《红十字：近代战争灾难中的人道主义》《中国红十字会救护总队与抗战救护研究》《中国红十字会灾害救助机制研究》《人道的力量：中国红十字会救援江浙战争研究》等，应该说，也在一定程度上拓展了灾害史研究的领域，但这还远远不够。类似于灾后重建问题、灾害创伤医治问题、灾害心理干预问题、灾害的国际救援问题、防灾减灾知识的普及问题等等，中外历史上都有很多经验教训值得总结，但研究都还不够充分，因此，只有放开视野，不断拓宽研究领域，中国灾害史研究之路才能越走越宽广。

从研究现状看，中国灾害史的研究偏重于古代和近代，而对中华人民共和国成立后的当代中国灾害史的研究，重视不够，亟待加强。据报道，目前出版的《汶川特大地震抗震救灾志》，作为新中国成立以来第一部由国家层面组织、针对特大自然灾害编纂的专题性志书，系统客观地记述了汶川特大地震灾害，全景式地展示了抗震救灾和恢复重建的历史过程。该志书共11卷13册约1400万字，它的出版发行对于促进和加强防灾、减灾、救灾工作，丰富和发展地方志编纂工作，具有十分重要的意义。类似有分量的研究成果还不多。而且，强化当代灾害史的研究，可以更好地为今天防灾减灾、构建和谐社会提供有益的史鉴和智力

观察思考

---

① 孙中山：《中国的现在和未来》，《孙中山全集》第1卷，中华书局1981年版，第89页。

支持。灾害史研究理当顺应历史和现实的这一呼唤。

二、充分彰显跨学科研究旨趣，注重比较研究

　　跨学科研究，社会史称为"新的综合"，指学科之间的交叉、渗透，进行多学科综合研究。这是史学研究的大趋势，灾害史也不例外。事实上，中国灾害防御协会灾害史专业委员会举办的历届中国灾害史年会，为此做出了不懈努力，史学工作者、科技工作者汇聚一堂，共同研讨，有助于打通文理科之间的隔膜。事实证明，这样的尝试无疑是有益的。除此之外，灾害史研究在跨学科方面，可以有更大的作为，毕竟灾害是一个关涉政治、经济、社会、思想、文化、生态、环境等方方面面的广阔领域，这就注定灾害史研究的跨学科性。夏明方教授曾经指出，在中国灾害史研究中，以人文社会科学为职志的历史学家们迄今不曾"扮演较重要的角色"。如何借鉴自然科学的研究成果，更深入地探讨人与自然之间的互动关系，将是未来中国环境史研究的一项重要内容[①]。灾害史研究不仅仅应该借鉴自然科学的方法，也应该充分借鉴人文社会科学的理论方法，诸如灾害学、心理学、文化学、社会学、生态学、人口资源环境经济学等等，都可以采取"拿来主义"，为我所用。而且，一旦采取跨学科的策略，灾害史研究就会大放异彩，就会有思想火花的迸发，比如2010年江苏人民出版社出版的美国学者艾志瑞所著《铁泪图：19世纪中国对于饥馑的文化反应》，就给人一种不一样的感觉。这正是跨学科研究的魅力所在。有理由相信，在灾害史的未来研究中，跨学科的旨趣一定会得到更充分的彰显。

　　在进行跨学科研究过程中，"比较研究"不仅不能忽视，相反应该强化。

　　灾害史的比较研究，从已有的研究成果来看，一直比较缺乏，不仅中西方灾害史的比较研究成果难得一见，而且中国灾害史，无论是区域灾害史、灾害个案的研究，还是救灾、防灾、减灾诸方面，比较史学意义上的研究成果，都很稀缺。有比较才有鉴别，比较研究重要性不言而喻。因此，未来的研究，多一些比较，将有助于灾害史研究向纵深和宽广方向拓展。

---

　　① 夏明方：《中国灾害史研究的非人文化倾向》，载《史学月刊》2004年第3期。

三、建构灾害史研究的理论体系，加强平台建设

应该承认，以往的研究，注重实证性研究，这也是中国史学的优良传统，但理论探索不能尽如人意，这在一定程度上制约了研究的深入开展。因此，在未来的研究中，灾害理论研究势必进一步加强。一方面，我们可以借鉴国外灾害史研究的理论方法，诸如致灾因子论、孕灾环境论、承灾体论等，都可以结合中国实际进行"本土化"改造用之于中国灾害研究；另一方面，在借鉴的同时，必须也应该孜孜以求自我理论体系的构建与完善。在"全球化"时代背景之下，只有形成自己的话语体系和理论架构，灾害史研究才谈得上与西方接轨，平等地与西方学界交流与对话。毫无疑问，灾害史呼唤理论，更呼唤具有创造性或创新思维的理论，而不仅仅是"本土化"的西方理论。2014 年在北京举行的第十一届中国灾害史年会，专门就"灾害史的理论与方法"进行研讨，也预示着灾害史理论研究的加强已成大势所趋。

建构灾害史研究的理论体系固然重要，而平台建设亦亟待加强。中国灾害史研究，遗憾的是一直没有一份专属的学术性刊物，这在未来的研究中，应加以弥补。令人欣慰的是，中国人民大学清史研究所与中国灾害防御协会灾害史专业委员，将于年内共同创办《灾害与历史》研究辑刊（以书代刊），该刊虽然不是学术期刊，但毕竟为中国灾害史研究搭建了成果交流平台，值得期待。不过，要强调的是，《灾害与历史》固然可以以中国灾害史研究为主，但不应作茧自缚，不能仅仅局限于中国。国外灾害史研究的最新成果、研究动向应及时介绍。就是说，立足中国的同时，也要求辑刊具有"全球视野"。

同时，在网络时代，打造并不断完善专业性、学术性中国灾害史研究的网站十分必要，这是汇聚研究力量，分享学术成果必不可少的平台，希望这样的平台早日上线。

除此之外，出版"灾害史丛书"，形成规模，提升灾害史研究的影响力也是必要的。还应该积极创造条件，整合人力、物力、财力，早日启动多卷本《中国灾害通史》的编撰。总之，在学界同仁的共同努力下，中国灾害史的研究必将取得更加丰硕的学术成果。

（部分内容以"进一步推动中国灾害史研究"为题发表在 2016 年 9 月 12 日《中国社会科学报》）

天灾无情人有情

——盐城"6·23"风雹灾害中的红十字救援

2016年6月23日，盐城地区遭遇龙卷风、冰雹天气，造成大量人员伤亡，当地房屋损毁严重。中国红十字会系统在灾害发生后积极行动，展开了一系列救援行动，保障了灾区人民的生命与财产安全。本文拟简单梳理红会此次救援行动，并以此次救援行动为例，简要分析红十字会系统与互联网公益平台合作的前景。

一、龙卷风成因及其破坏情况

2016年6月23日下午2时30分左右，江苏省盐城市阜宁县、射阳县部分地区突然出现强对流天气，局部地区更是遭受龙卷风、冰雹袭击。为何盐城地区会突然出现如此猛烈的极端天气？江苏省气象台首席预报员韩桂荣认为，由于盐城地处黄淮区域，"温度高，湿度大，对流潜势好。……存在强的风切变，在地面有强的风向风速辐合触发下，就产生了龙卷风"①。事实上，盐城地区曾遭受过多次龙卷风灾害的侵袭。早在2005年，盐城市就曾遭遇过龙卷风的袭击，"倒毁房屋共4000多间，被夷为平地的有500多户，直接经济损失达1.5亿元"②。2007年，盐城再次遭遇龙卷风灾情，损失惨重③。不过，与往次遭遇的龙卷风相比，"6·23"龙卷风威力更为巨大。在局部地区，如阜宁县新沟镇等地的瞬时风速曾一度达到34.6m/s（12级）④，而根据事后勘测，专家认

---

① 《盐城50年罕见强龙卷风致78人死亡》，《北京青年报》2016年6月24日。
② 《盐城龙卷风"卷走"1.5亿》，《江南时报》2005年4月22日。
③ 《三分钟，"龙卷风"盐城逞威》，《人民日报》2007年7月5日。
④ 《罕见龙卷风袭江苏盐城，伤亡重大》，《新民晚报》2016年6月24日。

红十字运动：历史传承与当代发展

148

定，此次袭击盐城的龙卷风强度"超过 EF-3 级，或可达 EF-4 级"①，最大风速达到 17 级以上，而盐城地区"遭受同等强度的龙卷风，还在50 年前的 1966 年 3 月 3 日"②。

威力巨大的龙卷风对当地造成了严重的破坏，据媒体统计，截至当晚 9 时 30 分，当地居民便已"因灾死亡 78 人，因灾受伤近 500 人"③。房屋的损毁状况更加不容乐观，仅阜宁县地区就有 8004 户 28104 间房屋被损毁，2 所小学房屋、8 幢厂房也遭受了不同程度的破坏。阜宁县农业用地的损坏情况更为严重，近 4.8 万亩大棚在此次风雹灾害中受损④。除了人员伤亡与房屋损毁，此次龙卷风还对当地的基建设施造成了严重的破坏。电力系统方面，据江苏省电力部门统计，共有 74 条输电线路受到此次风雹灾害的影响，造成 1911 个台区停电，13.5 万户客户停电⑤。由于电力系统受损，盐城市阜宁、射阳部分的通讯基站受到影响，直至灾后 10 个小时过去，当地才得以恢复通信。交通方面，阜宁县境内的省道 231 陈良段、省道 348 新沟到东沟段、省道 328 陈集段、省道329 金沙湖段都被龙卷风破坏，一度处于中断状态⑥。此外，阜宁县地区的供水系统也在风灾中遭到严重破坏，日供水能力 10 万吨的阜宁城东水厂和日供水 5 万吨的阜宁地面水厂中的部分设备受损，无法照常为阜宁县城及陈良镇等 9 个镇区供应自来水⑦。

据当地政府统计，此次风雹灾害共造成 99 人死亡、846 人受伤⑧，对当地居民的人身安全与正常生活造成了毁灭性的打击。至于此次风雹灾害造成的经济损失，仅公路交通方面，便"给江苏省公路带来直接经济损失约 2600 万元"⑨。而此次风雹灾害所导致的总体经济损失，更是难以计算。

①《气象部门确认　阜宁发生龙卷风　最大风速 17 级以上》，《扬子晚报》2016 年 6 月26 日。

②《专家分析龙卷风成因》，《姑苏晚报》2016 年 6 月 24 日。

③《众志成城的生命大救援　我市遭受龙卷风冰雹特别重大灾害》，《盐阜大众报》2016年 6 月 24 日。

④《盐城风雹灾害致 98 死　损毁房屋 8619 户》，《南方都市报》2016 年 6 月 25 日。

⑤《受灾停电居民用户　全部恢复供电》，《扬子晚报》2016 年 6 月 29 日。

⑥ 以上内容参见《一级响应！重型地震救援队已出动》，《扬子晚报》2016 年 6 月 24 日。

⑦《全力保障灾区群众生产生活》，《盐阜大众报》2016 年 6 月 28 日。

⑧《中央向江苏紧急拨付救灾资金 1.6 亿》，《扬子晚报》2016 年 6 月 26 日。

⑨《给江苏省公路带来直接经济损失约 2600 万元》，《法制晚报》2016 年 6 月 25 日。

二、红十字会系统的救援工作

面对突如其来的重大灾情，党和政府高度重视，冷静应对。时在乌兹别克斯坦访问的国家主席习近平在灾情发生后，立即就救灾工作做出重要指示，"要求国务院派工作组前往指导抢险救灾，代表党中央、国务院慰问受灾群众。要求全力组织抢救受伤人员，最大限度减少人员伤亡，并做好遇难人员善后和受灾群众安置工作"。国务院总理李克强批示，"要求全力做好人员搜寻和伤员救治，抓紧核实受灾情况，尽快帮助受灾群众恢复正常生产生活。民政部要牵头成立国务院工作组，立即赶赴现场指导救灾"①。根据习近平总书记与李克强总理的指示，国家减灾委和民政部启动了国家三级救灾应急响应，中央财政于6月25日向江苏省紧急拨付救灾资金1.6亿元，用于支持遭受龙卷风、冰雹等严重自然灾害的地区做好抗灾救灾及保生产等相关工作②。江苏省委书记罗志军迅速做出指示，启动省级一级救灾应急响应，要求各单位全力抢救伤员，妥善处置好死亡人员善后，最大限度减少人员伤亡，并与省长石泰峰赶赴受灾现场，察看灾情，看望伤员，组织指挥抢险救灾③。

在重大灾情面前，红十字会系统积极响应党和政府的号召。陈竺会长指出，"红十字会要按照习近平总书记、李克强总理的重要指示精神，全力以赴做好人道救援，将抢救生命放在首位，要积极配合政府有关部门做好受灾群众的安置工作，根据实际需求努力提供帮助"④。以下从"筹款集物"与"现场救援"两方面就红十字会系统对此次盐城风雹灾害的救援行动进行简要梳理。

（一）筹集款项

此次盐城风雹灾害发生后，红十字会系统快速响应，从总会到地方分会，都全力投入救援灾区的行动中。而救援行动的第一步，便是为救灾行动筹募相应的救援经费与物资。灾情发生当日，中国红十字总会便

---

① 《习近平对江苏盐城龙卷风冰雹特别重大灾害作出重要指示》，《人民日报》2016年6月24日。

② 《中央向江苏紧急拨付救灾资金1.6亿》，《人民日报》2016年6月24日。

③ 以上参见《习近平对盐城龙卷风冰雹特别重大灾害作出重要指示》，《扬子晚报》2016年6月24日。

④ 《陈竺率救灾工作组慰问盐城受灾群众》，《中国红十字报》2016年6月28日。

连夜调拨帐篷、家庭包、夹克衫等救灾物资。其中，"从上海援外物资站调拨 500 顶单帐篷，从杭州被灾救援中心调拨 1000 个衣恋家庭包、3000 件夹克衫"①。这批物资于 24 日清晨便已运达灾区，逐步向受灾群众发放。此次救灾所需的紧急救助金的筹备工作也同时展开，灾情发生后的次日，总会便已下拨首批 30 万元紧急备用金，用于阜宁灾区救灾工作。

中国红十字基金会也于此次风雹灾害发生后第一时间启动紧急响应机制，通过江苏省红十字会向阜宁灾区提供了 50 万元人道援助资金，"其中 40 万元由赈灾工作组在灾区组织购置赈济家庭箱发放给受灾家庭"②。这批赈济家庭箱中主要包含夏凉被、大米、大豆油、厨卫用品、照明设备等 20 余种物品，基本能够满足一户家庭灾后应急阶段对于卫生、食品、生活等方面的需求。50 万元人道援助资金中剩余的 10 万元则委托江苏省红十字会代为采购灾区最急需物资进行发放。"天使之旅——盐城行动"也于灾害发生当晚立项，红基会"还同时开通互联网全平台赈济家庭箱募款渠道，联合腾讯微公益、新浪微公益、支付宝、轻松筹定向募集'赈济家庭箱'社会资源，积极动员和吸纳社会资源力量援爱盐城"③。截至 24 日下午 5 时，通过上述众筹平台收纳的捐款共计 130.75 万元，"天使之旅——盐城行动"所获捐赠款物总计价值 180.99 万。贝因美公司作为中国红十字会博爱基金、中国红十字基金会幸福天使基金联合爱心企业，也及时通过江苏省红十字会向盐城市阜宁县、射阳县受灾地区捐赠 300 万款物。其中，由博爱基金捐赠 100 万元现金，用于灾后房屋重建；由幸福天使基金捐赠价值 200 万元的婴童食品，用于灾区群众生活。

江苏省红十字会也及时展开了针对此次风雹灾害的救援行动，于灾害发生后当晚，从盐城市红十字会备灾救灾仓库紧急调拨了 59 顶帐篷发往灾区阜宁、射阳灾区④，并从上海、浙江调拨帐篷、家庭包（含基本生活用品）、夹克衫发往灾区，同时于官方网站、各大报刊公布各类捐款方式。南京医科大学附属眼科医院、江苏奥赛康药业股份有限公司、南京海辰药业股份有限公司等爱心企业也通过江苏省红十字会向灾

观察思考

---

① 《红十字系统支援江苏盐城灾区》，《中国红十字报》2016 年 6 月 28 日。
② 《红十字系统支援江苏盐城灾区》，《中国红十字报》2016 年 6 月 28 日。
③ 《益讯》，《红》2016 年第 3 期。
④ 《一级响应！重型地震救援队已出动》，《扬子晚报》2016 年 6 月 24 日。

区捐赠款物①。

作为灾害发生地的红十字会，盐城市红十字会在得知灾情后，紧急调运 40 顶救灾帐篷，送到金沙湖旅游度假区等灾区②。阜宁县红十字会也调来面包、饮用水、急救包、帐篷等应急物资，为救援行动提供保障。24 日，阜宁县红会还组织志愿者给县人民医院的伤员及家属免费送去 500 份早餐，组织志愿者到阜宁献血点献血表达爱心。此外，盐城市其他区县红十字会也全力援助受灾地区，开展了各类活动，为此次救援行动募集款物。如盐都区红十字会于 6 月 25 日举行"祈福·阜宁射阳"露天慈善义演，为灾区群众筹集了 34310.2 元善款③；建湖县红十字会也于同日组织了"点亮希望，祈福阜宁"街头募捐活动，活动当天共募集爱心捐款 20047.1 元④；大丰区汽摩运动协会红十字会则于 23 日晚，在其会员中开展募集物资活动，"现场募集价值 3.5 万元的蚊香、花露水、扇子、T 恤、拖鞋、电饭煲、电风扇、插线板、手电筒等生活物资"⑤。截止到 6 月 27 日 12 时，盐城市红十字会便已收到捐款 228.77万元。

江苏省内其他城市的红十字会在得知盐城地区的灾情后，纷纷伸出援手。南京市红十字会第一时间向盐城灾区提供了 20 万元人道救助款，无锡市红十字会也向灾区提供 20 万元人道救助款，同样提供 20 万元人道救助款的还有扬州市红十字会。徐州市、常州市、苏州市、南通市、宿迁市等地红十字会也及时向受灾地区红十字会提供紧急人道救助款⑥。截至 6 月 28 日 17 时，这一数额已上升至 463.85 万元⑦。据江苏省审计厅的统计，在此次"6·23"风灾中，江苏省红十字会系统总计向盐城拨付了 3401.5 万元的款物⑧。

江苏省外的各省市红十字会也纷纷行动起来，为盐城灾区捐款捐物。24 日上午 10 时，新疆红十字会召开执委会，决定通过江苏省红十

---

① 《红十字系统支援江苏盐城灾区》，《中国红十字报》2016 年 6 月 28 日。

② 《众志成城的生命大救援》，《盐阜大众报》2016 年 6 月 24 日。

③ 盐都区红十字会网站：《盐城："祈福·阜宁射阳"露天慈善义演 现场募集赈灾善款逾 3 万》，2016 年 6 月 26 日。

④ 盐城市红十字会网站：《建湖县红十字会、建湖县同城爱心接力网联合开展"点亮希望，祈福阜宁"街头募捐活动》，2016 年 7 月 13 日。

⑤ 盐城市红十字会网站：《大丰区红十字会蓝天应急救援队驰援射阳灾区》，2016 年 6 月 30 日。

⑥ 《红十字系统支援江苏盐城灾区》，《中国红十字报》2016 年 6 月 28 日。

⑦ 《盐城 6·23 特大灾害 已接受捐赠 2.5 亿元》，《扬子晚报》2016 年 6 月 29 日。

⑧ 《江苏红会系统 3401.5 万元款物拨付盐城》，《中国红十字报》2016 年 9 月 9 日。

字会向受灾地区提供紧急人道救助款人民币 10 万元。重庆市红十字会向江苏省红十字会捐赠人民币 10 万元，用于资助受灾地区红十字会抗灾救灾。贵州省红十字会则向江苏省红十字会发出慰问电，并向盐城灾区汇出 10 万元人道救助款。湖北省红十字会则为受灾地区准备了 1000 个家庭包，于 25 日晚送抵灾区。

（二）现场救援

由上文的论述可见，红十字会系统上下一心，为此次风雹灾害的救援提供了有力的资金与物资支持。当然，这并非意味着红十字会的救援行动仅止于此。事实上，红十字会各级单位派出的救援队伍，在此次盐城风雹灾害的现场救援中发挥了重要的作用。

灾害发生当晚，中国红十字总会与中国红十字基金会便派出救灾工作组连夜赶往盐城灾区。6 月 24 日下午，全国人大常委会副委员长、中国红十字会会长陈竺抵达江苏盐城灾区，看望慰问受灾群众。随同陈竺会长一同抵达灾区的还有由全国首家红十字会医院复旦大学附属华山医院选派的中国红十字会医疗专家组，其成员包括普外科、骨科、神经外科及感染科的专家。各位专家先后前往盐城市三院、盐城市中医院、城南医院、盐城市一院，挨个查看阜宁、射阳灾区受伤住院灾民，为重症病人集体会诊，分析伤情，提出治疗方案，并提供医疗技术支持[1]。

在此之前，江苏省红十字会已在灾害发生当天调遣江苏省红十字会赈济救援队、盐城市红十字会应急救援队前往灾区协助救灾，救援队抵达灾区后连夜搭建临时帐篷，以供受灾群众应急使用[2]。阜宁县红十字会还组织当地红十字志愿者为受灾群众发放面包、饮用水、急救包、帐篷等物资，同时赶往当地县医院对伤员开展心理安抚等，并组织志愿者前往阜宁献血中心协助开展献血工作。同属盐城市的大丰区也于 25 日清晨派出大丰红十字会蓝天应急救援队、小水滴志愿服务队 42 名志愿者，带着此前募集的物资驱车赶赴射阳县陈洋镇灾区[3]；东台市也组织了人道关爱和心理咨询志愿者，前往当地医院看望受灾群众，并对病人

观察思考

---

① 盐城市红十字会网站：《中国红十字（华山）医疗救援队专家组来盐指导救治危重伤员》，2016 年 7 月 1 日。
② 《红十字系统支援江苏盐城灾区》，《中国红十字报》2016 年 6 月 28 日。
③ 盐城市红十字会网站：《大丰区红十字会蓝天应急救援队驰援射阳灾区》，2016 年 6 月 30 日。

及其家属进行了心理疏导①。省内其他城市也纷纷派出救援队，赶赴灾区参与救援行动。无锡市接到江苏省红十字会的指示后，于6月24日派出无锡市红十字应急救援队紧急赶赴灾区开展现场救援，参与搭建帐篷、安置灾民等救灾工作，无锡市心理救援队随后也赶赴灾区，开展灾后的心理干预工作②。常州市红十字会派出蓝天救援队，前往"龙卷风核心区域北陈村、陈运村，进行排查房屋倒塌情况，查看是否有村民被掩埋在废墟下"③，部分队员还帮助村民搬运掩埋在废墟里的粮食。

上海市红十字会也抽调救援力量，赶赴盐城灾区，帮助江苏省红十字会的赈济救援队开展救援工作。6月24日下午，上海市红十字应急救援队动身赶赴盐城灾区，次日到达"受灾最严重的阜宁板湖镇戚桥村"④，协助已经展开救援工作的各支救援队搭建帐篷，发放家庭应急救助包。26日，上海应急救援队又赶赴大楼村、南谢庄及戚桥村，对当地的灾情进行评估，预估了灾民的物资需求，为下一阶段应急生活箱的统筹分配做好了基础工作。值得一提的是，这是"上海市红十字应急救援队第一次参与外省市的灾害救援"⑤。

总体而言，在此次盐城"6·23"风雹灾害的救援过程中，红十字会系统的各支救援队，及时赶赴灾区一线，第一时间采取措施，确保受灾群众的生命安全，为灾后的重建工作奠定了基础。

三、互联网公益与红十字

此次红十字会系统对盐城"6·23"风雹灾害的救援工作，在筹集款物与现场救援方面效果十分显著。可以说，红十字会系统在经历多次重大灾害救援之后，已经形成了一套行之有效、较为完善的应急救援工作体系。而通过此次红十字会系统的救援工作，笔者发现这套体系中出现了一位新"参与者"——互联网公益平台。事实上，红十字会与互联网公益平台的合作频率在今年明显提高，《中国红十字报》也曾多次报

① 盐城市红十字会网站：《东台市红十字志愿者慰问"6·23"风雹灾害受伤群众》，2016年6月30日。
② 无锡市红十字会网站：《无锡红会启动异地灾害救援响应机制》，2016年6月27日。
③ 常州市红十字会网站：《常州蓝天救援队把"蓝天精神"进行到底》，2016年6月28日。
④ 上海市红十字会网站：《上海市红十字应急救援队赶赴江苏盐城灾区参与救援》，2016年6月25日。
⑤ 上海市红十字会网站：《上海市红十字应急救援队赴盐城阜宁龙卷风灾区参与救援纪实》，2016年7月4日。

道总会、地方分会参与的互联网公益项目。从这些报道来看，互联网公益平台的加入的确提高了红十字会公益项目的参与度，成果颇丰。下面以此次救援工作为例进行分析。灾害发生后，红基会在腾讯微公益、新浪微公益、支付宝、轻松筹等平台开通了定向募集"赈济家庭箱"的项目，短短一昼夜，就筹得 130.75 万元[1]，效率十分惊人，足见互联网公益与红十字会合作的"威力"。笔者认为，互联网公益的便捷性与直观性，的确对传统慈善有强烈的冲击力，而互联网公益能够成功的一个重要原因，在于人们支付习惯发生了转变。我们只需要在手机上进行简单的操作，通过互联网支付方式，就可以很快完成捐款。这种付款方式，摆脱了传统支付方式所受到的时间与空间的限制，使爱心人士献爱心不必再大费周折。此外，互联网支付方式在保护捐款人隐私方面也有一定的优势。总而言之，与互联网公益合作，的确能扩大红十字会各项活动的参与度。

不过，与互联网公益组织的合作，对红十字会而言既是机遇，无疑也是挑战。如何使红十字会各项慈善项目从互联网公益平台上的众多项目中脱颖而出，成为受人信赖的公益品牌，这是新形势下红十字人不得不思考的问题。针对这一问题，笔者有两条建议，以供参考。

其一，红会在设立互联网项目时，需要强化用户的线上体验。具体而言，应当力求在互联网公益平台上尽可能多地展现该项目的相关信息，包括项目承办方、项目负责人、项目目标、项目计划等，并及时在互联网公益平台上更新项目的进展情况，以展现红十字会在人道救援方面的专业素养。在这一方面，红十字基金会做得比较到位，其发起的"天使之旅"系列项目，基本都做到了在其官方网站及时更新项目进展。但是，在与其合作的互联网公益平台上，情况就有所不同。首先要承认的是，受限于互联网公益平台自身的限制，有些项目的具体信息的确不能得到充分的展示。但更多情况下，相关工作人员没有及时跟进可能是导致项目信息没有得到充分展示的主要原因。此次红基会在新浪微公益平台成立的"赈济家庭箱驰援阜宁风灾"项目，其进展信息只更新到了6月26日，且没有经费的使用明细，也没有明确的信息表明此项目完成与否。而根据该项目页面显示，其总筹款金额仅有8057元，这一现象值得我们深思。

其二，应当大力拓宽互联网公益项目的传播途径。从此次红十字基

① 《红十字系统支援江苏盐城灾区》，《中国红十字报》2016年6月28日。

金会设立的"天使之旅——盐城行动"来看，在红十字基金会官网上，该项目的链接直接指向了新浪微公益平台，而并没有提供腾讯微公益、支付宝、轻松筹等平台的筹款页面。中国红十字基金会的官方微博、微信公众号也没有提供其他平台的进入方式，让人感觉十分不便。如果不尽最大可能为大众提供便捷的捐款途径，我们又怎么能期待筹款人数与筹款数额有所突破呢？以上仅为笔者的两条建议，意在能为红十字会走向互联网时代提供一点小小的帮助。希望有朝一日，红十字会系统能在与互联网公益平台合作的过程中，摸索出一套与灾害救援行动同样行之有效的工作体系，提高红十字会募捐的效率，展现红十字会在人道救援方面的专业素质，从而进一步提升红十字会的公信力。

（原载《〈红十字运动研究〉2017 年卷》。与刘思瀚合作）

历 史 纵 横

"中国红十字会"称谓的由来及其演变

1904 年之前即有"中国红十字会"之称

众所周知，1904 年 3 月 10 日，上海万国红十字会成立，标志着中国红十字会诞生。但"中国红十字会"的称谓，在此之前就已经存在。

1898 年 8 月 26 日，《申报》曾刊登《中国始创治修医学堂招考生徒兼创中国待成红十字会卫生学报》的广告，称中国虽然出现很多大中小学堂，但缺少医学堂，因而创设治修医学堂，培养医疗卫生与救护人才。又鉴于中日甲午战争中，"各国红十字会咸来救治阵伤兵士，堂堂中国仰面求人，有志者引以为耻"，因此拟联合各省"善人医士，创成中国红十字会"。换句话说，中国红十字会的称谓，至迟在 1898 年 8 月就已经出现在报端。

1900 年，八国联军侵华战争爆发。为救助北方落难同胞，上海著名绅商、慈善家陆树藩等，于当年 9 月在沪发起成立了"中国救济善会"，声明遵循"外国红十字会之例，为救各国难民及受伤兵士起见"。同时，按照国际惯例，照会驻沪各国领事，得到认可，领有护照，受交战各方的保护。在救护行动中，中国救济善会不仅严格遵照国际红十字会的基本精神行事，而且使用了"中国红十字会"的称谓。据报道，"凡善会执事之人，登列名册，衣上有红十字记号，洋文写明'中国红十字会'执事人字样，外人不得仿照"。救助行动行将结束之时，陆树藩还起草了《筹创中国红十字会启》，拟"筹办红十字会，以垂永久"。虽然没能如愿，但"中国红十字会"的称谓，已渐渐深入人心。

并行不悖："上海万国红十字会"与"中国红十字会"

1904 年 3 月 10 日，为援救遭受日俄战争蹂躏的东北难胞，在沈敦和、李提摩太等慈善家奔走呼吁下，中、英、法、德、美五国驻沪代表在上海集会，发起成立上海万国红十字支会（"万国"，即国际之意，"支会"，即分会，以与瑞士总会相区别）。3 月 17 日，正式定名为"上海万国红十字会"。

上海万国红十字会虽然是五国合办，但因"在中国地方创始承办，中国遂永有红十字会主权"，中国红十字会由此诞生。

显然，"上海万国红十字会"是"合办"时期规范的称谓，但这并不意味着"中国红十字会"这一称谓的销声匿迹。

创建独立自主的中国红十字会，一直是中国有识之士的夙愿。因日俄战争事起突然，"仓猝不能成立"中国自己的红十字会，只能临时抱佛脚，"故用万国红十字会之名义"，但并没有放弃这一追求。1904 年 6 月 13 日，吕海寰、盛宣怀、吴重熹在致袁世凯的电文中称，将从政府所给帑银 10 万两中，拨出 5 万两，作为"开办中国红十字会经费"。同时，嘱沈敦和、任锡汾、施则敬等起草《中国红十字会章程》。7 月 12 日制定的《上海万国红十字会暂行简明章程》中称："至中国红十字会章程，应由华董另拟，呈候咨部核奏，请旨饬行，合并声明。"这个"合并声明"，毫无疑问，意在说明五国合办上海万国红十字会的同时创建中国红十字会的事实，不然，"另拟"《中国红十字会章程》，岂非多此一举？在红会历史资料中，我们也可以看到这样的记载："本会成绩昭著，中外同称，政府特发帑银十万两，以为补助，并特派驻英公使张德彝到瑞士，加盟于日来弗条约，本会至此改名为中国红十字会。"驻英公使张德彝受命赴瑞士"补签"《日内瓦公约》是 1904 年 6 月 29 日之事，虽然没有足够证据表明"上海万国红十字会"改名"中国红十字会"，但在与日、俄交涉中，使用中国红十字会名号普遍而寻常，如："俄使称中国红十字会在辽西所设医局，切勿用外国人"；日人小田切"来信言日前承面商上海中国红十字会，欲在满洲救护难民之事"；"复小田切信言，接奉来函，贵国于中国红十字会未能慨然允许，甚为怅然"，如此等等。作为经办人的盛宣怀 1911 年 10 月 25 日在追溯红十字会源流时也说，日俄战争期间，"臣正在沪选举董事，设立中国红十字会，邀集中西绅商，募捐筹款，并钦奉懿旨，颁发帑项十万两，饬令遴派员绅，赴东三省，将战地被难人民救援出险，分别资遣留养。"这里，盛宣怀所用名称为"中国红十字会"，而非上海万国红十字会。

在民间，同样有以"中国红十字会"为称者，如 1904 年 6 月 8 日《申报》报道，"念中国红十字会创办伊始，爰将筵资洋一百元移助善举为诸亲友祝福等语。"同年 9 月 12 日《申报》还报道了朱丽山"以五十初度，蒙诸亲友惠赐隆仪，理应设燕藉答盛情，今不备绽席，而以各处隆仪以及应侑席资合洋一百元，进助中国红十字会善举"之事。甚至因上海电车屡酿伤人事故，1906 年 11 月上海商会致函上海道台，建议由中国红十字会设立救伤所，以便救治，函称："妥定章程，并商中国红十字会设立救伤所，实为德便也。"在这里，中国红十字会显然是作为一个"实体"而存在的。

换言之，上海万国红十字会某种程度上等同于中国红十字会，至少这两种称谓可以并行不悖。

中国红十字会的"自立"与"易名"

流行的说法，1907 年中国红十字会改名"大清红十字会"，这是一个误解。"易名"是有的，但不是 1907 年，而是 1910 年。

上海万国红十字会时期，"中国红十字会"的称谓虽然经常见诸报端及外交文献中，但囿于五国"合办"，其"独立性"未能彰显，直到1907 年合办之局的终结。史料记载："洎乎一千九百零四年创立之万国红十字会解散后，中国会员遂于上海开会，议决另行组织中国红十字会，以为久远之计。适商约大臣盛宣怀驻沪，遂公推为会长。一千九百零七年盛大臣（盛宣怀）将组织会务情形奏达朝廷，当奉谕旨，准照办理，并派盛大臣为会长。其时本会并未请领敕旨书，亦未订立规章，故其范围未见推广。"这段史料来源于 1912 年中国红十字会向在美国举行的国际红十字会第九次大会提交的《中国红十字会中央部赴会报告》，抄件存于《吕海寰往来电函录稿》，属于追溯性质，但毕竟距离上海万国红十字会解散的时间不远，记忆"失真"的概率极小，因此可信度高。它说明：（1）上海万国红十字会解散后，上海绅商举行了专门会议，决定将已经存在的"中国红十字会"正式化；（2）因盛宣怀恰巧在沪，遂公推为会长；（3）组织会务情形由盛宣怀上奏朝廷，也就是 1907年 7 月 21 日吕海寰、盛宣怀联衔上奏《沥陈创办红十字会情形并请立案奖叙折》，希望能够"立案"得到官方的批准；（4）因为没有订立规章，自立后的中国红十字会影响范围有限。不言而喻，上海万国红十字会终结之时，也就是中国红十字会"自立"之始。

《沥陈创办红十字会情形并请立案奖叙折》所称"今中国红十字会成立"，毫无疑问是上海绅商为中国红十字会"正式化"所举行的专门会议，但遗憾的是，具体时间不详，在没有确切的资料证实之前，我们不妨把 1907 年 7 月 21 日奏折上达之日作为中国红十字会转型走上自立之路的标志。不管怎么说，中国红十字会在上海成功转型，实现了"华丽转身"。

既然走上"自立"之路，"中国红十字会"作为被官方、民间广泛认可的正式名称而被接纳，冠冕堂皇，没有任何疑问。如 1908 年《申报》发布的《中国红十字会招考医学生广告》、1910 年《上海中国红十字会医学堂告白》《上海中国红十字会医学堂添招新生军》等，就是很好的说明。不过这种局面，在盛宣怀被朝廷正式任命为会长后被打破。

1910 年 2 月 27 日，朝廷发布上谕"著派盛宣怀充红十字会会长"。盛宣怀因此又成为政府任命的首任会长。

盛宣怀出任会长后，做出"易名"的惊人之举，把中国红十字会这一传统名称，改名为"大清红十字会"。在他出任会长后，为了迎合清政府，3 月 13 日咨行礼部，以中国红十字会系遵旨开办，应行奏请添铸"大清红十字会"关防，以昭郑重。4 月 30 日，外务部咨复，告知"大清红十字会"关防已缮模具奏。6 月 5 日，"大清红十字会"关防正式启用。6 月 7 日，盛宣怀以"钦命红十字会会长"的名义，以关防启用照会驻华各国公使、领事。延续多年的"中国红十字会"由此改称"大清红十字会"。

回归"中国红十字会"

1911 年 5 月 20 日，盛宣怀与英、法、德、美四国银行团签订《粤汉川汉铁路借款合同》，出卖路权，激起民愤，酿成汹涌澎湃的"铁路风潮"，由此引发辛亥革命的风起云涌。陷于内外交困中的清政府视盛宣怀为罪魁祸首，10 月 26 日发布上谕，以"盛宣怀受国厚恩，竟敢违法行私，贻误大局"，革去包括大清红十字会会长在内的所有职务，"永不叙用"。

10 月 24 日，也就是盛宣怀被罢免的前两天，沈敦和抛开大清红十字会，重新回归"中国红十字会"的传统称谓，在上海发起成立"中国红十字会万国董事会"，不分敌我，以中立的立场，开展辛亥战事的救援行动。

11 月 13 日，也就是盛宣怀被罢免的第 18 天后，清廷颁发谕旨，"命前外务部尚书吕海寰充中国红十字会会长。"同样放弃了"大清红十字会"的名称，重新回归"中国红十字会"。这一"正名"，实际上等于对沈敦和此前抛弃钦定的"大清红十字会"另行组织"中国红十字会万国董事会"这一既成事实的承认，同时又可以名正言顺地对"中国红十字会万国董事会"施加影响。尽管清政府否定自我的"正名"有其居心，但有利于红会内部关系的调整。

辛亥革命推翻了清政府，建立了中华民国，翻开了中国历史新的一页。整个民国时期，虽然在名称上存在"中华民国红十字会"与"中国红十字会"之间的反复，但1932年12月6日国民政府公布《中华民国红十字会管理条例》，1933年6月3日行政院长汪兆铭、内政部长黄绍竑、外交部长罗文干、军政部长何应钦、海军部长陈绍宽联衔以训令的形式颁布《中华民国红十字会管理条例施行细则》，之后"中华民国红十字会"成为规范的主流称谓。12月7日，中国红十字会于上海正式启用"中华民国红十字会"关防。尽管在《中华民国红十字会章程》中有"定名为中华民国红十字会，简称中国红十字会"之规定，"中国红十字会"的名称仍在延续，但已经不是官方称谓。

1950年8月2日至3日，中国红十字会协商改组会议在北京召开，这也是新中国成立后中国红十字会第一次全国代表大会。大会通过了《中国红十字会会章》，9月6日中央人民政府政务院批准公布。《中国红十字会会章》，共六章25条，对中国红十字会的名称、性质、宗旨、任务、标志、会址、职权、责任、分会设置等做了明确规定。其中第一条明确"本会定名为中国红十字会"。自此，"中国红十字会"作为规范的称谓，一直延续至今。

"中国红十字会"名称的演变，是中国红十字会风雨历程的写照，跌宕起伏中折射出中国红十字事业发展的坎坷和不平凡。

应该强调的是，1993年10月31日，《中华人民共和国红十字会法》公布施行。它以国家法律的形式规定了中国红十字会的宗旨、性质、任务和职责，从法律上确立了红会组织在国家生活中的地位和作用，使我国红十字事业的发展进入了依法建会的新时期，这是中国红十字运动史上新的里程碑。可是，法律名称与"中国红十字会"不相匹配。规范的称呼应该是"中华人民共和国红十字会"，是否按照历史上的做法，把正式名称定名为"中华人民共和国红十字会"，简称"中国红十字会"？

（原载《中国红十字报》2016年5月6日）

中国红十字会何以首先诞生于上海

    中国红十字会诞生于1904年3月，至今已经走过了110多个春夏秋冬，为近代以来历史最为悠久的社会团体。100多年来，中国红十字会本博爱襟怀，救死扶伤，扶危济困，把人道甘霖洒满人间，在近代史和共和国史上留下了闪光的足迹。

    耐人寻味的是，中国红十字会并非诞生于北京抑或其他城市，而是上海。1904年3月10日，为援救遭受日俄战争蹂躏的东北难胞，在沈敦和、李提摩太等慈善家的奔走呼吁下，中、英、法、德、美五国驻沪代表集会于上海，发起成立上海万国红十字支会（"万国"，即国际之意，"支会"，即分会，以与瑞士总会相区别。7天后，也就是3月17日，正式定名为"上海万国红十字会"）。上海万国红十字会虽然是五国合办，但因"在中国地方创始承办，中国遂永有红十字会主权"①。中国红十字会由此诞生。那么，中国红十字会为什么会首先在上海诞生？原因是多方面的，其中以下几个方面不能忽视。

一、上海是近代中国首批对外开放的城市，得风气之先

    1843年上海正式对外开放后，得益于"江海要津"的区位优势而迅速崛起，一跃成为近代中国第一大都会和全国对外贸易、工商、金融、交通、文化交流中心。这种独特的地位，使上海较之其他任何城市更具有"创始"条件，如时论所评："沪上交通之地，耳目易周，苟办理之得法，即足以模范全国，办理而稍有成效，即可以推广内地，故不

---

    ① 《晚清关于红十字会开创之奏折》，见中国红十字会总会编：《中国红十字会历史资料选编，1903—1949》，南京大学出版社1993年版，第9页。

办红十字会则已，苟欲办之，必自上海始。"①

不仅如此，具有国际性的"大上海"也把中国与世界紧密联系在一起，而成为传播西方文化的中心。作为"西学东渐"的桥头堡，西学，无论物质层面、制度层面抑或文化层面，总是首先在上海找到生长点，作为19世纪人类文明结晶的红十字，也不例外。

1863年，国际红十字运动在欧洲兴起，短短11年后，也就是1874年，红十字理念即传入上海，这是红十字文化在中国传播的滥觞。是时，日本出兵侵略台湾，中日两国发生冲突。上海的《字林西报》《申报》开始讨论战争救护问题，指出战事救护应"不分彼此，两造所有创伤者，均令设法调治"②。虽然没有点出"红十字"三个字，但把红十字文化"中立性"的基本原则做了较为到位的诠释。之后，尤其是甲午战争后，上海各大报刊如《申报》《中外日报》《时报》《新闻报》《时务报》等，广泛传播红十字文化，掀起了中国红十字启蒙运动的高潮，《中国宜入红十字会说》《创兴红十字会说》《中国亟宜创兴红十字会说》之类的文章连篇累牍，振聋发聩，启人心智。这些"启蒙"宣传，在影响上海民众的同时，进而向全国扩散。毫无疑问，得风气之先的上海人对红十字的了解远过他处，这是中国红十字会首先在上海发端的民众和社会心理基础。

二、旅居上海的慈善家"敢为天下先"的探索精神积累了宝贵的实践经验

上海是典型的移民城市，也是"冒险家的乐园"。上海的对外开放产生了巨大吸附力，吸引八方来客尤其江南绅商的集聚，他们移居上海，开拓进取，奋力创业，使上海充满活力。他们热心公益慈善事业，并以上海为依托，把红十字理念由舆论宣传付诸实践。

早在1899年春，上海绅士汪炳等人，经苏松太道批准，创设了"中国施医局"。从名称上看，中国施医局是属于善会善堂一类的慈善组织，但它并不是传统善会善堂的翻版，而是注入了红十字会的新理念，按照其《章程》所说："同人酌照红十字会章程办理，有事施于军事，

① 王熙普：《创设红十字会之理由》，《申报》1907年7月4日。
② 《交战时宜预筹保护人命》，《申报》1874年9月7日。

无事施于贫民。"① 众所周知，战时救伤，平时济困，本是红十字会的主要职能。换句话说，汪炳试图向世人传达这样的信息："中国施医局"其实就是红十字组织，至少也是中西合璧的新型慈善组织。尽管"中国施医局"局限于上海一隅，不具有普遍性和全国意义，但这种尝试，值得肯定。而1900年组建的中国救济善会，则打破了地域界限，将红十字文化中国化的实践向前推进了一大步。

　　1900年，八国联军发动了旨在瓜分中国的侵略战争，京津冀地区硝烟弥漫，难民如潮。为救助北方落难同胞，经上海道员余联沅批准，上海著名绅商、慈善家陆树藩等，于1900年9在上海发起成立了"中国救济善会"，"声明此系东南各善士募资创办，亦如外国红十字会之例，为救各国难民及受伤兵士起见"②。也就是说，中国救济善会已经超越了传统善会善堂局限于一邑一地的地域界限而具有了全国性，救护对象也不仅仅是本国伤兵难民，而是"各国难民及受伤兵士"，更重要的是，救护行动遵照国际红十字会的基本精神和行为规范，不分敌我，以体现红十字的"中立性"。同时，按照国际惯例，照会驻沪各国领事，得到认可，领有护照，受交战各方的保护。凡此说明中国救济善会与旧式善会善堂已经不能同日而语，它是一种"红十字化"的慈善组织。也正因为如此，我们有理由把中国救济善会的成立，视为中国红十字会的先声。

　　战事救护取得了巨大成功，成千上万的伤兵难民得到红十字人道关怀。时人陶濬宣赋诗赞曰："救济会原红十字，温拯宁止活千家。登高一啸群山应，天地回春顷刻花。"③ 难能可贵的是，在救援行动取得圆满成功后，陆树藩起草了《筹创中国红十字会启》，希望以此为契机，"筹办红十字会，以垂永久"④。虽然这一理想没有立即实现，但救援行动的实践却产生了巨大的社会效应。

　　日俄战争爆发前夕的拒俄运动中，妇女界不甘示弱。1904年1月21日，妇女界在上海大南门外宗孟女学堂内，成立了"对俄同志女会"，被称为"女界义侠"的郑素伊女士一人就"捐银三千元为会费"。会上推举郑素伊、陈婉衍、章同雪3人为总议长。为了抗拒沙俄侵略东北，

① 《照录中国施医局章程》，《中外日报》1899年5月5日，转引自闵杰：《近代中国社会文化变迁录》第2卷，浙江人民出版社1988年版，第184页。
② 《救济善会启》，《申报》1900年9月9日。
③ 陆树藩：《救济日记》，1900年石印本，第23页。
④ 《北方救济并归顺直春振启》，《申报》1901年3月22日。

总议长提出应该成立"中国赤十字会",受到大家的赞同。最后,入会的会员一致同意"中国一旦有事,愿赴战地",救护伤兵。会后还通告瑞士等国红十字会,并派专员赴日本,与日本赤十字会联络①。

日俄战争爆发后,1904年3月3日,沈敦和、施则敬等20余人集会于上海英租界六马路仁济堂,发起成立"东三省红十字普济善会",决议效仿中国救济善会的做法,"援泰西红十字会例","专以救济该省被难人民为事"②。虽然"红十字"三字赫然在目,但"善会"二字使其蒙上传统善会善堂的浓重色彩,故还不是真正意义上的红十字会。虽然中国救济善会的人道之举,前事不远,但两次战争的性质完全不同。八国联军的炮口指向中国,无辜百姓遭殃,中国救济善会救助被难同胞,天经地义;况且参照红十字会人道救援规则,不分敌我,救死扶伤,当然为参战各国所求之不得。日俄战争是日本与俄国之间的帝国主义战争,虽然战场在中国,但中国是置身事外的"中立国",这就意味着战争救护属于国际救援的范畴,以红十字之名行"善会"之实的东三省红十字普济善会,不具有国际救援的起码资质,根本无法取得交战双方的认可。正因为如此,一周之后,沈敦和等慈善家抛开"东三省红十字普济善会",筹建真正意义上的红十字会。

上述"红十字化"的慈善组织的出现,不言而喻,是红十字启蒙宣传的直接产物;而上海慈善家群体"敢为天下先",不断将红十字理念付诸实践,也扩大着红十字的社会影响,推动着启蒙宣传向纵深和宽广方向发展。"启蒙宣传和实践尝试,双向互动,相得益彰,组成启蒙运动的协奏曲"③。这样经过30年的启蒙宣传和"移花接木"的实践探索,红十字会在上海的创兴已是水到渠成。

三、上海工商业发达,经济实力雄厚,为兴办红十字事业奠定了物质基础

上海自1843年开埠后,超常发展,仅用10年时间,就从一个边缘性的滨海县城一跃而成全国性的外贸中心。有人形容"上海发展起来,

---

① 参见池子华等:《红十字:近代战争灾难中的人道主义》,合肥工业大学出版社2013年版,第4页。

② 《东三省红十字普济善会章程并启》,载《申报》1904年3月3日。

③ 池子华:《从中国救济善会到上海万国红十字会》,《史林》2005年第2期。

发展得比悉尼或旧金山更为迅速；发展之快，有如肿瘤"①。"申江鬼国正通商，繁华富丽压苏杭"②。上海的腾飞并迅速成为全国工商、金融、对外贸易、传播西方文化"四大中心"③，成就了上海"亘古繁华第一州"的地位，人称"行遍沪江三十里，令人一步几回头"④，发展之快，举世瞩目，视为"奇迹"⑤。

的确，作为近代中国第一大都会，上海城市化水平遥遥领先，工商业发达，是全国首屈一指的经贸、工商、金融中心，经济实力之雄厚，无与伦比。如对外贸易方面，上海一地就占到全国的"半壁江山"，始终保持占全国对外贸易总值的50%左右⑥，无怪乎《北华捷报》评论说，"对外贸易的心脏是上海，其他口岸只是血管而已"⑦；工业方面，从1895年到1911年，上海外资开设的工厂计41家，开办资本为2090.3万元，分别占这一时期外资在华设厂总数的45.1%、总开办资本的42.8%，同一时期，民族资本经营的工厂有112家，占全国在这个时期新办民族资本工厂总数的25.1%，开办资本2799.2万元，占全国总额的28.6%⑧；金融业方面，上海金融中心的地位是其他任何城市无法替代的，"所以上海之在中国，正和伦敦在英国，纽约在美国，巴黎在

① 转引自周武：《从江南的上海到上海的江南》，见郭太风、廖大伟主编：《东南社会与中国近代化》，上海古籍出版社2005年版，第29页。

② 《民国南浔志》第31卷，《农桑》。

③ 茅家琦等：《横看成岭侧成峰——长江下游城市近代化的轨迹》，江苏人民出版社1993年版，第13页。

④ 海昌太憨生：《淞滨竹枝词》，见顾炳权编《上海洋场竹枝词》，上海书店出版社1996年版，第428页。

⑤ 上海的崛起，是中国近代史上的"奇迹"。对这一"奇迹"的发生，中外学者取得了相当丰硕的研究成果：墨菲的《上海：现代中国的钥匙》（中译本，上海人民出版社1986年版）从地理学的角度审视了上海在现代人类社会中所拥有的无与伦比的优良条件；《剑桥中国晚清史》（中译本，中国社会科学出版社1985年版）强调"条约制度"的影响；乐正的《近代上海人社会心态（1860—1910）》（上海人民出版社1991年版）提醒人们要充分重视近代上海社会的人文因素；朱弘的《近代上海的兴起，1843—1862》（载汪晖、余国良编：《上海：城市、社会与文化》香港中文大学出版社1998年版）认为，上海的崛起决定于上海城市规模、经济地位的确立，上海在中外关系和国际关系中"桥梁"地位的确立以及近代上海发展大势的确立等。

⑥ 隗瀛涛、谢放：《上海开埠与长江流域城市近代化》，《城市史研究》第10辑，天津古籍出版社1985年版，第2页。

⑦ 转引自周武：《从江南的上海到上海的江南》，见郭太风、廖大伟主编：《东南社会与中国近代化》，上海古籍出版社2005年版，第29页。

⑧ 茅家琦等：《横看成岭侧成峰——长江下游城市近代化的轨迹》，江苏人民出版社1993年版，第14—15页。

法国一样，它的金融市场确实有左右全国金融商业的势力"①。雄厚的经济实力，为兴办慈善事业创造了条件。按照《东三省红十字普济善会章程并启》直白的说法，"上海为中外交通巨埠，……而善举亦惟是为最多，善量为最大，筹赈鬻恤，各省靡不挹注"②。雄厚的经济基础是兴办公益慈善事业的物质保障。上海经济实力最强，善举也最多、善量也最大，这种内在的逻辑关系，为中国红十字会肇始于上海做了诠释。经济基础是兴办慈善救济事业的现实条件，这是毋庸置疑的，虽然其他城市也有基础，但与上海相比，其充要条件还不能与上海相提并论。

四、肥沃的慈善文化土壤，浓郁的公益氛围

经济发达程度与慈善事业的发展水平，总体上来说是成正比的。明清时期江南是全国经济最为发达的地区，慈善事业也最兴旺③，由此形成浓郁的慈善文化传统，在江南地区承传、弘扬，打造出良好的公益慈善氛围。这种历史文化土壤，较他处深厚。作为近代江南龙头的上海，沐浴在这样的文化氛围中，对红十字会的产生提供了难得的温床。

"国际红十字运动之父"亨利·杜南之父雅克·杜南有一句名言，"财富可转化为仁慈的德行"④。这句名言，可以从上海得到验证。如上所述，上海原本就有良好的慈善氛围，开埠之后，"缙绅名流，硕腹巨贾，车马辐辏，靡不毕集"⑤。这些富商巨贾，热心于把财富转化为"仁慈的德行"，回报社会，以致"上海一隅之地善堂林立，饥者食之，寒者衣之，病者诊之，死者葬之。或惜字以延年，或放生而戒杀，万善同归，无微不至，法良意美矣"⑥。善会善堂之多，"甲于他邑，而资斧亦皆充足"⑦。每当天灾人祸降临，上海绅商总是慷慨解囊，"义举极多。凡各处灾歉，罔不仰给焉。他如恤嫠、保婴、施医、施棺等善举，无不具备。"⑧ 而他们的善行义举，也带动着社会风气的"向善"。

① 《上海研究资料续集》，上海书店 1984 年版，第 686 页。

② 《东三省红十字普济善会章程并启》，池子华、严晓凤、郝如一主编：《〈申报〉上的红十字》第 1 卷，安徽人民出版社 2011 年版，第 15 页。

③ 参见［日］夫马进：《中国善会善堂史》（伍跃、杨文信、张学锋译），商务印书馆 2005 年版。

④ 马克·德斯贡伯：《亨利·杜南传》，《中国红十字报》1992 年 1 月 24 日。

⑤ 《申报》1904 年 3 月 3 日。

⑥ 《拟请各善堂将收捐少年改用老者》，《申报》1874 年 2 月 4 日。

⑦ 《论善堂新闻》，《申报》1874 年 2 月 5 日。

⑧ 《便贫民即所以化莠民说》，《申报》1882 年 12 月 8 日。

值得注意的是，随着慈善事业的兴旺发达，上海慈善家群体逐渐把视野放大到全国，超越地域范围的慈善义赈活动"相继而起"，到 19 世纪末，已是"风气大开"，蔚然成风了①。中华民族"乐善好施"的传统，一旦有"财富"做保障，就会有行善壮举的层见叠出。而当红十字登陆上海滩后，很快被接纳并在民间义赈的基础上付诸行动，中国施医局、中国救济善会、东三省红十字普济善会等以红十字宗旨为宗旨即"红十字会化"的慈善组织的出现，就是例证。实现新的跨越，首先在上海发起成立中国红十字会是极其自然的，也是顺理成章的。

总之，中国红十字会首先在上海诞生，毫无疑问，具有"多因性"，以上所述，也只是几个主要方面，但可以肯定绝非偶然。上海有着其他城市无可比拟的得天独厚的条件，形成天时、地利、人和等多种因素交叉互动的合力，最终使红十字会在上海横空出世。

（原载《历史教学》2016 年第 10 期。与樊翠花合作）

---

① 李文海：《世纪之交的晚清社会》，中国人民大学出版社 1995 年版，第 408 页。

中国红十字会第一分会何以设在营口

2016 年 10 月，由中国红十字会总会投资的"中国红十字运动发源地纪念馆"在辽宁省营口市开工兴建，预计 2017 年上半年完工。作为红十字文化传播基地，纪念馆的建成，将向世人打开一扇洞察中国红十字运动跌宕起伏、波澜壮阔历史的窗口，值得期待。

营口是红十字运动在中国的发源地之一，是中国红十字会第一个地方分会的诞生地。

1904 年 3 月 10 日，为救助日俄战争中的东北同胞，中国联手英、法、德、美在上海发起成立"上海万国红十字会"，它的成立，标志着中国红十字会的诞生。但上海与东北相去遥远，最有效地实施救援行动的途径是因地制宜，设立分会。鉴于"营口最为冲要，先行设立分会"，营口（牛庄）分会于是成为上海万国红十字会添设的第一个分会。1904 年 4 月 6 日，营口分会宣告成立。

那么，中国红十字会"第一分会"何以设在营口？或者说，营口何以成为中国红十字会"第一分会"？这是一个值得研究的问题。穿越历史，有几个方面的原因值得注意。

管控水陆，"最为冲要"

营口分会，又称牛庄分会。营口与牛庄，原本是两个地方，两地何以"纠缠不清"？这是历史造成的。

牛庄，因辽、金时期辽河在牛庄附近入海，被称为"牛子"的商船云集，故名。1858 年 6 月，英、法、美、俄强迫清政府签订《天津条约》，开放牛庄、登州、台南、淡水、潮州、琼州、汉口、九江、南京、镇江为通商口岸。1861 年 5 月 23 日，英国首任驻牛庄领事托马斯·泰勒·密迪乐（Tomas Tayeor Meadows），顺辽河前往牛庄巡视时发现，牛庄"河道淤浅"，大船无法驶入，而辽河入海口的营口水深港阔，适合大船进入，于是指营口为牛庄。1861 年 4 月，营口正式代替牛庄开埠，因《天津条约》内容无法更改，因而对外统称牛庄。这种"指鹿为马"的伎俩，造成了营口即牛庄、牛庄即营口的"互通"。

营口濒临渤海湾，是辽东半岛重镇，管控水陆，地理位置"最为冲要"。作为对外开放的口岸城市，这里商贸发达，有"关外上海"之称。日俄战争爆发后，这里又成为难民汇聚之地。因此，首选营口设立分会，无论从哪方面说，都是明智之举。

设首家红十字医院，开风气之先

作为东北首个对外开埠的口岸城市，营口风气开放，欧风美雨，声光化电，异彩纷呈，红十字文化在这里得以传播、实践。

早在甲午战争期间，1894 年 12 月 3 日，英国苏格兰长老会传教士、医生司督阁（又译为司徒阁）就在营口租赁一家中国客栈开办了简易的红十字医院，救护伤兵伤民。客栈"竖立起非常大，也非常显眼的红十字旗帜"。救护工作由营口海关医生达瑞（又译为戴理、戴力，营口人称为达大夫）总负责，参加救护的共有 8 名医生。医院条件简陋，"对于我们来说，这种医院似乎是简陋和肮脏的地方，但对伤员们来说，这里无异于享乐的天堂"——"红十字医院就是天堂"。至 1895 年 3 月战争结束，营口红十字医院由 1 所扩充为 4 所，收治伤兵约千人，"人数既多，医治者为之应接不暇"。这是中国历史上最早开展的红十字救护运动，也是国内第一所红十字医院，开风气之先。而且，红十字医院与上海联系密切。为了提供后援保障，旅沪英国传教士、驻沪总领事以及洋商，在上海"成立有一个红十字会"，"慷慨地承担了牛庄港红十字医院的所有费用"。正是在上海总会的支持下，营口的救护行动取得了圆满成功，"光绪皇帝特授予牛庄港红十字医院几位主要医生双龙宝星三级勋章"。虽然营口红十字医院的开办、上海红十字会的组建，均为"洋人"主导，但在筹款募捐过程中，上海的仁济善堂、丝业会馆等机构以及江浙民众，也是鼎力相助。

营口率先垂范，确立了红十字运动在中国起源地的历史地位，这种优势也奠定了在此设立"第一分会"的良好基础。

营口传教士义无反顾，善与人同

营口传教士魏伯诗德（又译称韦伯斯特）特殊的"人脉"关系也是

上海万国红十字会决定在营口设立分会的一个重要因素。魏伯诗德是英国传教士，"久在营口等处传耶稣教有年，彼处无论何人，均知有魏牧师"，在官绅阶层中具有很高的社会声望。他与上海万国红十字会创始人沈敦和、李提摩太均有联系。沈敦和在酝酿成立东三省红十字普济善会之时，就曾致电魏伯诗德，请其臂助，"旋得回电，极愿赞成"，并"腾出医室中卧床五十张，以备遇难病民安卧云。"上海万国红十字会组建时，同为英国传教士的李提摩太"电询牛庄教士可否助救难民"，得到魏伯诗德肯定的答复，"且愿效力者甚众"。魏伯诗德义无反顾，决心全力以赴，救助东北难民，这使沈敦和、李提摩太深受鼓舞，"因此遂有创设红十字会（分会）之议"。1904年3月17日，即上海万国红十字会成立后的第7天，中西办事董事首次集会，就"于牛庄设一分会，亦举中西董事合办"达成共识，并公举魏伯诗德为牛庄分会西董，田贵为华董。

4月6日，"第一分会"营口分会宣告成立，中、英、美、俄、德、丹6国官商担任董事。次日，召开董事会，公举美国驻营口领事密勒为总董，大理医生管理银钱，魏伯诗德司理文案，负责难民救护事宜。以营口爱尔兰教会医院即普济医院为分会总医院。营口分会开始运作。

复制"营口模式"，建立卓越功勋

营口分会设立后，人道救援行动正式拉开帷幕。据红会史籍记载，在整个行动中，营口分会共救治伤者26000人，救护出险、资遣回籍者20000人，堪称功勋卓著。正因为如此，"营口模式"在东北迅速推广，辽阳、奉天、开原、铁岭、安暑河、沟帮子、新民屯、海城、山海关等分会相继开办，救助行动全面展开。在此过程中，司督阁积极参与伤兵难民的救治（1912年10月30日，他还代表奉天分会出席在上海召开的中国红十字会统一大会），而魏伯诗德更发挥了不可替代的作用。他不仅响应上海万国红十字会之请促成营口等分会的添设，多方奔走救护难民出险，而且在兵灾赈救过程中更是亲力亲为，风尘仆仆。难怪万国红十字会同仁感慨万千，称道不置："魏伯诗德君为本会董事，慈祥恺悌，以德动人。自牛庄开办分会医院后，无论老幼男女，援手护救者不下万人，由是而辽而沈而开原、吉林各分会，以次递兴，而辽会（辽阳分会）实为南北门户。今得其同教魏诗（司）华德君，一一布置，有条不紊，遂使全辽人民奔走相告，得庆再生。而日将福岛君登堂引观，亦复一视同仁，辄以巨金见助。呜呼！此非魏伯诗德君知人善任而以诚相感，曷克有此！"

上海万国红十字会依托营口等分会，救助日俄战灾，历时三载，救护出险、收治伤病、留养资遣，赈济安置总人数达 46.7 万人，"成绩特佳"。尤为难能可贵的是，红十字会中西董事及救难人员不支薪水，他们以崇高的奉献精神，救死扶伤，扶危济困，默默践行着红十字赋予的人道圣职。他们的业绩，在白山黑水的辉映下，熠熠生辉，光彩照人。

（原载《中国红十字报》2017 年 3 月 10 日）

中国红十字会救治 1918 年
浙江时疫述论

——以《申报》为考察中心

　　1918 年浙江时疫发生后，中国红十字会积极派遣救护医队奔赴疫区，开展救援活动。他们深入疫区，施诊赠药，调查疫情，宣传和采取各种避疫措施等，推进疫区公共卫生建设，有效缓解了时疫对浙省社会的冲击。红十字会与其他慈善组织的相互配合，红会医务人员的专业素质和无私奉献精神，以及预防和治疗并重的救治活动，是此次时疫得以顺利肃清的有力保障，显示出民间社团在社会救助中的巨大潜力，同时也暴露了红十字会救灾力量分散和不足的缺陷。本文就此问题进行考察。

一、问题的提出

　　中国红十字会自 1904 年成立以来，一直以战地救护和灾荒赈济为己任，学界对此有诸多研究并取得了比较丰硕的成果，而对其在时疫救治活动中的角色探讨却相对薄弱。在近代中国，天灾绵延，战祸不断，加之卫生条件的落后，疫病横行是一个十分严峻的社会现实。"兵，厉气也，水旱非时之气，亦谓之贼，故往往酿为疫疠"①。时疫救治活动无疑在公共卫生领域占据着一席之位。大多数学者对晚清民国时期时疫的专题研究，主要集中于两次大鼠疫：1910—1911 年的东北大鼠疫和 1917—1918 年的鼠疫②，且考察重点几乎全部在北洋政府的应对上，对民间组织的应对活动则缺乏探讨。另一方面，学界对民间组织尤其是红

历史纵横

----

　　① 《会员大会主席报告词》，中国红十字会总会编《中国红十字会历史资料选编，1904—1949》，南京大学出版社 1993 年版，第 180 页。

　　② 参见赵晋：《1917—1918 年鼠疫与北洋政府的应对——以〈大公报〉为中心探讨》，《炎黄春秋刊外稿》2009 年第 9 期。

十字会的治疫活动往往基于宏观层面的探讨。周秋光在《民国北京政府时期中国红十字会的慈善救护与赈济活动》一文中，集中探讨了中国红十字会对各种兵灾和水、旱、风、震、火等各种自然灾害的救赈，对红会平时在上海的医疗服务有简单介绍，如开办时疫医院、施种牛痘等。文中对1918年的疫灾也有所涉及，但仅限于灾情和救治成效①。彭善民在《近代上海民间时疫救治》一文中，对慈善组织、工商社团和业余组织等在近代上海的时疫救治方面所发挥的作用做了探讨，并对民间组织和政府的时疫救治做了比较。文中虽提及红十字会的时疫救治活动，但主要侧重于开办时疫医院、成立巡回医疗队等概括性的叙写②。在专题研究方面，学界则大多聚焦时疫医院。曹金国在《民国前期红十字医疗事业刍议——以上海天津路时疫医院为个案》一文中，重点考察了上海红十字时疫医院在民国前期的医疗事业，对时疫医院在1926年时疫救治中的成绩做了集中探讨，指出其在上海疫疠防治中所处的重要地位③。辛国强的《民国时期的时疫医院》分上下两篇对二三十年代宁波地区的时疫医院做了专题考察，强调其在推动地方医疗建设事业中的作用④。显然，既有的研究成果较少涉及民间组织专门的治疫活动，针对一次时疫的个案考察更不多见。有鉴于此，本文拟主要利用民国时期最有影响力的报纸之一——《申报》的大量报道，以中国红十字会对1918年浙江时疫的救治活动为例，对其治疫活动和特点进行探讨，从侧面透视民国时期红十字会在社会救济领域的角色和功能。

二、浙省时疫的爆发和乞赈函电

1918年入秋以来，久旱无雨，浙江省宁波、绍兴等地爆发一种时疫，十分剧烈，"初起时类似伤风，如带咳嗽，命尚可延，否则一经腹泻，旋即毙命"⑤。地方固无良医，又无病院，遇到此症，只有"坐以待

---

① 周秋光：《民国北京政府时期中国红十字会的慈善救护与赈济活动》，《近代史研究》2000年第6期。

② 彭善民：《近代上海民间组织时疫救治》，《广西社会科学》2006年第9期。

③ 曹金国：《民国前期红十字医疗事业刍议——以上海天津路时疫医院为个案》，见池子华、郝如一主编：《红十字运动与慈善文化》，广西师范大学出版社2010年版。

④ 辛国强：《民国时期的时疫医院》（上），《环球慈善》2011年第5期；《民国时期的时疫医院》（下），《环球慈善》2011年第6期。

⑤ 《绍属时疫剧烈之来函》，《申报》1918年10月19日。

亡"，"计一月中已毙千余人矣"①。当时宁、绍地方甚至出现"一村之中十室九空；一家之中十人九死"的现象。死者之中以贫苦之户最居多数，"哭声相应，惨不忍闻"。"自发现是役以来，死亡人数已占百分之十，棺木石板，所售一空，枕尸待装，不知其数"②。据《绍兴县志》载，该年"绍兴城乡，霍乱流行"③。时疫暴发后，很快成蔓延趋势。嘉兴南乡一带也被波及，"初起时头痛身热饮食亦不进，三四日后即毙命。染之者仍十有九死"，"未染者咸裹足不敢至该村"④。湖州时疫的流行起于东南，至11月初已蔓延于西北，"而剧烈者以沿太湖之杨渎桥、南皋桥等村为最，一村百家，患者十居其九，一家数口，患者亦十居其九，其势蔓延，几有老死不相往来之慨"⑤。

疫情发生后，中国红十字会沈敦和副会长即致电绍兴柯桥红十字分会倪仲敬："请即查明病情，电示敝处，立派王医生培元带医队及医品来绍救治，务请设法照料。"⑥ 紧随其后，各时疫发生地的乞赈函电如雪片般飞向上海中国红十字会总会总办事处。先是绍兴七邑旅沪同乡会来函称，"余姚一县疫势现正蔓延，无法遏止，用特仰恳尊处迅派医员，克日专赴余姚一县施治，俾得早杜疫患"⑦。而后湖州吴兴辅善会会长谭德润来电求助，谓"缘吴兴天气亢旱，时疫盛行，其传染之速等于影响，以致死亡枕藉不下绍属。近日南乡一带如菱湖、双林、荻港等镇，棺材均已卖空，故生者之恐慌如有倒悬之厄，而扑灭方法仍乏把持。敝会施药联单虽已送尽，而苦无良医救治，效果不生，惟有请求大会派医生来湖施救"⑧。接着海宁县知事韦绍皋来函，谓"城区沿海一带于本月中旬突现时疫症候，据中西医士诊断，分为二种，一种系流行性感冒，一种系流行性脑脊髓膜炎。当即组织防疫会设法救治，无如此项症候传染既速，此灭彼起，现已蔓延各区县境，所有医士日不暇给，大有顾此失彼之虞。用特专函布恳，敬祈贵会迅赐派医队救援"⑨。面对各地的乞赈函电，中国红十字会迅速作出反应，组织医队奔赴疫区开展救治

① 《红会医队续报绍疫》，《申报》1918 年 10 月 28 日。
② 《绍属时疫剧烈之来函》，《申报》1918 年 10 月 19 日。
③ 绍兴县地方志编纂委员会编：《绍兴县志》，中华书局 1999 年版，第 223 页。
④ 《南乡时疫盛行》，《申报》1918 年 10 月 20 日。
⑤ 《吴兴疫势渐消》，《申报》1918 年 11 月 26 日。
⑥ 《红会医队赴绍救疫》，《申报》1918 年 10 月 20 日。
⑦ 《红十字会近事两则》，《申报》1918 年 10 月 23 日。
⑧ 《红会救治时症之忙碌》，《申报》1918 年 11 月 2 日。
⑨ 《时疫纷纷求医》，《申报》1918 年 11 月 3 日。

活动。

三、中国红十字会的应对

浙省时疫发生后，中国红十字会采取各项措施，以保障时疫救治工作的顺利开展。在救疫恤灾方面主要做了以下几方面的努力：

其一，组织救治医队奔赴疫区。在此次时疫救治中，中国红十字会先后派出 4 支医队，开展救援活动。宁绍时疫发生后，中国红十字会立即派员至宁绍办理防疫事宜，并电请浙省当道饬属保护："近悉绍属上虞余姚地方发生一种剧烈时疫，死亡相继，苦无医药，敝会特派西医曹思劬等带同医队药品驰往该地救治，务请尊处电饬该县知事妥为照料。"① 随即，中国红十字会于 10 月 23 日派出第一医队带同医具药品驰往上虞、余姚等县救治，"派医生曹思劬、谢筠寿、李家骧、林春山、鲍康宁等乘宁绍轮船往浙救治，拟续派西医王培元设法筹防疫气之延蔓"②。第一医队抵达宁波后，即会同宁波分会张天锡随队赴绍兴组织临时医院③。因绍属余姚时疫猛烈，中国红十字会于 10 月 24 日续拨第二医队专至余姚救治，并带有济生会特制救疫灵丹三千瓶代为施送。第二医队抵达余姚后，邀同各机关商定在东城旧都司衙门姚江俱乐部内设一临时医院为中国红十字会临时防疫救治医院。

10 月底，中国红十字会迭接"湖州双林、菱湖、荻港等处绅商来函，报告发生剧烈时疫，死亡日增，请派医队救治"函电，特电杭州医生处，借到医生刘冰心、药剂师章德钦组成第三医队，携带药品于 11 月 3 日乘小轮驰往湖属救治④。1 月 6 日，沈敦和得宁波东西乡告疫之信，当即聘请医生杨任林、药剂师蔡金鑫组织第四医队带同应用药品，当天乘江天轮船赶往疫地救治⑤。红会第四医队于 11 月 13 日抵达宁波筹备，派队赴乡，因"风雨大作，疫势似较前略好，惟甬东仍未平"⑥，"轻病仍多"⑦，接着于 11 月 14 日早晨出发，分赴各村开展救治活动。

---

① 《宁绍时症流行之救济》，《申报》1918 年 10 月 22 日。
② 《宁绍时症流行之救济》，《申报》1918 年 11 月 22 日。
③ 《红会救治绍疫第二医队出发》，《申报》1918 年 10 月 24 日。
④ 《第三医队出发湖属》，《申报》1918 年 11 月 4 日。
⑤ 《红会救治浙疫消息》，《申报》1918 年 11 月 6 日。
⑥ 《红会消息汇纪》，《申报》1918 年 11 月 13 日。
⑦ 《红会函电汇纪》，《申报》1918 年 11 月 14 日。

其二，施诊赠药，分文不取。10月24日，曹文贵医生与绍兴同乡会代表屠子香往上虞县请知事袁尧村行文布告，"救疫临时医院暂设崧镇义学内，送诊给药，不取分文，一面通告县属东南北各区调查有疫之处，立即报告红会医队前往救治，并请各乡自治会派人劝讲善后卫生之法，以期一律肃清，不留后患为宗旨。"① 布告下发后，红会医队人员即紧锣密鼓地开展救治工作。

24、25两日，救疫临时医院共诊140余人，内中以头痛寒热胸闷痢疾为最多，皆可望治愈，"近日所患时症之人其势亦稍缓，不似从前之急不及医，无从救药耳"②。针对疫情发生的特点，多因"该地今年亢旱多时，骤寒骤热，伏暑晚发，内症居多"，中国红十字会审慎地采用了中西医结合治疗的方法，"恐中西体质不同，或有未能专用西法医治者，特向中国济生会取得济生丹三千瓶"③ 予以救治。因济生丹"选制审慎，功效卓著，对于时症尤为相宜"，颇受疫区民众的欢迎。

赴绍第二医队抵达疫区后也开展了送诊施药活动。红会余姚临时防疫医院设在北城旧都司衙门姚江俱乐部内，除此之外，在冶山、浒山、屯溪、仙桥、石堰、横河、彭桥、坎墩等处也开展了送诊活动。城区由王培元会同诸医诊治，开诊日期从10月27日起，每天上午9时至12时，下午2时至4时，"但患急症者，随到随诊，不拘时刻"且"不取分文"④。10月31日早晨即开诊医治40余人。东北各乡由黄子静驰往救治，"沿途施诊凡八百余号"⑤。鉴于"近城疫势尚轻，惟东北乡三四十里周迴各村庄现正盛行，日有死亡"的情形，医队人员开展了有针对性的施药活动，"先将济生会之济生丹三千瓶及徐乾麟先生托交带绍一千五百瓶均已分投施送，乡人素信中药，大为欢迎"⑥。

红十字会第三医队于11月5日晨抵达湖州，在吴兴辅善会会长谭竹轩的协助下设立救疫事务所，制定章程，昭示事务所的义务性质，并对门诊时间（上午9时至下午5时）、收费标准（"医药不取分文，只取号金，门诊四十八文，出诊小洋一角，舟舆均由病家酌给"）、诊病秩序（"患病者求医须先挂号，挨次诊医"，"受诊后持方，挨次向给药处领

① 《红会赴绍医队之续报》，《申报》1918年10月30日。
② 《红会赴绍医队之续报》，《申报》1918年10月30日。
③ 《红十字会纪事三则》，《申报》1918年10月25日。
④ 《救治宁绍时症详纪》，《申报》1918年10月31日。
⑤ 《红会救治浙疫消息》，《申报》1918年11月18日。
⑥ 《救治宁绍时症详纪》，《申报》1918年10月31日。

药")、注意事项（"患病人须听医生所嘱服药，不得私自更变"，"出诊须俟门诊毕后随时出门，如有紧急等症，随时酌议"）等做了明确规定①，保证了疫病救治的有章可循。同时散发救疫传单，积极进行疫病的治疗。"治疫临时事务所设在吴兴北门外协济救火会，即日开诊，如有染患时疫者，祈速行来所救治，不可自误。医金药资不取分文，至时疫剧烈之区可通函来事务所转请医生驰救"②。第三医队于当天开诊，共诊57人，其中"患者咳嗽发热最多，兼有大便闭结泻者，亦有不发热而仅咳嗽者"，患瘴症3人，气急而痰不易咳出但颇沉重1人。此外，小孩子肚大发硬颇多，"一半因瘴症之故，一半有虫"③。施诊活动一直持续至11月23日，其间颇为忙碌，"出诊颇多，带诊更多，门诊每日最少有五十余号"④，"计十余日之中共诊治一千余人"⑤。此外，应海宁县知事来函求助，中国红十字会特赠救急药丸200瓶⑥。

其三，深入疫区，调查疫情。在义务送诊施药救治的同时，中国红十字会还开展了疫情调查工作。第一医队考察时症发生，"乃由天久不雨，空气干燥而又闷热，贫苦之人炎天烈日之下赤身跃入晒热之浊水河浜中浸洗受毒，夜卧露天，饮食不洁，因而受疫，所以贫民之死亡者为多数。凡一人一家患疫之后，又有蚊蝇之传染，更有病者秽物洗于河内，邻家即于此种毒水内淘米洗菜，因而传染者亦属不少"⑦。其后，10月31日，第二医药队会同余姚县知事陈赞唐及医生魏子翔等雇船下乡调查疫气之发源，以便配药救治。次日出发离城八里之遥的屯溪区仙桥村，闻"该村约计七八十家，患疫者十有七八，其病起时头痛身热腹泻，四五天即毙，亦有随发随死者，气绝一周时尸体尚热，腹中鸣响如牛，喘甚异也"⑧。据此，王培元医生电告总办事处添配金鸡纳霜等药物，立即运绍应用。

其四，宣传避疫方法，治疫与避疫并重。由于此次发生的时疫，"大半为夏秋时天气不正，久旱不雨之故"，加之"饮食不洁，致生时

① 《湖州疫状之报告》，《申报》1918年11月11日。
② 《湖州疫状之报告》，《申报》1918年11月11日。
③ 《湖州疫状之报告》，《申报》1918年11月11日。
④ 《湖州疫状之报告》，《申报》1918年11月11日。
⑤ 《吴兴疫势渐消》，《申报》1918年11月26日。
⑥ 《红会消息汇纪》，《申报》1918年11月13日。
⑦ 《红会赴绍医队之续纪》，《申报》1918年10月30日。
⑧ 《救治宁绍时症详纪》，《申报》1918年10月31日。

疫"①。所以中国红十字会在治疫的同时还加强了避疫措施，制订简便避疫方法数条，重在提醒人们注意日常饮食卫生以及如何处理患疫之人以降低染疫的几率，可谓事无巨细。"宜忌食污秽及未沸之茶水；宜忌食生冷油凝之小菜（此种小菜消化较难）；身体冷热须自留心；居住房舍须随时洒扫洁净；患疫人食余之物切勿留而食之；患疫人用过物件必须用沸水洗过（如衣服碗箸之类）；患疫人所吐之痰及所泻之粪须掷石灰粉于其上为无毒害；患疫人所居之房舍窗户地板等须随时开及洒扫洁净；凡患时疫而死者其断气时，应用丝绵掩其口鼻并多用石灰粉铺于棺内；关于患疫死亡人送丧时，务须远隔几丈；关于患疫者之服事人应当常用沸水洗手"②。这些避疫措施的宣传在一定程度上提高了民众的卫生意识，有力地保证了时疫的早日肃清。

四、治疫成效和特点

在中国红十字会的大力救治下，浙省的时疫至 11 月中旬基本肃清。中国红十字会在绍兴设立的临时防疫医队也"因各处疫气肃清，业已取消回沪，惟医局暂移于东门外惠爱医院"③。中国红十字会的时疫救治工作取得了显著的成绩。14 日，红十字会接湖州辅善会谭竹轩函称：自 11 月 7 日起 9 日止，第三医队"门诊出诊共计三百余号"，"救愈者三百余人，救治已晚以致无效者六七人"，染疫多为贫者，红十字会"非仅救疫，实兼救贫"④。上虞崧镇来函报告，"自十二月（应为十月）二十四日开诊至十一月九号止，共诊一千数百号之多"⑤。据统计，"此次医队至浙，计分四组。一至上虞，治愈 2000 余人。一至余姚，治愈 1987 人。一至湖州，治愈 1200 人，一至宁波，治愈 1000 余人。"⑥ 红会医队共计治愈 6000 余人，受到了广泛的社会好评，从"吴兴辅善会全体谨呈"的《颂中国红十字会词》中略可感受一斑：

洪维贵会，广树丰功，一封上达，覆电驰风。医派妙手，药赐盈

----

① 《救治宁绍时症详纪》，《申报》1918 年 10 月 31 日。

② 《救治宁绍时症详纪》，《申报》1918 年 10 月 31 日。

③ 《红会赴绍医队之报告》，《申报》1918 年 11 月 17 日。

④ 《红会函电汇纪》，《申报》1918 年 11 月 14 日。

⑤ 《红会函电汇纪》，《申报》1918 年 11 月 14 日。

⑥ 《中国红十字会 20 年大事纲目》，中国红十字会总会编：《中国红十字会历史资料选编，1904—1949》南京大学出版社 1993 年版，第 468 页。

笼，遂立分会，字显旗红。斯际湖民，患□正虐，纵未沾染，亦深焦灼。辙恐涸鱼，罗谁解雀，是信一传，得匙通钥。遐迩欢悉，来者争先，至即施诊，听视细研。诊随济药，丸液相连，如仙家箓，胜上池泉。①

中国红十字会在 1918 年浙省时疫救治中表现出较强的积极性和自愿性，发挥出政府强制政策所不能企及的优势，取得了较好的时疫救治效果。综观此次时疫救治活动，有以下几个鲜明的特色：

其一，慈善组织在这次时疫救治中发挥了主力军作用，从派发医队、配制药品到施诊赠药，全程参与其间。面对瞬时而起，迅速蔓延的疫灾，中国红十字会内部协调一致，与宁绍同乡会、济生会、辅善会等慈善组织紧密配合，协力以赴，组织医队奔赴疫区，送诊施药，治病救人，保证了疫灾救治工作的顺利进行。时疫发生后，宁绍同乡会一面派员赴绍调查疫情，一面当即"备洋二千元送交济生会，请即遣派济生队前往宁波、绍兴等处施送药品及棺木"，并"将洋二千元送交红十字会代为布施"②。上海济生会先后派出三支济生队，携带大量药品，驰往浙省救治，且承担了配制药品的重任。此外，在湖州的救疫时务所需用勉则由湖州辅善会担承。显然，中国红十字会的疫患救治得助于相关慈善组织的有力配合。与慈善组织的积极参与相比，地方政府则显得有心无力。时疫发生后，纷纷发出乞赈函电，向红十字会寻求援助。除提供相关协助外，几乎无所作为，而慈善组织的活动则在一定程度上代替政府承担了社会救济的职能。

其二，中国红十字会医务人员的专业素质和无私奉献精神是这场疫灾得以顺利肃清的重要保障。一般而言，时疫具有传播速度快，致病率高的特点，治疗必须对症下药，而初起时医生不知治法，"误投方剂，将燥病作温病医，以致每多误事"③。中国红十字会医务人员抵达疫区后，一方面实地调查病因、病症，一方面竭尽全力地实施救治，"日每忘餐，夜几废宿"④。如"王医生与魏子翔不辞劳瘁，乘民船至东北乡浒山等处设所救治，并取有染病者痰粪带沪化验，荣仁终日诊视，每日百余号，大都流行之恶伤风为多数"⑤。红会医务人员以无私奉献的实际行

① 《颂中国红十字会词》，《申报》1918 年 11 月 30 日。
② 《宁绍时症流行之救济》，《申报》1918 年 10 月 22 日。
③ 《救治宁绍时症详纪》，《申报》1918 年 10 月 31 日。
④ 《颂中国红十字会词》，《申报》1918 年 11 月 30 日。
⑤ 《红会救治浙疫消息》，《申报》1918 年 11 月 6 日。

动诠释了红十字精神的真谛。需要指出的是，治疫医学人才的培养也是不可或缺的。沈敦和因参加上海的时疫防治工作，由此开始重视培养医学人才，1909 年开始创办红十字会总医院和医学堂，培养了大批医学人才，为时疫救治工作的顺利开展提供了人力上的保障。

其三，预防和治疗并重的救治策略。治疫采用中西医结合治疗的方法，既注重西医的化验以查清病源，又结合农村的特点，分发见效快、易于被村民接受的中药丸，而预防的成效则取决于宣传的力度和有效性。中国红十字会医疗队在加强避疫宣传方面，采取了下发布告和散发传单相结合的方式，普及避疫常识，减少民众被传染的几率，有效遏制了时疫的蔓延。此外，救疫医队还重视时疫的善后工作，"将尸棺设法埋葬，以免秽气传染，庶易肃清"①，为时疫救治活动画上了一个圆满的句号。

需要指出的是，浙省时疫仅是 1918 年时疫链条中的一环。纵观 1918 年的时疫救治活动，中国红十字会显然"晚到"了一步。据史料载，1918 年是一个大疫之年，先是自 1917 年即爆发的鼠疫直至 1918 年 5 月才扑灭，接着是秋冬季爆发的在全球蔓延的流行性感冒。对这场鼠疫，《东方杂志》有所报道，"一月，北地肺炎疫从京绥铁路窜至丰镇、大同、朔平、偏关、朔州、代州"，"殊不料其越地而侵及于东南诸城，二月五号传至安徽之凤阳；二月十一号至山东之济南；三月八号至江苏之南京；疫之流行乃沿津浦铁路而来，而扬子江流域之诸商埠，遂同处于疫祸之危险中矣。"② 从现有资料鲜少发现红十字会参与救治肺炎疫的史实③，反之政府则起了主导作用。这对省思慈善组织和政府在社会救济中的功能不无裨益。其间，湘省遭兵燹，且大水疫疠相继为灾无疑在很大程度上分散了红十字会对这场大疫的救治力度，对其防灾救灾能力建设也提出了严峻的考验。此年 12 月 14 日全国义赈联合会的发起或在一定程度上弥补了中国红十字会救灾力量分散的不足。据称，该会共有四大益："（一）办事可望统一；（二）放赈不致偏枯重复；（三）遇事

历史纵横

---

① 《红会赴绍医队之续报》，《申报》1918 年 10 月 30 日。

② 史旦莱、俞凤宾：《山西肺炎疫之蔓延及防御法》，《东方杂志》1918 年第 7 期，第 108 页。

③ 主要史料有：《京畿水灾赈济联合会天津分会开第四次职员会纪》，《大公报》1918 年 1 月 18 日；《防疫事宜之汇志》，《大公报》1918 年 1 月 22 日；《十字会解送药品》，《大公报》1918 年 4 月 6 日，等。

可以互相维持；（四）平日可以互相督察，以坚社会之信任。"①

　　此次时疫救治活动也暴露了地方红会救灾力量的不足。绍兴、宁波、嘉兴等红会或医院早在辛亥革命的烽火中即已诞生，并开展了一些救援活动，但在此次治疫活动中却鲜见活跃的身影，未能发挥其本职。这在一定程度上折射了红十字会初期发展所存在的问题，即总会和分会的管理体制未理顺，角色分工不明确，从而制约了地方分会救灾积极性的发挥。

　　总之，中国红十字会在 1918 年的浙江时疫救治中发挥了举足轻重的作用，不仅弥补了政府在时疫救治中的"缺位"，而且在一定程度上提高了浙省民众的卫生防疫意识，推进其公共卫生建设，显示出民间慈善组织在社会救济中的巨大潜力，但也暴露了红十字会救灾力量分散和不足的缺陷，对今天疫灾的防治工作仍具有借鉴价值。

（原载《南京农业大学学报》2012 年第 2 期。与郭进萍合作）

_____

① 《组织全国义赈联合会》，《申报》1918 年 12 月 15 日。

从《红十字会条例》到
《红十字会法》

——中国红十字事业的法制化进程

2017年2月24日，国家主席习近平签署第六十三号主席令："《中华人民共和国红十字会法》已由中华人民共和国第十二届全国人民代表大会常务委员会第二十六次会议于2017年2月24日修订通过，现将修订后的《中华人民共和国红十字会法》公布，自2017年5月8日起施行。"

新修订的《中华人民共和国红十字会法》（以下简称《红十字会法》）颁布施行，为红十字会"依法治会"提供了强有力的法律保障。

其实，中国红十字事业的法制化并非一帆风顺，而是经历了曲折漫长的过程。回顾中国红十字事业法制化历史进程，可以更好地理解当前现实。

《中国红十字会条例》颁布及其命运

中国红十字事业的法制化始于1914年。当年9月24日，袁世凯以大总统令颁布《中国红十字会条例》11条。这是民国时期第一部慈善法规，由此拉开了民国慈善事业法制化的序幕。

1915年10月5日，北京政府颁布《〈中国红十字会条例〉施行细则》，对中国红十字会各项事业、会员、议会、职员、资产等，都做了详细规定。1920年6月3日，修正后的《〈中国红十字会条例〉施行规则》公布实施。虽然《中国红十字会条例》及施行细则，在政局动荡、军阀混战的时代背景下，没有真正得到执行，但对营造红十字事业发展的法制环境，还是有一定意义的。

《中华民国红十字会管理条例》实施

1927年南京国民政府建立后，不断加强对红十字会的管理。1932年11月25日，国民政府立法院第213次会议讨论通过《中华民国红十字会管理条例》14 条，12 月 16 日公布实施。

1933 年 6 月 3 日，行政院、内政部、外交部、军政部、海军部联衔以训令的形式颁布《〈中华民国红十字会管理条例〉施行细则》（43条），明定"中华民国红十字会依军政、海军两部之指定，辅助陆海空军战时后方卫生勤务，并依内政、外交两部之指定，分任国内外赈灾、施疗及其他救护事宜"。又规定设总会及分会，"总会以内政部为主管官署，并受外交、军政、海军三部之监督；分会隶属总会，以所在地地方行政官署为主管官署。又规定总会之理事及监事，由部转呈国民政府聘任"。尤其值得注意的是，中国红十字会由此改称"中华民国红十字会"。

《中华民国红十字会管理条例》的颁布，意味着中国红十字会已成为事实上的官方机构。

战时状态与《战时组织条例》

1937 年 7 月 7 日，日军在北平西郊的卢沟桥附近进行军事演习时，公然向中国驻军挑衅，炮击宛平城，挑起全面侵华战争的战火，史称"卢沟桥事变（七七事变）"。宋哲元所部第 29 军奋起自卫，由此拉开了全面抗战的序幕。中国全面进入战时状态，一切为了抗战，一切服务于抗战。对此，南京国民政府对红十字会进行重新定位，以适应战争救护的需要。

1943 年 4 月 1 日，国民政府颁布《红十字会战时组织条例》（1946年 2 月 15 日明令废止），规定会长、副会长、理事、监事均由军事委员会委员长令派，卫生署长、军政部军医署长为当然理事；各战区救护队受战区司令长官指挥。国民政府将红会纳入军管体系。

《红十字会法（草案）》"胎死腹中"

抗战胜利后，中国红十字会进入"复员"时期。1945 年 12 月 8 日，行政院公布《复员期间管理中华民国红十字会办法》（11 条），其中规定"中华民国红十字会设总会于首都，以行政院为主管官署。并依其业务性质，受社会部、卫生署、善后救济总署之指挥监督"。1947 年秋，鉴于"复员"时期结束，11 月 13 日，中国红十字会在南京举行第四次理事会，通过"请政府颁布《红十字会法》以崇体制案"，第一次明确表达依法建会的愿望。接着组建《红十字会法》起草委员会，并于 1948 年 2 月 26 日将《中华民国红十字会法（草案）》（共 8 章 40 条）提交总会第三次常务理事会通过后，转呈行政院，但直到这年秋天才进入立法程序。11 月 27 日，立法院卫生委员会召开会议审议《红十字会法（草案）》。红十字会代表对"以发展博爱、服务事业为宗旨"等条文做了解释。12 月 1 日，立法院卫生委员会再次召开会议加以审议，同意提交立法院讨论。1949 年春，立法院数度开会讨论。但因国内战争影响，南京政府于 2 月 5 日宣布迁往广州，立法院等各部门随迁。后随着国民政府的覆灭，《红十字会法（草案）》最终"胎死腹中"。

《中华人民共和国红十字会法》出台前后

中华人民共和国成立后，1950 年 8 月 2 至 3 日，中国红十字会协商改组会议（新中国成立后的第一次全国代表大会）在京召开。9 月 6 日，中央人民政府政务院批准公布协商改组会议通过的新的《中国红十字会会章》。《会章》共 6 章 25 条，对中国红十字会的名称、性质、宗旨、任务、标志、会址、职权、责任、分会设置等都做了明确规定。中国红十字会为"中央人民政府领导下的人民卫生救护团体。根据'预防为主'的卫生工作总方针及'动员和组织人民实行自救助人'的救济福利方针，以协助各级人民政府，面向人民大众，宣传并推广防疫、卫生、医药及救济福利事业为宗旨"。由于这一定位，红十字会一直挂靠卫生部门，没有自己的"基本法"。1993 年 10 月 31 日《中华人民共和国红十字会法》颁布实施。这是中国红十字运动史上新的里程碑。

之所以出台这部法律，是因为改革开放以来，我国红十字事业有了突飞猛进的发展，不仅仅是在组织和会员的数量上，而且在各种救灾、社会救助和社会服务、组织群众性的卫生救护训练、宣传《日内瓦公约》等方面都取得了不俗的成绩，红十字事业作为我国社会主义精神文明建设的组成部分，发挥着越来越大的作用。但多年来，红十字会的"机构、编制、经费"等所谓"老大难"问题，一直得不到解决。社会上人们对红十字会的宗旨、性质、任务、职责等还没有形成一个准确的界定，相当长一个时期，红十字会被认为只是人民卫生救护组织，是搞卫生工作的，进而被误认为是卫生部门的直属或下属机构，甚至有些人把红十字标志当作卫生标志，社会上滥用红十字标志的现象十分普遍，这些都严重违反了《日内瓦公约》。而中国在 1956 年就加入了《日内瓦公约》，1983 年 9 月 2 日加入《日内瓦公约》两项附加议定书，1985 年中国红会当选为红十字会与红新月会国际联合会执行理事，1989 年成为联合会副主席。作为国际红十字运动重要成员，中国红十字会如不立法，就无法按《日内瓦公约》去履行自己的职责。红十字会要取得国家、社会的认可、规范和保护，实现质的转变和跨越，更有效地开展各项工作，同样需要立法。这些现实因素，都是催生这部法律出台的动力。

启动《红十字会法》修订立法程序

《红十字会法》自颁布实施以来，红十字会一直以"依法建会""依法兴会"为准绳开展人道主义工作，取得的成绩有目共睹。但《红十字会法》颁布已经 20 多年了，20 年来，国情、世情、民情发生了巨大变化，红十字事业面临前所未有的发展机遇和挑战，亟须法律武器的保障。而《红十字会法》若干内容已经不合时宜，比如《红十字会法》所赋予的红会权利主张，太过"虚弱"。红十字会如何主张权利，对盗用、滥用红十字会名义、标志以及"污名化"、故意"抹黑"而使红十字会遭受伤害者如何绳之以法，从而真正做到有法必依、违法必究、执法必严，应该在《红十字会法》中鲜明地体现出来。其他如定位问题、与政府之间的关系问题、总会与分会职责、议事规则和权利义务的划分、经费来源及使用问题，等等，亟待修订、补充和完善。正因如此，2013 年 4 月，十二届全国人大常委会第二次委员长会议将修改《红十字会法》列入立法预备项目，正式启动了修订《红十字会法》的立法程序。

新修订的《红十字会法》即将实施，必将成为保障红十字事业健康发展的"利器"。

（原载《中国红十字报》2017 年 2 月 28 日）

上海红会组织救护
第一次江浙战争述论

　　江浙战争也称"齐卢之战"，是指江苏军阀齐燮元和浙江军阀卢永祥之间发生的战争，前后两次，即 1924 年 9 月的第一次江浙战争和 1925 年 1 月的第二次江浙战争。限于篇幅，本文仅对上海红十字会组织救护第一次江浙战争史实进行梳理，以就教于方家。

一、江浙战争与上海红十字组织体系的建构

　　1924 年 9 月 3 日，江浙战争爆发。皖系浙江督军卢永祥因通电反对曹锟贿选总统为直系所不容，在曹锟、吴佩孚授意下，直系江苏督军齐燮元、安徽督军马联甲、江西督军蔡成勋、福建督军周荫人结成攻浙联盟，双方投入的兵力各近 10 万人。3 日上午 10 时许，两军前哨相遇于黄渡、安亭间，"各放排枪，正式接触"①。苏军为宫邦铎部约一营一连，浙军为杨化昭部约一营。战前，苏浙两军都进行了相应的战争部署。

　　苏军方面，齐燮元联合皖、闽、赣等省直系势力，四路进军。齐燮元任总司令，亲率三路军队：一路攻打上海，由宫邦铎、马玉仁等担任指挥；一路攻广德，以王普等任之；一路守宜兴，以陈调元等任之。第四路军由孙传芳统领，攻仙霞岭。

　　浙军方面，卢永祥浙军联合上海、福建皖系武装力量，组成浙沪联军，分为南北两路。北路由卢永祥任总司令，下设三军：淞沪方面，由何丰林、臧致平、杨化昭等担任指挥；长兴、合溪一带，由陈乐山担任指挥；泗水一线，由王宾担任指挥。南路则由张载扬任总司令，潘国纲任副司令，"坚守杭州，并负责联络奉张"②。

　　① 丁中江：《北洋军阀史话》第 4 集，中国友谊出版公司 1992 年版，第 152 页。
　　② 来新夏主编：《北洋军阀史稿》，湖北人民出版社 1983 年版，第 298 页。

历史纵横

战争持续了一个多月，直到 10 月 12 日，卢永祥宣布下野，齐卢之战结束。江浙战争，以浙军失败而告终。

江浙战争，"官兵战死，无辜人民罹难，军费消耗，物资被劫，损失之重直使人痛心疾首"①。为救护伤兵难民，上海除中国红十字会总会总办事处、沪城分会之外，战区各地亦纷纷组织分会，犹如"遍地开花"。大致情况如下：

吴淞分会：初建于 1911 年。此次江浙之战，吴淞风声日紧，战祸难免，吴淞绅商乃与公共防疫医院西医曹思句对吴淞分会进行重组，将"徽章、制服、器械、医药等备就"②，设办事处于镇西苣市街救火会内，并筹商四明公所为被难妇孺收容所。战争一爆发，则由"总会派员至淞，会同救护队员出发"③，赶往前线施救。

嘉定分会：9 月 1 日成立，项如松为会长（戴思恭代理）、朱吟江为副会长、顾吉生为理事长，分会设立了收容所和临时医院。

娄塘分会：9 月 2 日成立，举印沾伯为会长，王侍庭、陈仲衡为副会长，殷子盘为理事长，所聘医生印七襄、张应芹即于 9 月 4 日由上海携带药品前往战地，开始了救护行动④。

南翔分会：9 月初成立，朱庚石为会长。南翔分会成立后，救护掩埋，全力以赴。9 月 18 日，朱庚石会长专程"至总会报告掩埋赴嘉服务情形，于下午五时，仍搭兵车赴翔。"⑤

青浦分会：9 月 3 日在明伦堂成立，徐熙春任会长，有会员 310 人⑥。

大场分会：宝山大场于 9 月 4 日组建分会后⑦，即"由陆、王两会长召集大会，讨论救护事宜。当即组织救护队，设立疗养院及收容妇孺

---

① 涂开舆：《齐卢之战松江、青浦战区暴行录》，载江苏省政协文史资料研究委员会编：《江苏文史资料选辑》第 18 辑，江苏古籍出版社 1986 年版。

② 《吴淞筹备红会之续讯》，池子华等主编：《〈申报〉上的红十字》第 3 卷，安徽人民出版社 2011 年版，第 22 页。

③ 《红会救护之筹备》，《申报》1924 年 9 月 2 日。

④ 《娄塘红十字会分会昨讯》，池子华等主编：《〈申报〉上的红十字》第 3 卷，安徽人民出版社 2011 年版，第 32 页。

⑤ 《救护中之伤兵难民》，《新闻报》1924 年 9 月 19 日。

⑥ 冯学文主编：《青浦县志》，上海人民出版社 1990 年版，第 716 页。

⑦ 《大场红会之救济讯》，池子华等主编：《〈申报〉上的红十字》第 3 卷，安徽人民出版社 2011 年版，第 77 页。

暂留所，向沪上汽车公司包定汽车两辆，逐日前往战地分投营救"①。

宝山分会：9月8日宝山代表陈石和到中国红十字会总办事处要求设立分会，"按照章程缴费立案，领取旗章，正式成立分会"②。宝山分会由袁叔畬任会长，会所设于一高小学校内，"经费由地方公款内支拨"③。

泗泾分会：9月24日，松江泗泾镇派员到总会总办事处，商定成立分会④，公举李文来、徐淮清为正副会长，汪启愚为理事长，程访湖、秦雨生为正副议长，"组织救护队，往就近各战线，救护伤兵及难民"⑤。

闵行分会：10月1日，闵行代表徐亚伯前往总会总办事处，商定成立分会⑥。10月2日举行成立大会，"举定乔念椿为正会长，徐亚伯为副会长，马柳江为理事长，潘村山为理事，顾鹭云、吴履平为正副议事长。并经议定组织救护、掩埋各队及疗养、收容等所，分别进行"⑦。

南汇分会：10月5日"组织分会者，有南汇红十字分会会长徐光禄，到总办事处接洽一切"⑧，说明南汇分会在10月5日即组织成立，但成立大会在10月11日召开，"爰于本月十一日在该会（即二高校）开成立大会。下午一时开会，到会者四五百人，公推杜顺之主席，宣布开会宗旨，徐会长报告筹备经过情形，县长代表王警官致词劝勉。教育局、县议会、县商会、商会代表鞠会长致词极力赞助，来宾会员相继演说，语多热心感慨，后由该会职员劝募经费，县长代表慨捐数十元，继起者非常踊跃，达数百元云"⑨。

① 《大场红十字分会之救护情形》，池子华等主编：《〈申报〉上的红十字》第3卷，安徽人民出版社2011年版，第69页。

② 《各地纷纷要求设立红会分会》，池子华等主编：《〈申报〉上的红十字》第3卷，安徽人民出版社2011年版，第36页。

③ 《本埠新闻二》，《申报》1924年9月11日。

④ 《红十字会消息》，池子华等主编：《〈申报〉上的红十字》第3卷，安徽人民出版社2011年版，第64页。

⑤ 《泗泾镇组织红十字分会之经过》，池子华等主编：《〈申报〉上的红十字》第3卷，安徽人民出版社2011年版，第77页。

⑥ 《红会救护之昨讯》，池子华等主编：《〈申报〉上的红十字》第3卷，安徽人民出版社2011年版，第71页。

⑦ 《红十字会闵行分会成立》，池子华等主编：《〈申报〉上的红十字》第3卷，安徽人民出版社2011年版，第776页。

⑧ 《红十字会救护消息》，池子华等主编：《〈申报〉上的红十字》第3卷，安徽人民出版社2011年版，第79页。

⑨ 《南汇红十字分会成立》，池子华等主编：《〈申报〉上的红十字》第3卷，安徽人民出版社2011年版，第92页。

鲁家汇镇分会：10月5日，因"南汇鲁家汇镇，接近浦南战区。现由该镇绅商组织红十字分会，已与总办事处庄得之理事长接洽妥善，选举西联乡议长徐光禄为会长，王保康为副会长，李宝然为理事长，徐庆之为资产委员，并由分会长聘任秦葆青为文牍员，徐典文为书记员，徐信孚为会计员。业已组成救护队，克日前往战地救护伤兵，一面组织难民收容所云"①。

莘庄分会：10月8日，"借孙氏粟阁为会所，开成立大会"，公推金石声、荣善钧为正副会长，孙翰青为理事长，阮书华等6人为理事，丁又新、何永江为资产委员，钱亦庄、陈花孙为正副议长，并议员18人，"随即呈报总会遵章进行"②。

胡家镇分会：10月9日，"组织分会者，有松江县胡家镇"③。

胡家桥分会：10月10日，奉贤胡家桥分会正式成立，正会长徐伯勋，副会长唐护行，理事长何志梅，"连同正会员等名单，昨均向总办事处报告矣"④。

三林塘分会：当地士绅组织，初名"红十字会支会"，10月13日"报告成立，以备救护云"⑤。但支会（部）与体制不符，10月14日总会总办事处函请易名"中国红十字会上海分会三林乡办事处"。函称："得悉三林乡汤君拟在该乡设立分会支部，办理救护，事属可行。惟按照定章，应以中国红十字会上海分会三林乡办事处为名义，不得称为支部，其办事人应称为正副主任，亦不得称为正副部长，案关全局，务希注意转知遵照云云。"⑥

上述分会的组建，既是江浙战争的产物；同时，分会组织的"遍地开花"，为战争救护的顺利推展，创造了条件。在上海中国红十字会总会总办事处的主导下，沪城分会、吴淞分会以及新建各分会，协同配合，开始了大规模的救援行动。

---

① 《南汇组织红十字分会》，池子华等主编：《〈申报〉上的红十字》第3卷，安徽人民出版社2011年版，第82页。
② 《莘庄红十字分会声明事实》，池子华等主编：《〈申报〉上的红十字》第3卷，安徽人民出版社2011年版，第103页。
③ 《红十字会消息》，池子华等主编：《〈申报〉上的红十字》第3卷，安徽人民出版社2011年版，第84页。
④ 《各团体之救济与讨论》，《新闻报》1924年10月11日。
⑤ 《浦东三林塘红会分会成立》，池子华等主编：《〈申报〉上的红十字》第3卷，安徽人民出版社2011年版，第92页。
⑥ 《救济中之伤兵与难民》，《新闻报》1924年10月15日。

二、上海红十字组织的战争救护

（一）战地救护

在第一次江浙战争中，嘉定受害最深，全邑 34 市乡全部遭受冲击。据调查资料称："两军相持之地，以嘉境为最广，战线最长，历时最久，剧战最多。"① 因此嘉定战场救护成为江浙战争救护的中心。嘉定分会及属镇娄塘、南翔分会，都积极从事兵灾救助。总会、沪城分会也尽其所能，以为支援。

中国红十字会嘉定分会在 9 月 1 日成立后，立即投入救护工作。9 月 7 日许，嘉定分会"以该地粮食不给"②，特派人至沪采办面包以及药品，并运送难民 200 人至沪。同时，设立妇孺收容所、掩埋局及临时防疫医院，治疗伤病员，"并发动居民清除街道、河流中的脏物，掩埋遗尸"③。项如松会长、朱吟江副会长、顾吉生理事长在沪募款接济，"救护船只，络绎于途"④。据统计，嘉定分会先后遣送难民万余人，至 9 月 29 日，掩埋局已收殓死尸 128 具。

嘉定娄塘分会作为一个乡镇分会，在救护行动中发挥了重要作用。娄塘地处浏河、嘉定之间，两军争战最为激烈，伤亡累累。9 月 4 日，两军在嘉定激战，娄塘分会随即前往协助嘉定分会救护。6 日前后，嘉定浙军与太仓苏军在黄渡连续剧战，"西北乡、娄塘等处乡间人民，无法逃避、狼狈不堪"⑤，娄塘分会派救护员雇大船 3 艘，载运难民 300 人抵沪。12 日晨，娄塘分会救获难民三大船，共 400 余名。16 日，又送出难民千余名，分载大船 2 艘、小船 7 艘，由救护员张国英及职员唐耀环、陆道生、潘子久等护送至沪。18 日，救护队张应芹医生等 6 人赴嘉定救出难民男女老幼计 60 余人。经全体职员的努力，娄塘分会连日救护难民 4600 余名，其中，运沪难民有 3000 余人，经旅沪同乡招待，分

---

① 娄东、傅焕光、黄允之：《江苏兵灾调查纪实·嘉定县》，江苏兵灾各县善后联合会1924 年编印，第 1 页。

② 《红白两会救护》，《民国日报》1924 年 9 月 8 日。

③ 杨于白主编：《嘉定县志》，上海人民出版社 1992 年版，第 923 页。

④ 《嘉定红会至昆山红会函》，池子华等主编：《〈申报〉上的红十字》第 3 卷，安徽人民出版社 2011 年版，第 78 页。

⑤ 《娄塘镇红会救护难民来沪》，池子华等主编：《〈申报〉上的红十字》第 3 卷，安徽人民出版社 2011 年版，第 34 页。

别安插于江宁公所、太王庙、纱业公所等处。此外尚有千余人留本镇，分派各庙宇留养，娄塘分会皆悉心照料，考虑到"粮少人多，恐有断绝之虞"①，遂派人至沪采办。

娄塘分会还设立了临时医院，聘请印七襄、张应芹医生负责诊治。分会对疗伤事宜十分热心，"附近乡民被流弹及土匪击伤者，每日到院医治多至一二十人"②，重伤者，则一律运赴天津路红会医院诊治。该分会中西医士先后施诊计3862人次，其中西医诊视3000人次，中医862人次，救治受伤难民284名，"经治见效，颇得军民感激"③。掩埋方面，娄塘分会共收殓尸首30余具。

南翔分会驻沪办事处李功孚、顾吉生、胡湛华等，9月11日召集紧急会议讨论组织营救部，救济难民，分为两组：甲组乘长途汽车赴大场，乙组乘专轮拖民船至南翔。黄渡连日大战，"阵亡兵士，被害农民，尸首急需掩埋，免至酿为时疫"④，南翔分会派员组成掩埋队前往施救。

总会总办事处、沪城分会对嘉定战场救护施以援手。黄渡、嘉定、南翔、马陆等地位于战争前线，伤兵甚众，总办事处便派遣救护队前往救护，其他分会也将重伤伤员送沪医治。9月3日，黄渡、安亭间发生战事，有伤兵数人移至南翔，总办事处救护总队长牛惠生率领队员20余人前往救治，轻伤者在南翔车站医治，重伤者运往吴淞海军医院。据报道，从9月7日至10月14日，总会医院共救治嘉定黄渡、嘉定（城厢）、南翔、马陆等地伤兵1200余人⑤。

掩埋方面，9月11日，张卜雄等乘专车赴黄渡督率队员，掩埋死亡兵士。另外还派徐乙藜医生、庶务员王锦城等人赴嘉定掩埋，历经数日，12月9日才返沪。救援队共计掩埋嘉定遗尸18具、黄渡7具、外冈2具、马陆9具，"皆用石灰覆盖深葬，有查考者均用标杆插记"⑥。

① 《娄塘镇红会救护难民来沪》，池子华等主编：《〈申报〉上的红十字》第3卷，安徽人民出版社2011年版，第34页。

② 《娄塘红会救护重伤难民到沪》，池子华等主编：《〈申报〉上的红十字》第3卷，安徽人民出版社2011年版，第57页。

③ 《娄塘红十字分会之成绩》，池子华等主编：《〈申报〉上的红十字》第3卷，安徽人民出版社2011年版，第108页。

④ 《掩埋队赴南翔》，《民国日报》1924年9月15日。

⑤ 根据《救护伤兵与难民》（《申报》9月8、9日）、《慈善家之救济兵民》（《申报》9月10日）、《慈善加之救济兵民》（《申报》1924年9月10日）、《红十字会昨讯》（《申报》1924年10月14日）、《红会昨日无锡兵到》（《申报》10月16日）等资料统计。

⑥ 《红会派员赴黄渡掩埋放赈之报告》，池子华等主编：《〈申报〉上的红十字》第3卷，安徽人民出版社2011年版，第114页。

沪城分会，9 月 23 日在南翔黄渡一带救出伤兵 21 名，"皆形容憔悴，或伤手臂，或伤双足"①，都送往上海新普育堂及公立医院医治。

嘉定战场之外，遭受池鱼之殃的上海周边各地，依托分会，展开积极救援。

在宝山，宝山分会成立后，便将城中贫苦妇孺一百七八十人先行运沪收容。大场分会成立后设立疗养院及妇孺暂留所，并向沪太汽车公司包定汽车两辆，逐日开往战地营救。分会张初吉医生率队员屡入战线，自 9 月 6 日起，先后救出受伤士兵 40 余人，由疗养院临时安置后转送总会医院治疗。大场分会张行五、邢宾仪等救护队员在浏河、罗店、大场、嘉定等处，先后救出难民达四五千人。

在松江，因该地"南濒大海，北连苏宁，东通沪凇，西接浙江，又是沪杭铁路的重要车站"②，因而两军争战激烈，损失惨重。松江战事发生后，总办事处立刻派员救护，10 月 12 日，总会派救护队队长李景畴率领医士、救护员、夫役等 20 余人，出发松江救护。22 日，总会救出松江众来庙难民数百人。

松江各分会和闵行分会、沪城分会积极协助。松江分会成立后，在保婴阁小学成立红十字会收容所，收容受伤难民 300 余人，并雇船护送至上海红会医院诊治③。

松江泗泾分会，9 月 24 日成立后，雇定民船 14 艘，专为青浦、松江一带及本镇避难人民之用。分会成立第六天，昆山有难民 59 人到泗，红会除一一收容外，还将伤病者送入临时医院医治。

松江莘庄分会，10 月 8 日成立后，在颛桥和祖师堂分设办事处。13 日，该会在松江附近马桥、沙江一带收容难民千余人。14 日，雇民船 3 艘输送当地难民抵沪避险④。

10 月 6 日，闵行分会乔念椿会长派员乘闵馨、闵南小轮 2 艘及民船

① 《沪城红会救护伤兵》，池子华等主编：《〈申报〉上的红十字》第 3 卷，安徽人民出版社 2011 年版，第 63 页。
② 朱曜辉：《松江红十字会工作回忆》，松江县政协文史组编：《松江文史》第 9 辑，第 53 页。
③ 朱曜辉：《松江红十字会工作回忆》，松江县政协文史组编：《松江文史》第 9 辑，第 53 页。
④ 《红十字会消息》，池子华等主编：《〈申报〉上的红十字》第 3 卷，安徽人民出版社 2011 年版，第 92 页。

4只，分往松江、叶榭救济难民①。12日上午，松江前线开火，闵行分会雇民船两只前往救护。10日，红会所拨小轮在松江等地载运难民数百人运沪避难。11日，上海县马桥、沙江开火后，男女难民，充塞于途，闵行分会前往收容，数达千余。宝山大场分会也曾派员乘火车往松江一带救护。

在青浦，城厢附近妇女老幼不及逃出者约有2500余名，均避入青浦分会。青浦分会初设收容所3处（县立第一小学校、县立初级师范学校、明伦堂），计收容妇孺2372人，后又在佘山教堂设收容所收容300余人，另送往上海至圣善院收容382人，送吴县分会收容99人。另外，青浦分会还附设伤兵疗养院，治愈伤兵和流弹所伤之难民134人。疗养院每日诊治内外科，日有八九十号，"以痢疾疟疾为多"②。

沪城分会的救护成绩在各分会中特别突出，救护队不畏艰险，前往松江、嘉定、太仓等前线救护，分会医院也恪尽天职，竭力救伤。9月6日，沪城分会在南市陆家浜施粥厂，设难民收容所，由慈善团凌伯华担任。下午1时，沪城分会特派滕劲等职员会同德国医生史国藩、吴天民赴松江救护③。12日晨，沪城分会派员乘长途汽车驶赴浏河等地，广收被灾男女老幼，有亲友者准其自由投奔，其他分送大南门外施粥厂、城内肇嘉路药业公所等处安置。13日，沪城分会在松江等地救出伤兵13名，送入上海新普育堂临时医院医治。15日午后1时，沪城分会用汽车装载受伤兵士3名，由乔家浜送往上海公立医院医治。23日，沪城分会在南翔、黄渡一带救出伤兵21名，"皆形容憔悴，或伤手臂，或伤双足"④，送往上海医院和新普育堂医治。因松江战事剧烈，10月9日，沪城分会殷受田副会长特率救护队前往救护，在闵行救得难民5人，小孩1人，交煤炭公所留养院留养。

（二）医院救伤

在战地救护中，为治疗伤兵伤民，战地各分会往往设立红十字临时

---

① 《红十字会之救护》，池子华等主编：《〈申报〉上的红十字》第3卷，安徽人民出版社2011年版，第81页。

② 《青浦红十字分会之成绩》，池子华等主编：《〈申报〉上的红十字》第3卷，安徽人民出版社2011年版，第110页。

③ 《沪城红会分会救护队昨日赴松》，池子华等主编：《〈申报〉上的红十字》第3卷，安徽人民出版社2011年版，第32页。

④ 《沪城红会救护伤兵》，池子华等主编：《〈申报〉上的红十字》第3卷，安徽人民出版社2011年版，第63页。

医院。这些医院实际上也起到了临时救急的作用，但在重伤治疗方面，临时医院在设备、医药等方面存在明显不足，总会总办事处及时组设了13家红十字医院，保证了救伤工作的有效进行。总会各战地救护员和各地分会所救伤兵，除伤势较轻者就近医治外，其他伤兵大都送至总会医院医治。

两军征战，伤亡在所难免，总办事处预做准备，将总医院、天津路时疫医院等作为医治伤兵之所。战争爆发后，医院救治行动紧张有序地进行。9月3日下午，总办事处接上海沪军使来电，"嘱开救护专车，往南翔载运伤兵"①。救护队当即前往。4日，红会救回浏河伤兵13人，牛惠生医生将轻伤者留时疫医院，至于伤重者，"须用爱克司光照取枪弹"②，便转送至总医院医治。总医院"将三等病房一律改作伤兵之用"③。5日下午，天津路时疫医院已收有伤兵30余人。"伤兵由汽车运到时，先由医生在车内检验，凡有一线之希望者，均搭入医院救治"④。

6日，总医院已有重伤士兵60人左右，即将住满，而伤兵陆续运来，该院紧急施工，搭盖大席篷，铺设地板作为临时病房，预计可住200人。是日，时疫医院已有伤兵70余人。总办事处还在西藏路时济医院医治伤兵，至6日，已有70人左右，而医院总伤兵数已达200余人，这些伤兵以浙军为主，苏军只有1人。

伤兵与日俱增，三医院难以容纳，总办事处乃连日增设临时医院近10处。9月5日，总办事处借宝山路商务书馆俱乐部，开办临时救治诊所。7日，所救浏河、黄渡伤兵300余人，医院无法满足需要，牛惠生医生又与南洋医院、斜桥医院接洽设立临时救护处。8日，上海各医院之伤兵已达600余人，总办事处遂借南市上海公立医院、新普育堂共同医治。总办事处还与同仁医院妥商，设红十字会第七医院，鉴于第二医院医生日夜手术，异常辛苦，乃与第七医院商定，"凡遇重伤者，则在

① 《红会之驰救伤兵》，池子华等主编：《〈申报〉上的红十字》第3卷，安徽人民出版社2011年版，第24页。

② 《红会医治伤兵之昨讯》，池子华等主编：《〈申报〉上的红十字》第3卷，安徽人民出版社2011年版，第26页。

③ 《红会医治伤兵之昨讯》，池子华等主编：《〈申报〉上的红十字》第3卷，安徽人民出版社2011年版，第26页。

④ 《红十字会医院之救护忙》，池子华等主编：《〈申报〉上的红十字》第3卷，安徽人民出版社2011年版，第28页。

第二、第七两院间日轮流开刀"①。

10日，总办事处以小南门南洋医院为第八伤兵救护院；15日，又借北市医院为第九临时养伤所，该院主治前线患病士兵，设立当日即留治22人。17日，再添两处临时医院，一为南市护军营亚东医院，一为法租界金神父路广慈医院。20日上午，庄得之、王培元向粤商医院院长周清泉等商借该院为红会第十一临时医院，并由该院医生孔锡鹏、许华凤进行医治。又经总办事处争取，宝隆医院也成为红十字会医院。至此，总会前后所设医院已达13家之多。这些医院各有所长，各尽其职，积极救治伤兵，取得显著的成效。据统计，9月10日，红会医院伤兵数已达444人，11日有伤兵565人，14日为570人，16日则为605人。据《申报》报道，从9月10日到10月12日，总会医院每日所救伤兵最多达920人，最少也有444人，尤其是进入10月，战事愈加激烈，各医院无不人满为患②。

红十字会并不局限于救治本院伤兵，还积极与其他机关接洽，尽最大可能发挥救伤作用。比如，红十字会就治疗管理问题与军方接洽，希望军署"派人常驻调查，以资襄赞"③。还协助吴淞总军医院治疗伤兵，连日"各处送吴淞伤兵颇多、房屋不敷安插"④，7日上午，军医院将送来之伤兵，"悉数退回上海红十字总会医治"⑤。8日，吴淞军医院特开专车一列，将重伤兵士10余名，送往总会医院治疗。红会还指导其他慈善组织办理救护，如时济医院便担任中国济生会难民暂留所卫生事宜，医生乐文照每日前往济生会所设英租界之第三、四、五、七及灵学会等五暂留所视察，"遇有传染病或重症，即分别送各医院医治"⑥。

松江战事紧急之时，红会第五医院新普育堂之松江分院也成为红十

---

① 《红会组织第七伤兵救护院》，池子华等主编：《〈申报〉上的红十字》第3卷，安徽人民出版社2011年版，第35页。

② 参见《救济兵民消息》（《申报》1924年10月1日）、《救济伤兵与收容难民》（《申报》1924年10月2日）、《各慈善团之救济讯》（《申报》10月3日）、《红十字会消息》（《申报》10月4、9、12日）、《红十字会昨讯》（《申报》10月8、11、13日）等。此数据系笔者根据1924年10月1日至10月13日《申报》有关江浙战争中总会主要医院救护情况报道统计得出。

③ 《红会救护伤兵之忙碌》，池子华等主编：《〈申报〉上的红十字》第3卷，安徽人民出版社2011年版，第34页。

④ 《吴淞军医院之消息》，《申报》1924年9月8日。

⑤ 《吴淞军医院之消息》，《申报》1924年9月8日。

⑥ 《红会担任各难民所卫生事宜》，池子华等主编：《〈申报〉上的红十字》第3卷，安徽人民出版社2011年版，第80页。

字会临时医院，陆伯鸿教士为主任，周学文任总干事，俞橘芳为医务主任，张绅汝等为董事。分院成立后，新普育堂即派医生、看护、夫役等多人前往疗治伤兵，并救济松江一带难民，大有应接不暇之势，该院前后疗养战地伤兵达 2000 余人。

沪城分会的医院救伤，亦功不可没。9 月 29 日，沪城分会在肇嘉路太平街喻义堂药业公所，设立了临时医院，至 30 日下午已救治黄渡、浏河等地伤兵六七十名。因伤兵较多，沪城分会又借新舞台设伤兵第二留医所，将轻伤者转送疗伤。10 月 9 日，太平街临时医院收到伤兵 27 人，10 日前后，已有伤兵 200 余人。沪城分会乃设立第三疗养所。11日，沪城分会医院收治松江明星桥、新桥、莘庄及嘉定伤兵 16 人。15日，又收治伤兵 3 名，火夫 1 名。战争期间，沪城分会医院共有伤兵300 余名，该会无不根据伤情设法救治，救伤期间，医院负责人张近枢还请德国医学堂教授彼得希米德带学生协助医治。

（三）资遣与赈济

10 月 12 日，第一次江浙战争结束，但救援并未停止，难民资遣与赈济等事宜随之提上了日程。

资遣工作是善后救援的一个重要方面。10 月中下旬，嘉定分会在沪募集经费，将难民安置回乡，"对断炊缺衣者发给粮食、衣着，对房屋被毁无家可归者资助重建，对贫苦农民发放春耕资金"①。娄塘分会也积极遣送运沪难民回籍，25 日，备民船 8 艘，遣送 800 人，待原船返沪后陆续遣送。沪城分会将临时医院留养之伤兵资遣回籍，购得船票，"分别路程远近，酌给川资"②，至 11 月 4 日，已遣送伤兵数十名。12 月 17日，沪城分会资遣伤兵 31 人，18 日又遣送 25 人。松江第五疗养所，11月 5 日结束，"其一般妇孺以及流落松地之男子，亦一律资遣回里"③。

战后赈济，刻不容缓。10 月 12 日，宝山分会召开大会，与会者有邑绅袁观澜，会长袁叔畲、张乾三、董载生及驻会理事长陈六奇等 10

---

① 杨于白主编：《嘉定县志》，上海人民出版社 1992 年版，第 923 页。
② 《沪城红会医院消息》，池子华等主编：《〈申报〉上的红十字》第 3 卷，安徽人民出版社 2011 年版，第 106 页。
③ 《红会第五疗养所定期结束》，池子华等主编：《〈申报〉上的红十字》第 3 卷，安徽人民出版社 2011 年版，第 106 页。

余人。大会就募捐、赈济等问题进行磋商①。11 月，宝山城中各米铺存米告罄，宝山分会董载生、陈六奇等商借公款洋 500 元，赴沪采办籼米，在办事处设立平粜局，每日上午 8～11 时平价出售，"由各米伙轮流服务，以维民食"②。

安亭"居民房屋尽遭毁损，衣食均无着落"③，吴江震泽分会特赶做大小棉衣 100 套，由庶务长周述先等交安亭分会代为分送。

总办事处不仅积极协调战地救护，而且善后资遣、赈济，尽心尽力。期间，特派徐乙藜医生率队赶赴嘉定放赈，针对各慈善机关尚未赈济之贫苦者，发给"衣米、现洋、面粉、锅只等物"④，病者为其诊治给药，"悉经各绅董派员协同地保指引调查"⑤，监督分发。

难民衣食紧张，生活窘困，美国红十字会⑥特向各处呼吁，筹集衣被褥 9300 余件，白米 95 石，山芋 100 石，悉数分发难民。如 11 月初，美红会派员数人赴安亭之北望仙桥镇察看灾情，挨户调查难民人数，并详载表册，"一俟调查竣事，即赴昆报告"⑦，并购备急需品，实行赈济。

"卢何下野，沪局一变"⑧，而难民依然流离于途，总会总办事处职责攸关，特在南市设收容所 10 处，以便收容。为统筹进行，提高效率，总办事处明确规定了救护车路线，由南市至法租界者，一为高昌庙杀牛公司敏体尼荫路，二为南市十六铺；北市至英租界者，一为北河南路界路，二为克能海路界路，三为北四川路靶子路。收容、资遣，并然有序。

总之，江浙战争中，总会总办事处统筹安排，上海各地分会积极配合，圆满完成救护任务。

① 《宝山红十字分会开会》，池子华等主编：《〈申报〉上的红十字》第 3 卷，安徽人民出版社 2011 年版，第 90 页。

② 《宝山红会附设平米局》，池子华等主编：《〈申报〉上的红十字》第 3 卷，安徽人民出版社 2011 年版，第 105 页。

③ 《红会运送棉花》，《民国日报》1924 年 11 月 24 日。

④ 《红会派员赴黄渡掩埋放赈之报告》，池子华等主编：《〈申报〉上的红十字》第 3 卷，安徽人民出版社 2011 年版，第 114 页。

⑤ 《红会派员赴黄渡掩埋放赈之报告》，池子华等主编：《〈申报〉上的红十字》第 3 卷，安徽人民出版社 2011 年版，第 114 页。

⑥ "美国红十字会"系江苏教会同仁为战争救护所设。齐卢之战，江苏破坏相当严重，省长韩国钧特邀南京各教会及青年会中西领袖磋商救济事宜。1924 年 9 月 10 日，教会同仁正式成立美国红十字会，后遵章更名为"中国红十字会难民救济会"。

⑦ 《昆山红会调查望仙桥灾情》，池子华等主编：《〈申报〉上的红十字》第 3 卷，安徽人民出版社 2011 年版，第 105 页。

⑧ 《红会规定救护车路线》，《民国日报》1924 年 10 月 15 日。

三、江浙战争救护成功的原因

江浙战争期间，上海地区红会组织遍地开花。这些分会都积极投入战争救护，在总会统筹下，前后救治受伤兵士、难民数千人，救护难民近 10 万人出险，掩埋尸体数百具①，取得了战事救护的圆满成功，得到社会各界的肯定，如时论所云："各地士绅组织红会，办理战地救济救护事宜，热心救险，殊甚嘉尚。"② 为褒奖红会办事人员，总会总办事处特定制一种饭碗，上刊"江浙战争救护纪念"八字。

救护成功的原因，当然很多，其中有三点尤其值得注意。

其一，救护准备充分，配合有力。

江浙战争是江浙地方军阀矛盾日益激化的结果。当江浙战争不可避免之时，总会总办事处积极展开行动：一方面组织多支救护队，组织相关人员，置备器具，设立联络队，分赴各战区进行救援；另一方面与各战地联系，组设地方红会，给他们提供救护经费和经验的支持。在总会的统筹安排下，各地分会纷纷兴起。这些分会为救援的新生力量，他们的加盟在壮大红十字会救援力量的同时也便利了红会与地方的联系，有利于救护工作的顺利开展。事实证明，分会的普遍设立为战地救援的成功奠定了组织基础。

人事配备和经费筹集是组织正常运作的两大关键。总会经历了 20 年的发展，人事配备齐全，协调能力大大增强。沪城分会、吴淞分会也都是上海地区的"老牌"分会，组织较为完善，在自身发挥强大能量的同时，也为新设分会提供了"样本"。

在经费方面，主要来自捐款、会费和政府补助。为了缓解经费压力，红十字会十分注重报刊媒体的劝募作用，类似《中国红十字会总办事处乞募江浙兵灾急振启事》（9 月 7 日）、《中国红十字会总办事处劝募兵灾捐款启事》（9 月 21 日、10 月 5 日）等在《申报》等报刊上屡见不鲜。通过此种方式，呼吁社会各界奉献爱心，得到广泛响应。捐款源源不断，为红十字会的救护工作提供了重要物质保证。

会员交纳的会费也是红会经费的一个重要来源。根据《中国红十字

---

① 当然这只是笔者通过查阅相关资料得出的不完全统计，或有缺漏，实际救护绩效当更为突出。

② 《韩省长颁赠红会匾额》，《锡报》1924 年 12 月 17 日。

会章程》规定：凡独捐洋 1000 元以上，或募捐洋 5000 元以上，可以举为名誉会员；凡纳捐洋 200 元以上，或募捐洋 1000 元以上，可举为特别会员；凡纳年捐 5 元满 6 年者，或一次纳捐 25 元者，可照章认为正会员[①]。1922 年第二次会员大会的修正章程增补"普通会员，一次纳捐十元以上者"，"学生会员，纳捐一元者"[②]。总体上，会费与会员数目成正比，会员数目越多，所交会费也越多。此外，政府还对红十字会救济进行补助，如江苏省长韩国钧多次拨款赈济难民。

总会在人员和经费上的制度安排也便利了其对各地分会的指导。在实地救护过程中，总会派往各地的救护队和各地分会紧密联系，并对战地救援工作进行指导，在经费上也给予支持，如总会曾允许红会留取半数会费归当地分会支配。

地方分会大都由地方士绅组成，战争中的地方士绅或许存在为求自保而加入红会的自我考虑，但他们同时亦是一方精英，不怕艰难，不顾危险，以旅沪同乡会为依托，捐资输财，在红十字精神的感召下，竭力为救护事业奔走呼号。总会与地方分会、分会与分会之间不分畛域，密切配合，尽最大可能实现了绩效的优化。在嘉定、昆山等地，处处可见相互配合、协同救护的感人画面，为江浙战争救护的成功提供了有力的保障。

其二，社会各界的鼎力支持。

战争是一种严重的人道危机。战争给人们带来的各种伤害激发了国人慈善之心，社会各界积极响应总会号召，施以援手。通过检索《申报》可以发现，许多善士慷慨捐款，红十字会也对这些善士的慈善行为，在授予相应级别会员称号的同时，并登报鸣谢，诸如《中国红十字会敬谢哈少甫大善士寿筵助赈 200 元》（1924 年 9 月 7 日）、《中国红十字会敬谢诸大善士捐助灾赈台衔列后》（9 月 26 日）、《中国红十字会敬谢卫授经君》（9 月 26 日）、《中国红十字会总医院敬谢诸大善士捐助江浙兵灾台衔列后》（10 月 5 日）、《中国红十字会沪城分会救护伤兵临时医院敬谢各大善士台衔列后》（10 月 8 日）、《中国红十字会总医院敬谢诸大善士捐助江浙兵灾台衔列后》（10 月 12 日）、《中国红十字会沪城分会救护伤兵临时医院第二次敬谢各大善士台衔列后》（10 月 20 日）、

红十字运动：历史传承与当代发展

202

[①] 中国红十字会总会编：《中国红十字会历史资料选编，1904—1949》，南京大学出版社 1993 年版，第 224 页。

[②] 中国红十字会总会编：《中国红十字会历史资料选编，1904—1949》，南京大学出版社 1993 年版，第 230 页。

《中国红十字会敬谢陆少嵩率子孙等大善士筵资捐助灾振洋二百元》（10月20日）、《中国红十字会沪城分会救护伤兵临时医院第三次敬谢各大善士台衔列后》（10月25日）、《中国红十字会敬谢恒丰面粉厂捐助洋一千元》（10月26日），不胜枚举①。

其三，其他慈善组织的配合。

社会各界对红会的支援还表现在其他组织与团体对江浙战争的救援上，它们的救援缓解了战争带给红会的压力，有利于其救护目标的圆满实现。江浙战争期间，先后投入救护的社会组织不少，江苏基督教士组织美国红十字会协助救护，类似红十字会的还有白十字会②、蓝十字会、黄十字会，此外基督教会、联益善会、旅沪同乡会、保卫团等许多组织也投入到救护中。传统慈善组织、国外慈善力量的加入大大减轻了红会的救援压力，使红十字会可以更多地集中力量致力于营救伤兵难民、掩埋尸骸和善后救援等工作。在浏河、昆山等许多战场，基督教士、旅沪同乡、联益善会都为救护做了许多工作，为救护成功贡献了重要力量。

比如说，白十字会在战争期间着重于难民的救济，大大缓解了红十字会难民救济的压力。战争中，白十字会派出多支救济队活跃在南翔、松江等地。如在南翔，9月11日上午，白十字会特派队员夏小谷、葛雄夫等数人在四马路外滩，乘金和小轮，另挂拖船3艘出发，将难民运载来沪，"俾免流落"③。17日晚，白十字救济队派朱醒亚等赴南翔救济。20日夜，南翔难民颇众，会员朱醒亚、姚书绅、张贻孙、陈子范等不顾危险，随带汽油船一只，民船数只，由上海苏州河出发，向南翔、马陆、石冈门一带救护难民，救获156人。所救难民除投奔亲友外，其余百数十人，均安插于各暂留所。10月11日晨，队员朱醒亚、李云门等又雇船两只出发南翔。10月3日，队员郑廷甫、潘子卿等乘帆船，向松江出发。13日，队员姚书绅等3人，至松江泗泾、七宝等处营救难民300余人，收容于第十所；9月20日前后，队员夏小谷，在战浜桥、西柿梢等处，救出难民130余人；10月11日，队员郑廷甫等还雇船两只出发上海南桥救护。

白十字会还在永锡堂、怡和货栈、振华堂、大王庙、静安寺等10处设立收容所。各收容所每日忙不停息，妥善安置收容来所的难民。遍

203

---

① 注：这些感谢均来源于《申报》，详细日期文中括号已注明。

② 根据《民国日报》《申报》等媒体报道，"中国白十字会"也称中国济生会白十字救济队。笔者认为，"白十字"是中国济生会参照红十字会，为救护之便而采用的旗号。

③ 《济生会》，《民国日报》1924年9月12日。

布上海的白十字会收容所，不仅收容各支救济队所救难民，还收纳附近各地前来投奔的难民。战争期间，收容所的救济工作几乎从未停息。

白十字会还积极协同红十字会进行救护。如9月8日，白十字会协助嘉定分会救济难民，不但设法放船前往，还将嘉定分会送到之难民200余人，接纳在该会暂留所留养。15日前后，娄塘分会载来难民200余人，专函恳求济生会收容，济生会白十字队特将之运往大王庙第四暂留所安置。

白十字会的支持有效缓解了红十字会的压力，为红十字会江浙战争救援提供了有力支援。无怪乎时人对白十字会高度评价，云："此番所组织之白十字会，厥功甚伟，既从战地施救，又将妇孺收养，不使有流离失所之苦，其热诚宏愿，良堪钦佩。"①

四、江浙战争救护与红十字事业发展

江浙战争救护对红十字会自身发展的影响是多方面的，既有对总会在上海生存与发展的影响，也对上海地区红十字运动的高涨以及可持续发展，具有重要作用。

从总会方面说，江浙战争发生在中国红十字会成立20周年之际。经历了20年的风雨历程，中国红十字会的救援行动发生了深刻的变化，而此次江浙战争救援，使人道行动更加成熟，这主要体现在：

首先，注重救护筹备。一方面统筹全局，组设救护队、收容所，置办药品，并积极办理会员入会事宜，还预备上海海格路总医院、天津路时疫医院、西藏路时济医院等负责救伤，并且多次登报为救护募集资金；另一方面，总办事处与地方军政长官接洽，请求为地方救援提供便利。所有这些方面，都充分表明总会对救护筹备工作的重视，也为此后的战事救护积累了经验。

其次，注重拓展分会。江浙战争期间，整个长三角地区都受到了战争威胁，仅靠总会则势单力薄，总会总办事处便按照红十字会的发展模式，吸取在"二次革命""护国战争"等救护中的经验，与各地联系设立分会，并得到了地方士绅的积极支持。正因为如此，分会很快在江浙战区发展起来，仅上海地区就有近20处。这些分会中有县级，也有乡镇级，基本覆盖了所有战区。总办事处及时给予分会旗帜、徽章，在救

---

① 《福建路商联会致济生会函》，《民国日报》1924年9月13日。

护药品、交通工具以及经费上给予支持，制定章程对妇孺收容所的设立进行规范，并派出多支救护队分往各地协同救护。这也反映出总会救护水平发展到一个新的阶段。

再次，注重社会动员。战争救援需要全社会的参与，尽最大可能整合社会资源是救护成功的一大关键。总会充分认识到这一问题的重要性，在战争期间利用媒体，多次进行社会动员，及时公告各地灾情，发动社会各界捐款捐物或直接参与到救护中来。显然，前述众多的慈善捐助和各种组织团体的广泛参与都离不开中国红十字会的社会动员。这也表明，红十字会逐步走向成熟。

对上海地区红十字运动发展而言，江浙战争救护行动，使上海地区红十字运动空前高涨，出现了前所未有的新局面，为上海红十字事业的可持续发展，奠定了基础。

首先，从分会数量看，江浙战争以前，上海地区只有沪城分会、吴淞分会；而到了江浙战争期间，嘉定分会、青浦分会、宝山分会、闵行分会、南汇分会、黄渡分会、金山分会等县级分会和娄塘分会、南翔分会、大场分会、泗泾分会、鲁家汇镇分会、莘庄分会、胡家镇分会、胡家桥分会、三林塘分会等乡镇级分会也如雨后春笋般涌现。这些分会，既是战争救护的依靠力量，也是上海地区红十字事业发展的"资本"。

其次，救护积极性有了明显的提高。自红十字会登陆中国以来，已进行了不少救援活动，如战争救护、水灾和火灾救助、时疫防治等等。这些救护活动，加强了人们对救护的认识，也提高了人们对救护的警惕。沪城分会就是典型的例子，在江浙问题日益紧张之时，沪城分会未雨绸缪，进行救护准备。《申报》报道说，1924年8月30日，"沪城红十字分会，亦以江浙军事，召集救护队员，在分会讨论一切，筹备药品，整装待发。并与红十字总会议定，担任自沪江至嘉兴一路救护事宜。昨日已派员前赴松江、枫泾一带，察看医院及驻扎地点，一俟报告，即当出发"[1]，应急响应迅速。战争爆发后，立即派出救护队、掩埋队，开赴前线，并设立临时医院、疗养所、收容所，收治伤兵难民，及时而高效，反映出沪城分会战事救护的能动性。

再次，从救护水平看，江浙战争十分惨烈，造成了严重损失，这也要求红十字会能够提供全方位、高水平的救援，沪城分会做到了这一

---

① 《沪城红会分会即将出发》，池子华等主编：《〈申报〉上的红十字》第3卷，安徽人民出版社2011年版，第20页。

点。沪城分会与中国红十字会总会总办事处同城，其发展受到总会的积极影响，救护经验较为丰富，江浙战争中，沪城分会就体现出较高的救护水平。战前，沪城分会以伤病急救科毕业生为主体，设立了两支救护队，派往上海南车站、松江布置，还商定上海公立医院为临时总医院，并查勘地点，设立收容所。实地救护中，沪城分会救护队前赴松江、太仓、嘉定等战场，救护许多伤兵和难民脱险，如9月13日，救出松江等地伤兵13名，23日救出嘉定伤兵21名，10月9日救出难民6人。沪城分会还在太平街喻义堂药业公所、新舞台等地设立临时医院，救治伤兵数百名。该会还派掩埋队前往徐家汇、漕河泾等地，掩埋尸骸40余具。其他如嘉定分会、娄塘分会等都在救护伤兵、救济难民、掩埋尸骸等方面做出了重要贡献。显然上海地区红十字会救护的水平有了很大提高。

又次，从救护主体看，红十字会救护成绩的取得离不开红会领袖人物的作用。江浙战争主要战场在长三角地区，因此，以上海为中心组建了许多红会组织，取得了令人瞩目的成绩，在救护过程中，也涌现出了一些杰出的红会组织，如沪城分会、嘉定分会等。这些红会组织之所以能积极有效地进行救护与红会本身领导人有莫大关联。如沪城分会的夏应堂会长、殷受田副会长，是战事救护的强有力的组织者，安排井井有条，一丝不苟，且自始至终，亲力亲为。《申报》报道这样一则消息："沪城红十字会夏、殷二会长，以沪埠战事，虽已停止，而沪杭路线各地，运来伤兵难民尚应接不暇，昨日仍派各队员在南火车站守候，以便接运伤兵难民。惟该会临时医院，连日所收伤兵，共有三百余名。九亩地第二疗养院所留伤兵五百余名，满坑满谷，几无隙地。夏、殷二会长，昨日检点二处伤兵，有逾额者数十名，均系无伤，系苏军缴械后放出，该兵无处容身，托名寻友，于忙乱时混入。虽无枪械，但无管束之人，恐防滋事，经该会具函报明淞沪警察厅后，于昨日下午，将无伤之逾额散兵，一并点出，令将军衣脱去，每名给以元色新棉袄棉裤一套，并每名给大洋半元，派员押送令其自往城外旅馆居住，另谋一小营生，安分度日，不得违法强抢，自罹法网。各兵均称谢再三，作揖而去。"① 如此恪尽职守，人道关怀，令人感动。再如嘉定分会原推举项如松为会长，朱吟江为副会长，顾吉生为理事长，后因该三人有其他事务缠身，由戴思恭代理会长职务，负责会中一切事务。戴思恭上任后，便组织职员投身救护，筹办面包、药品等，并组织救护队、掩埋队，设立临时防

---

① 《红会昨日之救护讯》，《申报》1925年1月15日。

疫医院，还发动居民清除街道、河流脏物。据统计，在戴思恭的指导下，该会先后救获难民万余人，掩埋尸骸百余人。连日炮弹袭击，嘉定损失惨重，戴思恭还想方设法联络昆山红会，请求代陈昆山军方减少火力，"为嘉邑稍留元气"①。没有这些杰出的红会领导人的积极作用，救护工作不可能顺利进行。

总之，历经江浙战争血与火的洗礼，上海红十字运动出现了前所未有的新气象，分会组织的大量涌现，在保证了救护使命完成的同时，也为上海红十字事业可持续发展积累了"正能量"。毫无疑问，江浙战争救护，是上海红十字运动一个新的转折点，开创了上海红十字事业发展的新局面。

（2017 年"第十一届江南社会史论坛"交流论文。与曹金国合作）

---

① 《嘉定红会至昆山红会函》，池子华等主编：《〈申报〉上的红十字》第 3 卷，安徽人民出版社 2011 年版，第 78 页。

中国红十字会史上的"监事会"

　　2017 年 5 月 8 日即将施行的《中华人民共和国红十字会法》有一大亮点，即"监事会"的设置，形成理事会决策、执委会执行、监事会监督三位一体的运行机制。同时，"监事会"的设置，也完善了红十字会监督体系。毫无疑问，增设"监事会"是红十字会在治理结构上做出的重大改革。

　　其实，早在 1934 年，中国红十字会就有了"监事会"的设置。那么当初为什么设立"监事会"？"监事会"监事如何选举？"监事会"如何运行？回望历史，或对今天的改革有所借鉴。

产生：行政管控下诞生的最高监察机构

　　晚清时期，中国红十字会实行董事会制。民国建立后，1912 年 9 月 29 日首届会员大会决定采用常议会制。10 月 6 日，常议会成立，34 位常议员履职，意味着中国红十字会会内运作机制由此前的董事会制向常议会制转变。作为权力机构，常议会在会长副会长选举、顶层设计、会务管理、财务监督等方面，都发挥着举足轻重的作用。1927 年南京国民政府建立后，破旧立新，意图通过整顿来加强对红十字会的管理，屡次督促红十字会修正章程，整顿组织。1930 年 4 月和 8 月，中国红十字会分别召开会员大会和临时会员大会，修正《中国红十字会章程》及《选举法》《分会通则》《执行委员会细则》。10 月，中国红十字会将上述文件呈请政府核准备案。但政府拟"特定条例，以资管理"。1932 年 11 月国民政府立法院通过《中华民国红十字会管理条例》，规定"置理事、监事各若干人"。1933 年 6 月，又公布《〈中华民国红十字会管理条例〉施行细则》。据此，1934 年 9 月，中国红十字会召开会员大会，决定取消常议会，以理事会、监事会取而代之，正式确立了"监事会"的制度安排。10 月 1 日，第一届理事会及监事会联席会议（一般简称理监事会联席会议）召开，提出"理事会及监事会办事规则，亟待拟订，请先决定原则，以便起草"。1935 年 2 月，内政部批准试行《中国红十字会总会理事会及监事会组织规程》《中国红十字会总会理事会及监事会办事细则》，以 6 个月为期，再行呈请备案。

1937 年卢沟桥事变后，随着战事扩大及战地救护工作的日益繁重，迁至香港的总办事处与落户重庆的总会之间联络受阻，理监事会联席会议无法正常召开，会务业务均受到一定程度的影响。战后，1945 年 12 月 8 日，行政院公布《复员期间管理中华民国红十字会办法》，规定"总会置会长一人、副会长二人、理事十五人至二十一人，组织理事会，并就理事中指定七人为常务理事，均由行政院聘任之。"没有提及监事会。遵照该办法，1946 年 1 月，中国红十字会遂以理事会为最高权力机构，正式取消监事会；2 月，颁布《中华民国红十字会分会组织规程》，分会监事会取消。

人事：会员民主选举屡受军政当局干预

对于监事人员的产生及构成，相关立法曾有分歧：1934 年会员大会筹备过程中，发现前订《中华民国红十字会管理条例》第 4 条规定"本会置理事、监事各若干人，由全国会员大会就会员代表中选举之"，与其施行细则所规定理事、监事"由全国会员代表大会就会员中选举之"内容不同，从会员中选举与从会员代表中选举，不是一回事。对此，立法院做出解释，"中华民国红十字会理事监事人选允宜广征通才，姑将原条例酌予修改"，消除歧义。1934 年 12 月 23 日，国民政府公布施行新修订的《中华民国红十字会管理条例》，规定"置理事、监事各若干人，由全国会员大会就会员中选举之"。

当然，法律条令就监事人选的分歧并未影响 1934 年 9 月红会直辖内政部后第一次会员大会理事、监事的选举工作。经大会选举，林康侯、王培元、王晓籁、虞洽卿、关絅之、闻兰亭、杜月笙、王一亭、王正廷、朱子桥、颜惠庆、许世英、史量才、王振川、刘鸿生等 15 人为理事；黄涵之、姚虞琴、顾竹轩、李应南、张仙台、钱新之、朱吟江等 7 人为候补理事；劳敬修、汪伯奇、黄涵之、沈联芳、叶恭绰、钱新之、穆藕初、姚慕莲、狄楚青、陆伯鸿、袁履登、宋汉章、赵晋卿、徐新六、胡孟嘉等 15 人为监事；顾馨一、陈光甫、王清泉、王奎璧、屈文六、黄炎培、张蕴山等 7 人为候补监事。1934 年 10 月 1 日，中国红十字会第一届理监事会举行联席会议，除公推蒋介石为名誉会长，内政部部长黄绍竑、上海市市长吴铁城为名誉副会长（10月11日第二次理监事会联席会议添聘颜惠庆、虞洽卿为名誉副会长），王正廷为正会长，史量才、刘鸿生为副会长之外，推举王一亭、闻兰亭、林康侯、杜月笙、王晓籁为常务理事，黄涵之、钱新之、陆伯鸿为常务监事。

1936年7月修订公布的《〈中华民国红十字会管理条例〉施行细则》对理事、监事的人事安排做出调整，规定中国红十字会设理事、监事各15至29人，分别组织理事会、监事会，理事及监事任期均为3年，可以连选连任。理事互选常务理事5人处理日常事务，监事互选常务监事3人处理日常事务。于必要时，理事、监事可由国民政府遴选人员聘任，但不超过全体理事、监事人数的1/3。遇战事及其他突发事件时，理事及监事任期虽满，但非至恢复常态时，不得改选。理事、监事人选一经确定，均由中国红十字会呈请主管官署转报行政院转呈国民政府聘任之。

在地方红会，理事、监事均"由分会会员大会选举"，组成分会理事会、监事会。其中，分会监事会由5名监事组成，在分会会员大会开幕后按照会章负责监察事务，遇有缺额时以候补监事递补，候补监事额定3人；由全体监事互选常务监事3人处理日常事务。分会监事、常务监事任期3年，均得连选连任。

主张以选举方式产生理事、监事等人选，体现了红十字会管理中的民主意识。但遗憾的是，这种民主方式随着行政力量的干预及战争环境下军事力量的介入而不断削弱。全面抗战爆发后，1943年4月，《中华民国红十字会战时组织条例》更是规定中国红十字会设理事、监事各15人，常务理事5人，常务监事3人，均由军事委员会委员长委派。

运行：监事会与理事会间的分工与合作

根据规定，"理事会及监事会联席会议在全国会员代表大会开幕后，为本会最高权力机关。"理监事会联席会议是决策机构，理事会"为本会最高执行机关，在全国会员代表大会开会后依照会章执行一切会务"，监事会则"为红十字会最高监察机关，在全国会员代表大会开幕后依照会章监察一切会务"。与总会一致，地方分会理事会"在分会会员大会开幕后，依照会章执行会务"，监事会"在分会会员大会开幕后，依照会章监察会务"。自上而下，由此形成理事会执行、监事会监督相互制约的管理体制。

理监事会联席会议、理事会议、监事会议均得 3 个月召开一次，必要时可召集临时会议。理监事会联席会议由会长召集，会长不能召集时，由副会长召集；以会长为主席，会长缺席时，以副会长为主席。会议以会长、副会长及 1/3 以上的理监事出席方可举行，候补理监事可列席会议但无表决权，讨论事项有：会长、副会长、理事会或监事会、常务理事及常务监事联席会议送议事项；关于参加国际事业及发展国内外会务等事项；重要章则及会务计划；预算决算；任免秘书长；聘请名誉理事及各项专门委员会委员；财政收支以及其他重要会务的审议事项。理监事联席会议之外，理事会、监事会可单独举行会议。理事会议由会长召集，讨论理监事会联席会议交议事项、会长及副会长交议事项、常务理事或理事提议事项、监事会送请讨论事项、重要章则及会务计划的拟订、预算决算的编制、议决会员的除名、其他会务应行审议事项。监事会议由常务监事召集，须有 1/3 以上监事出席，就常务监事中互推 1 人为主席，候补监事可列席会议，但无表决权。监事会所议事项包括理监事会联席会议交议事项、会长及副会长交议事项、常务监事或监事提议事项、理事会或常务理事会送请审议事项、审核预算决算以及其他会务应行审核事项。

此外，常务理事、常务监事每月举行一次常务会议。常务理事会议主要讨论理监事会联席会议及理事会交办事项、日常会务的讨论事项、审查会员的除名。常务监事会议须有一半以上常务监事出席，由常务监事中推选 1 人为主席，讨论理监事会联席会议及监事会交办事项、日常会务的讨论事项。除规定日期外，可由 1 名常务监事召集临时会议。常务监事可以监察会长、副会长、常务理事所办一切会务。另外，若有重要事务须互相协商，由会长或副会长随时召集常务理事及常务监事联席会议。常务理监事联席会议须会长、副会长及一半以上的常务理监事出席，以会长为主席，会长缺席时以副会长为主席。会议讨论会长及副会长交议事项、理事会或监事会送议事项、常务理事或常务监事提议事项、任免秘书长以下职员、提出各项专门委员会委员人选、理监事会联席会议及其他重要会务的审议事项。

与理监事会联席会议、监事会议相比，常务理监事会联席会议、常务监事会议周期短，更具及时性、灵活性。在议事内容上，理监事会联席会议、常务理监事会联席会议负责顶层设计，明确交办事项，便于理事会执行和监事会监察，分工合作，相辅相成。

总体来说，确立理监事会制是政府为加强对红十字会的监管而进行组织整顿的产物，也形成了红十字会的内部监督机制，有利于红十字事业的健康发展。不过遗憾的是，中国红十字会史上的"监事会"只是昙花一现，1946年被取消。70年后，《中华人民共和国红十字会法》再次将"监事会"纳入其中，弥补了长期以来红十字会内部监督机制不够完善的缺憾，有利于红十字会体制机制的良性运行。

（原载《中国红十字报》2017年3月17日。与李欣栩合作）

民国前期红十字会皖北救援活动管窥

红十字会起源于战争，战争救护固然是其天职，"而平时济荒赈饥，亦其当尽之义务。"① 中国红十字会（包括总会及其地方分会）也是如此。本文以红十字会历史资料为中心，再现民国前期红十字会皖北人道救援行动的几个侧面，或有助于人们对民间组织之于社会保障功能的理解，以弥补相关研究之不足。

一、兵灾救助

中国红十字会自1904年在上海成立后，积极拓展会务，至1924年，已在全国组建分会286处②。其中安徽计有分会组织22处，包括分布于皖北的中国红十字会临淮、正阳、六安、寿县、宿县、凤台、太和、泗县、蚌埠、阜阳、亳县分会以及涡阳分会（筹备处）和蒙城分会（筹备处）③，共计13处。分会组织的陆续建立，为民国前期中国红十字会皖北兵灾救助，提供了强有力的支持。

早在二次革命中，医士徐月崖发起成立临淮关分会。据史料记载，"徐君热心救济，率队驰赴战地，竭诚救护"④。正阳、颍州（阜阳）、寿州（寿县）各分会，亦"无不组织医队、医院，以尽天职"⑤。分会

① 沈敦和：《〈人道指南〉发刊词》，中国红十字会总会编：《中国红十字会历史资料选编，1904—1949》，南京大学出版社1993年版，第104页。
② 中国红十字会总会编：《中国红十字会历史资料选编，1904—1949》，南京大学出版社1993年版，第155页。
③ 《中国红十字会各省会分会一览表（1924年）》，中国红十字会总会编：《中国红十字会历史资料选编，1904—1949》，南京大学出版社1993年版，第153页。
④ 中国红十字会总会编：《中国红十字会历史资料选编，1904—1949》，南京大学出版社1993年版，第302页。
⑤ 中国红十字会总会编：《中国红十字会历史资料选编，1904—1949》，南京大学出版社1993年版，第302页。

的战地救护，为总会整体救护行动的展开，起到了配合作用。

北京政府时期，军阀混战，硝烟滚滚。在烽烟四起的时代环境下，中国红十字会救伤恤难，尽其所能。这其中救护白朗之乱引发的豫皖兵灾，颇具典型性。

白朗（1873—1914），官书称"白狼"，字明心，河南宝丰人，曾投军营效力，后因"犯律"，潜逃回乡，落草为寇，"拉杆"啸聚山林，一跃成为豫西屈指可数的"杆子首"①。他以舞阳母猪峡一带为基地，四出"打家劫舍"。1913年6月15日，一举攻克禹县城，缴获大量枪支弹药，"自此白朗声振豫西，各地绿林附合者骤达二千人"②。白朗行踪飘忽无定，攻城略地，成为二次革命后国内规模最大的一支武装反袁力量。袁世凯派兵镇压，但收效甚微。1914年1月11日、15日、16日白朗军连克光山、光州、商城三县城后，兵进安徽，24日克六安，2月6日陷霍山，鄂豫皖三省震动。

皖北战火蔓延，中国红十字会不能置身事外。2月2日，沈敦和副会长分电颍州、正阳、临淮等地分会，请速"遣队出发"，实施救援③。但毕竟战灾面广，分会之力有所不逮，各分会不得不向总会请援。六安、颍州、寿州分会报告称，皖北"遍地饥民，负伤抱病者尤居多数，非有巨款，曷克救济？"④ 为此，中国红十字会特电请庐州、芜湖等地分会派员冒险前往被兵之地，调查灾情，以便实施赈济。调查员周历罹难之区，将需赈信息及时上达总会总办事处⑤。而赈济"狼灾"，筹集善款，至关重要。

3月14日，中国红十字会副会长沈敦和以总办事处的名义在《申报》刊登《劝捐公启》，呼吁社会各界"慨解仁囊，源源惠助"⑥。4月12日，沈敦和再次呼吁"海内外诸慈善家笃念痌瘝，仁囊慨解"⑦，以保障救援行动的展开。

沈敦和的呼吁产生了一定的社会反响，从《申报》连篇累牍的鸣谢广告中可知捐款源源不断。特别是中国红十字会前会长盛宣怀，慷慨解

---

① 乔叙五：《记白狼事》，转引自李新、李宗一主编：《中华民国史》第2编第1卷，中华书局1987年版，第356页。

② 杜春和：《白朗起义》，中国社会科学出版社1980年版，第321页。

③ 《中国红十字会甲寅年第一次通告》，《申报》1914年2月22日。

④ 《红会救护之困难》，《申报》1914年2月24日。

⑤ 《红会调查豫皖灾情》，《申报》1914年3月7日。

⑥ 《申报》1914年3月14日。

⑦ 《中国红十字会急募皖豫两省匪灾赈款》，《申报》1914年4月12日。

囊，捐银万两①，做出表率。安徽旅沪同乡会也伸出援手，筹垫洋千元②。

筹款募捐的同时，赈灾刻不容缓。皖北是重灾区，安徽旅沪同乡会义不容辞地担负起放赈的使命。受总会总办事处委托，同乡会张瑞臣、朱星五、周谷生携款两万元并药物、食品等奔赴六安、霍山等地，在分会和地方官绅协助下，散放急赈③，至5月底，赈毕回沪复命。

皖、豫兵灾的救护持续到8月初白朗之乱被完全平息才告结束，在这半年中，中国红十字会量力救助，于事不无小补，"全活数万人"④。

对老洋人兵灾的救援，是红十字会采取的又一次人道行动。

老洋人，名张庆，河南宝丰人，毛发卷曲，酷似洋人，故绰号"老洋人"。原为白朗部下，白朗兵败之后，先投官兵，继而起立山头，聚集人马，迅速坐大，1922年9月攻入皖北太和、阜阳。11月1日夜突入阜阳，大肆烧杀，"数千年之精英、五万户之赀财以及公馆、学校、厢宇、寺观尽成焦土"⑤。老洋人部下烧杀抢掠，洗劫两昼夜，造成惨重的生命财产损失，是阜阳历史上的一次浩劫。

面对突如其来的兵灾，阜阳分会会长秦东臣、副会长沈良材立即设立临时医院，救护伤者。据史料记载，本次救援行动，阜阳分会"治愈军民被伤者共五千余人，不取分文"⑥。

阜阳劫难没过几年，浙奉战争使皖北复遭兵燹。它是第二次直奉战争后奉系军阀与东南地区直系军阀，为争夺江苏和安徽地盘而进行的战争。

1925年8月，浙奉战争爆发，以孙传芳为首的浙闽皖赣苏五省联军与张作霖奉系在徐州、蚌埠、滁县、固镇等地展开激战，11月7日奉军战败，战争结束。其间，中国红十字会各地分会在总会的协调下，再次投身战地救护。其中皖北蚌埠、宿县、临淮关等地分会发挥了重要作用。以蚌埠分会为例，可见一斑。

历史纵横

① 《中国红十字会谨谢前会长盛杏荪先生指赈六、霍银壹万两》，《申报》1914年3月16日。

② 《中国红十字会谨谢安徽旅沪同乡会筹助六、霍兵灾急赈洋一千元》，《申报》1914年3月13日。

③ 《六、霍放赈员回沪》，《申报》1914年6月1日。

④ 《中国红十字会二十年大事纲目》，中国红十字会总会总办事处1924年编印，第12页。

⑤ 《阜阳分会报告匪灾来函》，池子华、崔龙健主编：《中国红十字运动史料选编》第一辑，合肥工业大学出版社2014年版，第215页。

⑥ 《阜阳分会救护匪灾及施种牛痘》，池子华、崔龙健主编：《中国红十字运动史料选编》第一辑，合肥工业大学出版社2014年版，第232页。

"蚌埠当南北之冲"，为双方所必争。为应对战事救护，蚌埠分会会长邓愚山携手普济医院院长俞昆涛、同济医院院长邵子英、同仁医院院长陈儒臣，各就本医院改设临时伤兵医院，并组织救护医队、掩埋队①，以备调用。11月1日夜，两军在固镇激战，邓愚山会长率医队长陈儒臣、副医队长邵子英、卫生队长卢孝臣、掩埋队长张云三，即于2日晨开赴固镇，救护受伤官兵数百人，送各伤兵医院救治②。同时，与总会联系请求协助，总会总办事处立即"特电请南京分会于少彰派员前往协助"③。此次行动，蚌埠分会因"办理救护掩埋，迅速完美"④，赢得社会各界的赞誉。

皖北地处豫苏皖交界，南北交通要道，为兵家必争之地，战争频繁致使生灵涂炭。红十字会的救援行动，虽然不能解决根本问题，但从以上几个案例中可以看出，其战地救护功能得到发挥，减轻了战争所造成的人民生命财产损失。

二、灾荒救济与疫病防治

灾害救济与疫病防治，一直以官方为主体，民间力量的参与度有限。红十字会的崛起，一定程度上改变了这种格局。

红十字会赈济灾荒，肇始于晚清时期⑤。民国北京政府时期，天灾人祸肆行，中国红十字会在救护兵灾的同时，更加广泛地参与自然灾害及其他意外之灾的救助，"消其沴，澹其灾，以冀补救于什一，此红十字会所以踵行于中国也。"⑥ 从红十字会对皖北灾荒赈济的两个个案中，亦可窥见一斑。

个案之一：1916年夏秋间，安徽遭遇洪灾，"江淮一带，上而豫之固始、光、息，皖之阜阳、颍上、霍邱、寿县、凤台、怀远以迄于临淮、五河、盱眙等县，汪洋千里，一望无际"⑦。告灾乞赈，函电交驰。总会总办事处一面通过传媒向社会各界劝募急赈，呼吁"海内外诸大善

① 《蚌埠红分会组织救护队》，《申报》1925年10月30日。

② 《蚌埠红会救护伤兵情形》，《申报》1925年11月14日。

③ 《救护消息》，《申报》1925年11月7日。

④ 《铜山县公署致红会函》，《申报》1925年11月22日。

⑤ 《中国红十字会二十年大事纲目》，第3—4页。

⑥ 沈金涛：《〈中国红十字会月刊〉发刊词》，中国红十字会总会：《中国红十字会历史资料选编，1904—1949》，南京大学出版社1993年版，第105页。

⑦ 《中国红十字会敬募江皖水灾急赈》，《申报》1916年8月17日。

士念切痌瘝，宏施救济"①；另一方面于 9 月 17 日与安徽旅沪同乡会合组中国红十字会安徽义赈会，沈敦和、余诚格（字寿平）、李经方（字伯行）任干事部长，共筹皖赈。23 日，召开第一次干事会，决定由义赈会垫洋 20000 元，分请灾区传教士会同义赈会查赈员择被灾尤重之户先为酌放，而后募集捐款，次第放赈②。12 月 16 日，查赈员回沪复命，据报告，此次沿淮淮北被灾各县以怀远、凤台、五河为最重，凤阳之淮北岸、寿州之正阳关、颖上之东乡、霍邱之三河尖、灵璧之南四区、盱眙之水七堡、阜阳之南八保为次。中国红十字会安徽义赈会遂决议，购白米 3000 石、棉衣 3000 件，刻日运抵蚌埠转运怀远、凤台、五河三县，又购买高粱万石、黄豆 3000 石，散放被灾各县以为籽种③。转瞬交春，"各灾区田皆被淹，颗粒无收，非特无度日之粮，抑且无耕田之种，非广购高粱、黄豆、绿豆、珠（芝）麻等种籽及时散放，则浩浩哀鸿，将永无出水火而登衽席之一日"④。赶办春赈迫在眉睫，在社会各界的资助下，中国红十字会安徽义赈会于 1917 年 2 月在上海、镇江分购红粮 1600 余包、豆饼 29000 张装运蚌埠分转灵璧、盱眙、阜阳、涡阳、蒙城等 5 县散放⑤。皖北赈务直到 1917 年夏初始告结束，功效显著，据史料记载："灾民获沾实惠者，数逾十万。"⑥

个案之二：1921 年夏秋之交，"豫、苏、皖、浙、陕、鲁、鄂、冀大水，以淮河区域罹灾最重，灾区达二七〇〇〇方里"⑦。8 省水灾，以江浙皖被灾最重，"沿江沿海百余县尽成泽国，遍地哀鸿"⑧，其中皖北各县均在劫难逃⑨。中国红十字会寿县分会、太和分会、凤台分会等在组织赈济的同时，向总会电告灾情，请求支援。中国红十字会量力接济。7 月 20 日，凤台分会电告水灾，总办事处汇洋 500 元、空白章照 20 份由分会征收会费截流散放急赈；7 月 25 日，汇正阳分会洋 500 元；8 月 19 日，汇寿县现洋 500 元并于 10 月间派出由黄禹九医生率领的医队

---

① 《中国红十字会敬募江皖水灾急赈》，《申报》1916 年 8 月 17 日。

② 《中国红十字会安徽义赈会通告成立并谨募急赈》《筹办皖赈之垫款》，《申报》1916 年 9 月 23 日、24 日。

③ 《安徽义赈会记事》，《申报》1916 年 12 月 17 日。

④ 《中国红十字会安徽义赈会之最近报告并敬募冬春赈》，《申报》1917 年 1 月 5 日。

⑤ 《赈济皖北灾黎》，《申报》1917 年 2 月 28 日。

⑥ 中国红十字会总会：《中国红十字会历史资料选编，1904—1949》，南京大学出版社 1993 年版，第 466 页。

⑦ 邓云特：《中国救荒史》，上海书店 1984 年影印本，第 42 页。

⑧ 李文海等：《近代中国灾荒纪年续编》，湖南教育出版社 1993 年版，第 30 页。

⑨ 安徽省地方志办公室编：《安徽水灾备忘录》，黄山书社 1991 年版，第 161 页。

前往寿县疗治疫病；8月19日，汇太和分会洋500元，"令择赤贫者散放之"；8月间，寄泗县空白章照40份，由分会劝募会费①。中国红十字会几乎是有求必应。

民国前期，皖北灾荒连年。虽然中国红十字会对灾荒救济投入的人力、物力、财力，历年有所不同，虽然所提供的救助可能是杯水车薪，但从以上两个案例中可以感受到红十字会对灾民的人道关怀始终如一，为陷入绝境的灾民带来了生的希望。

大灾之后必有大疫。在救灾救荒的同时，红十字会参与疫病防治，为题中应有之举。如：

1918年，凤台时疫流行，"传染既速，死亡率日增"②。中国红十字会虽没有派出救疫医队，但在接到凤台分会函电后，立即寄上"曾经试验各方，以及急救治疫药丸五百瓶"③，以解燃眉之急。

1921年，皖北大水之后，疫疾流行。中国红十字会于10月15日派出以黄禹九医生为领队的救疫医队赴寿县"急施疗救，两月以后，始告肃清。县知事程鉴，率地方各团体致电申谢"④。

1922年夏秋，亳县、蒙城、涡阳霍乱流行，中国红十字会派出"防疫团"前往救治，蚌埠分会会长邓愚山（拙斋）协助尤力，"备著勤劳"⑤。

1923年春，阜阳"天痘流行，染毒甚易"。阜阳分会设牛痘局，施种牛痘，"不取分文"⑥。蒙城、太和"天痘流行，死亡无数"，总会仍以蚌埠分会会长邓愚山为首率医队前往防治⑦。同时，购置特效救急药品分赠皖北各公署、公团，防患未然⑧。9月17日，邓愚山又在宿州组织第三支医队，前往涡阳、临淮等地防治疫病⑨。

从以上的举例中可以看出，各分会基本上是"各自为战"，效率不

① 《中国红十字会二十年大事纲目》，第30—33页。
② 《安徽凤台亦有疫症》，《申报》1918年10月27日。
③ 《安徽凤台亦有疫症》，《申报》1918年10月27日。
④ 《中国红十字会二十年大事纲目》，第30页。
⑤ 中国红十字会总会编：《中国红十字会历史资料选编，1904—1949》，南京大学出版社1993年版，第485页。
⑥ 《阜阳分会救护匪灾及施种牛痘》，池子华、崔龙健主编：《中国红十字运动史料选编》第一辑，合肥工业大学出版社2014年版，第232页。
⑦ 中国红十字会总办事处编：《慈善近录》（1924年刊），第65页。
⑧ 《蚌埠分会分赠药品之通函》，《中国红十字会月刊》第21期（1923年7月），第24页。
⑨ 《蚌埠分会三届出发医队报告》《蚌埠分会第三支医队出发救灾》，中国红十字会总办事处编：《慈善近录》（1924年刊），第105、111页。

高。为改变这种状况，提高疫病防治效率，有必要整合人道力量。1923年秋，蚌埠分会乃联合阜阳、太和、蒙城、亳县、涡阳 5 县，发起成立"中国红十字会蚌埠分会皖北联合救护队临时医院"，分驻蒙城、涡阳、亳县、太和、阜阳等地①。这些临时医院在每年春季、夏季及战时临时开幕②，不仅可以及时应对疫情，而且于战时亦可就近组织救护。且"联合"本身，可以整合各方资源，收到"联动"之效。这无疑是对自身的一种超越。

三、救援行动评价

从上述不难看出，在对皖北的人道救助中，中国红十字会总会和地方分会，相互配合，相得益彰。地方分会承担具体的人道救助事务，而总会提供后援保障，筹款募捐，量力接济。特别是其协调之功，更是功莫大焉。

比如，老洋人在阜阳等地烧杀抢掠造成人道灾难，中国红十字会蚌埠分会施以援手，组织临时医院及妇孺救济会。中国红十字会立即致函安徽省长许世英，请予协助。安徽省长第 14088 号指令，即饬皖北各县"协助筹备""妥为保护"，并"由财政厅酌筹款洋三百元汇寄蚌埠，交由该会具领济用"③。对此，中国红十字会总会总办事处特函许世英，深表谢意④。可是蚌埠中国银行一拖再拖。1922 年 12 月 30 日，中国红十字会致电许世英省长："前荷捐助蚌埠红十字分会医队经费三百元，今该队电称待用孔亟，乞催埠库速发，俾资救济，甚感。"⑤ 1923 年 1 月 2 日中国红十字会又致电安徽蚌埠中国银行催拨经费⑥。但据蚌埠分会称，"曾数次往蚌中行领款，而该行长言语支吾，竟以财厅发款通知为无效，

① 《中国红十字会月刊》第 23 期（1923 年 9 月），第 29 页。

② 《中国红十字会蚌埠分会皖北联合救护队临时医院通则》，《中国红十字会月刊》第 23 期（1923 年 9 月），第 27 页。

③ 《蚌埠分会报告救护皖北匪灾得官厅补助佳电》，池子华、崔龙健主编：《中国红十字运动史料选编》第一辑，合肥工业大学出版社 2014 年版，第 215 页。

④ 《谢安徽许省长助蚌埠分会款电》，池子华、崔龙健主编：《中国红十字运动史料选编》第一辑，合肥工业大学出版社 2014 年版，第 216 页。

⑤ 《补录电致皖省长》，池子华、崔龙健主编：《中国红十字运动史料选编》第一辑，合肥工业大学出版社 2014 年版，第 220 页。

⑥ 《催拨蚌埠分会款》，池子华、崔龙健主编：《中国红十字运动史料选编》第一辑，合肥工业大学出版社 2014 年版，第 220 页。

以皖长指令及财厅公函则目若无视"，请总会"从速来电与该两行长，嘱其照发，俾资救济，为盼为祷"①。总会不避繁难，继续交涉，补助款终于兑付②，人道救援行动得以顺利展开。不难设想，没有总会的交涉协调，很难达成愿望。

再如，1923年春夏之交，老洋人受抚后被任命为豫边游击司令，但其旧性不改，战争阴霾笼罩皖北。鉴于"新抚老洋人队伍驻屯豫东，与皖省之亳、涡、太、阜、蒙各县毗连，仍有越境勒捐抢掠等情事。皖省派兵防御，双方对峙，难免不生冲突"，蚌埠分会"议事会议决，派孟议长赴亳，王副会长赴蒙，邓理事长赴阜，李医长赴太，潘看护长赴涡，筹防救护"。5月22日，中国红十字会为此特致函"双方长官，各给执照保护"。安徽督理马联甲、安徽省长吕调元、皖北镇守使李传业等先后致电中国红十字会，表示"妥为保护"③。交涉的成功，为人道救援铺平了道路。

在总会协调之下，皖北地方分会全力以赴，救助遭受天灾人祸的灾民难民。这其中，特别值得注意的是各分会没有畛域之分，而是相互协作，相互支持，最大限度地整合人道力量，共同应对。尤其是蚌埠分会，从以上的缕述中可见，发挥了主导作用，为此中国红十字会常议会决定授予蚌埠分会邓愚山会长"头等纪念章"，以昭激劝④。当局也给予配合。这些因素的合力，保证了救援行动的及时、有效。

中国红十字会及其所属皖北各分会的人道行动，应该说产生了良好的社会效应，也受到皖北社会各界的赞许。如1922年夏秋，皖北霍乱流行，中国红十字会派出以蚌埠分会会长邓愚山为首的"防疫团"前往救治，活民甚众。皖北地方官绅均具函申谢，如《亳县各公团致上海中国红十字会总办事处函》称，"天祸亳民，疫氛蔓延，因而致死者，日难屈数。嗣经蚌埠贵分会邓（拙斋）、李（振九）诸先生到亳，旬日之内，全活者何止千百。敝县感戴大德，莫可名言。兹谨略述数语，乞转致各报登载，用当奉扬仁风耳"；《蒙城谢蚌埠分会防疫团函》亦称：

① 《附录蚌埠分会来电》，池子华、崔龙健主编：《中国红十字运动史料选编》第一辑，合肥工业大学出版社2014年版，第220页。

② 《蚌埠分会领到官厅补助》，池子华、崔龙健主编：《中国红十字运动史料选编》第一辑，合肥工业大学出版社2014年版，第222页。

③ 《保护蚌埠分会出发救护之官电》，池子华、崔龙健主编：《中国红十字运动史料选编》第一辑，合肥工业大学出版社2014年版，第248页。

④ 中国红十字会总会编：《中国红十字会历史资料选编，1904—1949》，南京大学出版社1993年版，第485页。

"今值盛夏，瘟疫时行，大概情形，不外霍乱、瘰螺等类，或朝染而夕死，或暮染而朝亡，踵不及旋，医药罔效，以致死亡枕藉，目不忍睹。敝邑之中，人人自危，无法可施。幸蒙贵分会会长邓、医长李两先生大驾来蒙，施药诊治，每日户限为穿，昏夜求诊者尤众，计来蒙数日，治活大小男女五百人，诚为有脚之阳春施以无形之甘露也，谨此鸣谢。"①类似谢函很多②，足以说明红十字会人道救援行动取得成效，深得民心。

红十字会是从事人道主义工作的社会救助团体。民国前期，中国红十字会救死扶伤，扶危济困，在减轻民众疾苦、保障民生方面发挥了其应有的作用。对皖北的人道救助行动，即彰显了人道的力量。毫无疑问，红十字会社会救助功能不能小视。

（原载《安徽史学》2016 年第 4 期。与刘思瀚合作）

---

① 中国红十字会总办事处编：《慈善近录》（1924 年刊），第 45、47 页。
② 池子华、崔龙健主编：《中国红十字运动史料选编》第一辑，合肥工业大学出版社 2014 年版，第 295—300 页。

1923 年日本关东大地震人道救援

——中国红十字会援外行动的一个范例

　　中国红十字会副会长郭长江在 2016 年 7 月 15 日《中国红十字报》发表《讲好红十字故事　传播好红十字声音》的文章，指出："讲好红十字故事，传播好红十字声音，就是要讲好红十字运动历史。"文章提到"多少人知道早在 1923 年中国红十字会就派出了第一支国际救援队参与国际救援"的问题。

　　1923 年，中国红十字会对日本关东大地震的人道救援，不仅面向全国分会发出"支电"，号召捐款捐物，还派出了中国红十字会有史以来第一支对外援助救护医队，堪称"范例"。

"刻日组队，驰赴救援"

　　1923 年 9 月 1 日，日本关东地区发生 8.2 级强烈地震。这场"亘古未有之大地震"，造成 14.3 万人死亡，20 万人受伤，50 万人无家可归，生命财产损失惨重。这是日本历史上罕见的大浩劫。

　　关东地震，举世震惊，也引起上海中国红十字会总办事处的关切，"救灾恤邻，本为天职，何况侨胞学子，殃受池鱼？"遂决议"刻日组队，驰赴救援"。总办事处医务长牛惠霖"愿亲自赴救，此外自告奋勇前往者甚多"。救护医队一呼毕集，热情之高，不难想见。

　　不约而同，北京中国红十字会总会已组织救护队，准备即日东渡。9 月 4 日，总会致电总办事处云："日本发生亘古未有之灾，人民生命财产及我旅日华侨，伤害不可计数，惨痛情形，殊堪怜悯，善后救济，刻不容缓。总会现已组织救护队，刻日出发，并电各埠分会，设法集项（款），汇总办理。"总办事处当即回电："日灾奇重，自应救护。已决由沪出发医队，前往东京，专任救护。"尽管总会与总办事处之间未能及时沟通，但心同此想，并无轩轾。

　　总办事处职司救护，是中国红十字会的执行机关，日震救护，自然一力承担。救护医队组织起来后，总办事处一方面与驻沪日本总领事矢田七太郎接洽赴日事宜，一方面奔走联络，动员社会各界参与赈灾，促成9月6日"中国协济日灾义赈会"的成立。加入义赈会的团体，除中国红十字会外，还有仁济堂、中国济生会、联义善会等数十家之多。中华民族之乐善好施，于此可见一斑。

"中国协济日灾义赈会"公推朱葆三为会长，盛竹书、王一亭为副会长，三人均系红会中人，难怪红会史籍称："成立中国协济日灾义赈会，上海各团体合组，而本会领袖之。"

中国红十字会不仅参与"中国协济日灾义赈会"的发起，而且率先垂范，在9月6日的成立大会上当场认捐万元赈款。在红会的表率下，其他团体亦纷纷解囊，据次日《申报》报道，成立大会共集款65000元。这为救护工作的展开，奠定了坚实的物质基础。

红会的善行义举，得到了官方的首肯与激励。9月5日，亦即"中国协济日灾义赈会"正式成立的前一天，上海护军使何丰林致函中国红十字会总办事处，称道不已："兹闻贵会集合沪上各善团，合组救灾大会，筹商赈济事宜，先得我心，至深钦佩。"并捐款5000元，表示支持。外交、交通等部门，也为中国红十字会的扶桑之行铺平道路。

万事俱备，9月8日晚，救护医队在理事长庄录率领下，登上"亚细亚皇后"号轮船，扬帆东渡。救护医队组成人员有：队长庄录，医务长牛惠霖，医生焦锡生、汤铭新、华阜熙、张信培，女医生刘美锡，日文顾问陆仲芳，会计沈金涛，英文书记李桐村，看护杜易、朱继善、张惠理、陈威烈、史之芬、孙有枝、钱宝珍、孙文贤，女看护曾德光、刘振华、王秀春、钱文昭，连同队役4人，共26人，携带现款20000元，药品器具90余箱。

同日，中国红十字会总会"特请中国医界前教育总长汤尔和、中华民国医药学会会长侯毓汶、陆军军医学校校长戴棣龄、京师传染病院院长严智毓、前山东医学校校长孙柳溪五君代表该会赴日本慰问并协助日本赤十字社救护伤民"，因"五君均系留日医学出身，在中国医界上素有名望，且资格极老，即在日本医界亦所深悉，故此行于终日国际上当然有良好之结果"。两支医疗队同日出发，开始了中国红十字会史上第一次大规模的国际人道救援。

"不分畛域，救拯灾民"

经过4天乘风破浪，上海救护医队于12日安抵神户，受到神户商业会议所副会长西川庄之、外事课长西川涉及神户市长石桥为之助代表的接待。9月14日救护医队抵达东京后，一方面与中国驻日使馆取得联系，了解灾情及旅日侨胞被灾情形，一方面与日本赤十字社往返联络，"接洽办理救护事务"。有消息说，"该会救护队，前由庄（录）君率领至日本东京，先调查灾况，即与日本赤十字社共同合作，不分畛域，救拯灾民。"

9月19日，庄录理事长前往横滨察勘灾情，22日复至神户，沿途所经，但见"昔者锦绣交错之场，今则胥为灰烬，前为轮奂崇墉之所，斯时俱是颓垣，碧血青磷，四野频闻鬼哭，断肢折足载道，途见残骸，触目伤心，其情形有非特别筹募不足以资援救者"。有鉴于此，庄录一行4人于25日由神户搭乘"塔虎脱"轮先行回国，"筹商捐务"，东京救护事宜，全权委托医务长牛惠霖代理。

救护医队在东京麻布区高树町设有临时医院，主要为日本灾民提供医疗服务，同时"日赴华侨收容所，为华侨诊治病症，并分遣队员至横滨从事救护难民"，繁忙异常，不言而喻。

中国红十字会救护医队在东京从事医疗救护3个星期，其间，还与日本赤十字社甘苦与共，精诚合作，"东京赤十字会（社）病院往日容病榻约四百五十具，自地震以后，复增病榻四百具，所诊病人，均为受火伤压伤甚重者"，其中"中国红十字会所担任医治者，计有病榻四十号"，他们尽心尽责，直到该院病人"病势伤势，均已恢复，无复须其诊治"，才于10月6日乘"约弗生总统号"离开东瀛返程。由于此次"在日服务，中日双方，感情极洽，故当救护队动身时，赤十字院（社）医院均冒雨到站欢送"。临行前，中国红会救护医队将"所有未经用去之药料，约值五千元，均赠日本赤十字会（社），此外并四千元支票一纸，俾该会（社）得以于日后留治其他病人"。10月11日，牛惠霖一行21人抵达上海。

另一支赴日医护队在汤尔和率领下，9月8日晚乘火车从北京动身，经奉天、安东、釜山，换船于12日抵大阪后，"即分头办事，以二人在阪与各机关接洽，以二人坐电车赴神户，访本国领事"。14日，汤尔和一行到达东京，即在陆军卫戍病院、帝大医院和赤十字病院服务。日人"划出病室全部，使其独当责任，医员看护妇悉听指挥，日本医事机关，素不容外国医师插足，而陆海军所属机关尤为不可通融，今能如此，亦一难得之例也"。至10月初，诊治病人"合计不下五千人，于灾民亦不无小补"。

两支医疗队，以上海派出的医疗队为主体，兢兢业业，与日本赤十字社精诚合作，"不分畛域，救拯灾民"，圆满完成救护使命。

"救运灾胞，为第一要义"

中国红十字会救护医队日本之行的目的，固然是"救灾恤邻"，但于"恤邻之外，原以疗治灾胞，及救运灾胞，为第一要义"。不必赘言，旅日侨胞在这次大浩劫中不能幸免。

据统计，地震中死难华人约 2000 人，伤约 3000 人，尚有近万人流落街头，苦不堪言。他们绝大多数为工人，次为学生、商人，遭此大难，思归心切。"救援灾侨，也就是救援日本"。因此，中国红十字会救护医队在与日本赤十字社合力救治日本难民的同时，与神户中华会馆合作，以资遣难侨为"第一要义"。

回国难侨由中华会馆发给绒毯一条，现金 5 元，救护医队则给予协助，如联系船只、电告中国红十字会总办事处难侨抵沪日期以备接护等。总办事处显得更为忙碌。每次难侨抵沪，中国红十字会"领袖"的"中国协济日灾义赈会"负责接待、安置，总办事处则派出医护人员，收治伤病同胞。从 9 月 8 日至 10 月 18 日，40 天接待 21 批共计 6421 位难胞，加上 10 月 22 日（97 人）、29 日（11 人）、11 月 4 日（107 人）、8 日（36 人）、18 日（52 人）陆续抵沪难侨，总数达 6724 名，任重事繁，不待言可知。

上海只是一个中转站。难侨抵沪后，要根据籍贯，分批资遣，所费不赀。难侨以浙江、山东、江苏省籍为多，尤以浙江温州籍为最。截至 12 月 11 日，有 8 批 3000 余名温州人，在中国红十字会医护人员的护送下，"回里安业"。其他省籍的难侨，也在红十字会的人道关怀下，回到故乡。

"款不任多，热心正同"

对日震灾的救援行动，是一项繁重的"生命工程"。中国红十字会全力以赴，有序推进，取得此次"援外"行动的成功。但成功的背后，毫无疑问，有许多现实的条件作保证，如社会各界的支持、"中国协济日灾义赈会"的"后盾"保障等，而中国红十字会各分会的"后援"之功亦未可小视。

如前所述，9 月 4 日，设在北京的中国红十字会总会发出"支电"，号召各分会筹集款项，一致进行。南京分会首先响应，捐款千元，其他分会也是量力接济，如：沙市分会捐款 1000 元，临汝县汝郏分会捐款 50 元，天津分会捐助和服 1000 件，商丘分会捐款 61 元，仪征十二圩分会捐款 100 元，宜都分会捐款 100 元，新野分会捐款 53 元，正阳分会捐款 10 元，郧县分会捐款 119 元，洛宁分会捐款 5 元，汕头分会捐款 400 元，玉山分会捐款 150 元，阿城分会捐款 52 元，经棚分会捐款 35 元，襄阳分会捐款 100 元，曹县分会捐款 30 元，上洋分会捐助小洋 1090 角，樊城分会捐款 100 元，大荔分会捐款 30 元，沁源分会捐款 25 元，仙游分会捐款 30 元，蚌埠分会捐款 30 元，禹县分会捐款 25 元，扬州分会捐款 21 元，屯溪分会捐款 67 元，武安分会捐款 4 元，广州分会捐款 20 元，武功分会捐款 64 元，高密分会捐款 4 元，西平分会捐款 12 元，黎川分会捐款 100 元，鄱阳分会捐款 50 元，泰县分会捐款 5 元，安顺分会捐款 44 元，临淮分会捐款 5 元，潜江分会捐款 12 元，安阳分会捐款 30 元，兴化刘庄分会捐款 35 元，万安分会捐款 10 元，昆明分会捐款 100 元，贵阳分会捐款 62 元，荣县分会捐款 10 元，南宛分会捐款 50 元，朝阳分会捐款 25 元，浦城分会捐款 60 元，南昌分会捐款 500 元。总计 4000 余元，虽算不上巨款，有的分会仅能捐助数元，但"款不任多，热心正同"。这种体现国际人道主义精神的"热心"，是可歌可颂的。特别值得一提的是，西安分会会长杨鹤庆（字叔吉），还受陕西省政府"特派"，赴日"调查灾况"，慰问灾民，表达了中国人民"恤邻"的深情厚谊。

日震救助，据红会史籍记载，"共用款一万七千二百十七元六角四分，各分会多有捐助"。实数当不止此，《中国红十字会救日震灾概要》提及，"（9 月 15 日）北京总红会有代表到东京：汤尔和、孙柳溪、戴棣龄、侯毓汶四君。据云已有赈款二万元，由北京红会交现驻京日本公使等语。此款系向北京税务处商借，即以上海总办事处昔年借与中国政府遣归德奥华侨之二万元垫款划抵"。这笔款理应算在红会救助日震款内，尽管它是以捐款的形式捐出。再加上西安分会会长杨鹤庆带去的万余元赈款，总数当在五万元左右。这在贫穷落后的时代背景下，实属不易。

"日人感激，列邦称赞"

对中国红十字会的"热心"捐助及遣派医队漂洋过海莅灾地救援的

善行义举，日本各界由衷感激。10 月 2 日，日本载仁亲王接见中国红十字会救护医队，外务省为之送行，"上下一体，感激靡已"。红会医队回国后，日本赤十字社、神户商业会议所均具函申谢。日本赤十字社社长平山成信谢函云："此次东京、横滨等地方大地震，承贵会关心甚切，医务长牛惠霖君率领救护班来此服务，勤勉尽职，不胜感激之至。"神户商业会议所会长泷川仪作、副会长森田、西川庄之致函中国红十字会理事长庄录，谓"此次敝国遭灾，乃蒙阁下亲临代表贵国对于敝国，实心体恤，极为诚挚，吾等不胜感激，且深悉此等美善之意，必使两国，更加亲密"。日本外务省司长冈部谢函称中国红十字会救护队"远涉海洋，惠临东京，专心致力于救护灾民之事，特对于伤病者厚赐治疗，使我国人同深感泣"。感激之情，溢于言表。

为答谢中国人民给予日本震灾的援助，日本派出以臼井哲夫、铃木富久弥、砂田重政、半泽玉城等组成的"超政府超党派之纯粹代表日本国民"的"国民表谢团"，10 月 20 日起程来华答谢。"表谢团"首先抵达大连，而后往奉天、天津、北京、洛阳、汉口、南京、杭州，11 月 21 日到达上海，特别拜会中国红十字会总办事处，称谢不置，谓"此次贵国人民，对于敝国震灾所给与伟大之同情，与贵会派遣医队之协助，殊足使敝国上下一致感动。此次来沪，敬表谢意，极希望此后中日两国国民益臻亲善"。

中国红十字会扶桑救护的人道之举，"日人感激，列邦称赞"，其良好的国际影响，亦有不可低估者。这是历史所不能忘却的。

（原载《中国红十字报》2016 年 8 月 30 日）

20 世纪 30 年代中国红十字会
救灾机制的转变

——以水旱灾害救济为中心

　　随着中国红十字运动研究的深入，红十字会灾害救助受到关注，相关研究主要集中于梳理红十字会在各个重大自然灾害中的救援行动①，但尚未深入探究其自身救灾机制的变化。中国红十字会的灾害救助涉及水灾、旱灾、地震、疫灾、风灾、雪灾、蝗灾等等，其中水旱灾害爆发率高且持续时间长，危害大，是其最主要的救灾对象。本文以水旱灾害救助为中心，探寻 20 世纪 30 年代中国红十字会救灾机制转变的机理。

一、救灾机制转变的时空背景

　　20 世纪 30 年代接踵而至的水旱灾害创造了民国时期灾荒之最。1931 年夏秋之交，"全国大部分地区淫雨不绝，江、淮、汉、运、黄诸水泛滥，肇百年未遇之大水灾……合计全国水患波及者达 23 省，灾民 1 亿，遭洪水吞没者 370 余万人"②。据全国水灾赈济会报告，此次水灾"不仅超过中国苦难历史中任何一次水灾，而且也是世界历史中'创纪

---

　　① 相关研究成果主要有：池子华：《中国红十字会救助 1928—1930 年西北华北旱荒述略》，《社会科学战线》2005 年第 2 期；池子华：《中国红十字会救济 1917 年京直水灾述略——以申报为中心》，《钟山风雨》2005 年第 2 期；李勇、池子华：《中国红十字会救护 1922 年广东"八二风灾"述略》，《〈红十字运动研究〉2007 年卷》，安徽人民出版社 2007 年版，第 101—104 页；阎智海：《1920 年中国红十字会赈济北五省旱灾简论》，《〈红十字运动研究〉2010 年卷》，安徽人民出版社 2010 年版，第 102—110 页；李慧：《1935 年黄河长江水灾与救济——以红十字会为中心》，《〈红十字运动研究〉2010 年卷》，安徽人民出版社 2010 年版，第 111—116 页；赵煌：《天灾与人情：1935 年苏北水灾及其救济——以红十字会等慈善团体为中心》，《〈红十字运动研究〉2012 年卷》，安徽人民出版社 2012 年版，第 209—215 页；杨丹、曾桂林：《民国元年温处水灾及其慈善救济》，《〈红十字运动研究〉2013 年卷》，合肥工业大学出版社 2013 年版，第 189—201 页。

　　② 李文海等：《近代中国灾荒纪年续编》，湖南教育出版社 1993 年版，第 291 页。

录'的大灾"①。1934 年，水旱灾害全国蔓延，尤以苏、皖、浙、赣、湘、鄂及北方之冀、豫、鲁、陕、晋等省旱灾最为严重，被称为"中国过去最大的旱灾"②。1935 年，又逢大灾，据《1935 年中国经济年报》称："1931 年的水灾是中国过去最大的水灾，1934 年的旱灾是中国过去最大的旱灾，1935 年是把这两大最大的灾荒合流了……水旱灾荒双管齐下，竟把这过去的记录都打破了。"③ 要言之，水旱灾害交替而至，灾情之重，不仅创民国时期的灾害之最，也打破中国灾害史的记录。1937 年抗日战争全面爆发后，天灾人祸并行，中国红十字会集中于战争救护，鲜见专门的救灾活动。因此，全面抗战的冲锋号，也是中国红十字会集中开展大规模救灾行动的终止符。救灾机制在时空转换的背景下发生了转变。

那么中国红十字会救灾机制转变的时空背景和条件是什么，这里略做考察。

首先，红十字会起源于战争救护，战地救护为其"最大的使命"④。1931 年九一八事变揭开了中国抗日战争的序幕，之后 1932 年淞沪抗战、1933 年长城抗战、1935 年绥远抗战等接踵而至，且战事规模不断扩大。中国红十字会秉承"博爱恤兵"宗旨迅速展开救护行动。然"黑云压城城欲摧"，全面战争一触即发，为集中精力救伤兵难民于水火，1934 年王正廷会长在第一次理事会第一届会议上正式提议"专注于红十字会唯一目标救护工作"⑤。在这一理念驱动下，中国红十字会先后发动三次征求会员运动，储备救护人员；设立中国红十字会救护委员会，训练救护人才等一系列救护准备工作。因而，在战争时局的笼罩下，中国红十字会不得不、不能不聚焦于救护工作，而其救灾行动势必受到牵绊。

其次，与政府关系发生逆转。中国红十字会自 1904 年成立以来，因"民办""官办"之争，与政府一直处于张弛交替状态，但民间组织的色彩更为浓厚。1928 年，中国红十字会史无前例地遭受南京国民政府"彻查"之后，官办色彩日趋浓重。尽管 1930 年中国红十字会召开第三次会员大会，按国民政府要求修改章程。然内政部对大会通过的章程并

---

① ［美］杨格：《1927 至 1937 年中国财政经济情况》（陈泽宪、陈霞飞译），中国社会科学出版社 1981 年版，第 423 页。

② 中国经济情报社编：《1935 年中国经济年报》第 2 辑，生活书店 1936 年版，第 146 页。

③ 中国经济情报社编：《1935 年中国经济年报》第 2 辑，生活书店 1936 年版，第 146 页。

④ 《会讯》，《中国红十字月刊》第 4 期（1935 年 10 月），第 39—60 页。

⑤ 《中国红十字会总会第一届理事会第一届会议记录》，《中国红十字月刊》第 9 期（1936 年 3 月），第 50—53 页。

不满意，继交"立法院制定管理红十字会法规"①。1933年，国民政府径直公布《中华民国红十字会管理条例》，要求"总会以内政部为主管官署，并受外交部、军政部、海军部之监督。分会隶属于总会，以所在地地方行政官署为主管官署"②。中国红十字会表示遵从，正式流为政府的附庸机构。仔细分析不难发现，一则"彻查"之时正是1928至1930年三年大旱之际，中国红十字会因"北伐"救护不力遭到"彻查"，于是在此次救灾过程中表现积极，"极一时之盛"③。二则此次天灾是南京国民政府当政以来面临的巨大灾难，为收拢民心，稳固政基，于1929年成立全国赈灾委员会，统筹全国赈灾事宜，并在各省另立分处，原有之豫陕甘、两广、冀察绥三赈灾会均改为处，作为执行机构，隶属于全国赈灾会④，次年颁布《救灾准备金法》，由中央、省政府每年抽出一定比例的预算作为救灾经费⑤。通过这种途径，南京国民政府加强了其在救灾活动中的角色分量，包括中国红十字会在内的慈善组织只能充当"辅助"角色。

再次，中国红十字会经费支绌不得不改变救灾策略。中国红十字会经费主要来源于政府补助金、会员会费、经募款项、遗赠、经营性收入等，其中捐款和会费为最。然30年代恰逢世界经济危机，中国红十字会大本营上海作为对外开放商埠，首当其冲，经费募集较为吃力。会费虽稳定，然会员数量一直徘徊不前，中国红十字会自1904年成立至1929年，20多年来会员一直未突破10万人的"钟罩"⑥，故所收会费金额有限。于是1934年至1936年发起三次大规模征求会员运动，旨在征求会员、造就救护人才的同时，扩充经费。然收效较微，会员仅增3万余人⑦。与此同时，为增加经费，1934年3月，中国红十字会特呈请内

---

① 《国民政府训令：第七一○（十九年十二月十九日）》，《立法院公报》1931年第25期，第11—12页。

② 《中华民国红十字会管理条例》，《中华医学杂志》1933年第19卷第3期，第491—492页。

③ 池子华：《中国红十字会救助1928—1930年西北华北旱荒述略》，《社会科学战线》2005年第2期，第180页。

④ 朱汉国主编：《南京国民政府纪实》，安徽人民出版社1993年版，第90—91页。

⑤ 《救灾准备金法》，《内政公报》1930年，第12—14页。

⑥ 《本会征求会员启》，《中国红十字会月刊》第1期（1931年5月），第8—9页。

⑦ 胡兰生：《中华民国红十字会历史与工作概述》，《红十字月刊》第18期（1947年6月），第9页。

政、外交、军政、海军四部，"拟出售沪宁铁路公债票，充作经费"①。四部调查后，虽然情况属实，但"碍难照办"（后"核复照准"②）。之后内政部表示自 1935 年起，每月拨给红会经费 3000 元③，但对于应对应接不暇的救灾、救护之需，实属杯水车薪。因此，进入 30 年代后，中国红十字会的经费已达"油尽灯枯"之境。在捉襟见肘的经费压力之下，面对史无前例的重大灾害，中国红十字会的救灾机制，包括资源动员、应急响应、监督机制，开始转变。

二、资源动员机制的转换

资源动员是救灾行动展开的前提与助力，可谓救灾机制的根基。中国红十字会的资源动员机制主要涉及外部"资源"的聚拢与内部"资源"的扩散效应：一方面通过设立募捐组织、利用媒体等多种方式开展募捐行动，筹集款物，充实救灾经费；另一方面凭借自身优势动员社会力量参与救灾行动。30 年代，灾害频仍，灾区红十字会各分会、赈灾会、赈济会、筹赈会等慈善组织纷纷函电中国红十字会总会，请求救援。中国红十字会于"步履蹒跚"中义不容辞开展筹募行动，动员各方力量，但其运行机制发生转变。

（一）外部"资源"的聚拢

外部资源的聚拢，即款物筹集，是一项复杂的工程，包括募捐机构设立、募捐方式发动、劝募策略运用三个方面。

其一，筹募机构的设立趋于专门化。之前救灾款物的筹集大都直接由中国红十字会总办事处负责，间或有临时性的筹募机构设置。如 1917 年京直水灾、1920 年西北华北五省旱灾等灾害的救助，均由中国红十字会总办事处直接负责。而 30 年代后，总会④则专门成立筹募机构负责募捐事宜，如 1931 年，总会应上海警备司令部之请，发起组织上海筹募

---

① 《中华民国红十字会管理条例》，《中华医学杂志》1933 年第 19 卷第 3 期，第 491—492 页。

② 《中华民国红十字会务之推进》，《政治成绩统计》1935 年第 2 期，第 22—23 页。

③ 《中华民国红十字会务之推进》，《政治成绩统计》1935 年第 4 期，第 20 页。

④ 1928 年 10 月 29 日，国民政府定都南京后，将北京总会改为北平分会，上海总办事处执行总会事务。见池子华、郝如一主编：《中国红十字会历史编年（1904—2004）》，安徽人民出版社 2005 年版，第 61 页。

江西急赈会①，1935 年成立筹募委员会。这种转变，从《申报》所载中国红十字会募捐、鸣谢启事中可以得到佐证，如 1917 年劝募京直水灾时，发布《中国红十字会敬募京直二次水灾急赈》，1920 年筹募北方旱灾经费时，刊载《中国红十字会劝募七省灾民急赈启》，而 1931 年上海筹募江西急赈会成立后，《申报》上连续登载《上海筹募江西急赈会启事》②；以其名义发布的鸣谢广告更是连篇累牍，如《上海筹募江西急赈会鸣谢陈炳常君经募施德之大善士振捐一千元》《上海筹募江西急赈会鸣谢洪晓秋大善士助振捐洋五百元》等等。据不完全统计，自 1931 年 6 月 2 日至 10 月 10 日，这类鸣谢广告即达 23 条。不过，以总会名义发布的募捐启事亦未中断。事实上，这一转变从 1928 年至 1930 年旱灾救济款物的筹募上已见端倪，1929 年中国红十字会设立筹赈处后，以筹赈处名义在《申报》上发布的募捐启事可谓俯拾皆是。

其二，募捐方式趋向单一。以往中国红十字会筹募方式多样，如登报募捐，举行灯会、游园活动，设立募捐箱，演剧等，形式多样，不拘一格。30 年代后，中国红十字会的募捐方式逐渐趋向单一，如 1931 年，仅通过登载劝募启事，告知民众灾情之深，受难民众流离失所，"敬恳海内外各慈善家，推己饥己溺之心，作缨冠往救之举，节省一元之费，可救一人之命，百元之费可救一村之命"③，以筹募款物。1935 年，除发布募捐启事外，亦通过播音方式筹集款物，主要利用名人效应，请上海著名人士沈金涛、曹云祥、干叔涵、熊赛英等演说灾情④，动员民众捐款捐物。尽管如此，相比之前筹募方式明显"萧条"。

其三，劝募策略的运用趋向"消极"。在重大灾害救济中，为激发民众参与热情，中国红十字会往往采取一些符合大众心理的劝募策略甚至激励措施，最常用的即为宣扬功德理念和发行宝塔捐，如 1913 年，中国红十字会总办事处为直隶、浙江水灾发布募捐启事时称："仁人君子，乐助随缘，救人性命，种我福田，求病病愈，身体健全，求子得

---

① 《中国红十字会征求会员大会特刊》，内部资料，第 66 页。

② 《申报》1931 年 6 月 7 日，第 6 版；1931 年 6 月 8 日，第 2 版；1931 年 6 月 20 日，第 2 版。

③ 《中国红十字会乞赈启事》，《申报》1931 年 8 月 5 日，第 2 版。

④ 《无线电台播音宣传》，《中国红十字月刊》第 4 期（1935 年 10 月），第 42—45 页；《佛音电台二次播音》，《中国红十字月刊》第 4 期（1935 年 10 月），第 48—51 页；《佛音电台第三次播音》，《中国红十字月刊》第 4 期（1935 年 10 月），第 51—57 页；《播送第四次特别节目》，《中国红十字月刊》第 4 期（1935 年 10 月），第 60 页；《会讯：总会近讯：第五次特别播音》，《中国红十字月刊》第 5 期（1935 年 11 月），第 47—50 页；《征求会员末次播音》，《中国红十字月刊》第 5 期（1935 年 11 月），第 50—62 页。

子，儿孙满堂，奉劝诸公，快快输捐。"① 据不完全统计，《申报》中含"功德"字样的红十字活动报到有近 200 处之多②。宝塔捐实则以积功德理念为依托，宣称"救人一命胜造七级浮屠"。其发行始于 1913 年救济南北灾荒，1914 年救济水灾中再次发行，1928 年至 1930 年旱灾救济时盛极一时，中国红十字会筹赈委员会印行《救命功德》宣称，该书"文义浅显，动人恻隐，为轻而易举聚沙成塔之募捐办法，以及百两赤金宝塔，与真金表、观音像种种赠品，尤足增助捐款人兴趣"③。值得玩味的是，此后发行宝塔捐的形式戛然而止，在中国红十字会救灾史上几乎销声匿迹。与此同时，"推赠会员"这种激励策略的新形式出现，1931 年救济水灾时，规定"捐款十元者推赠（为）普通会员，捐款二十五元者推赠为正会员（即永久会员），捐款二百元或代募捐款一千元以上者推赠为特别会员，捐款千元及代募捐款五千元以上者推赠为名誉会员。如曾经入会之会员捐款或代募者，则增进其会员阶级或转赠父母兄弟子女与其亲友，其特别出力者，并由本会常议会酌议嘉奖"④。但这种新形式也只是昙花一现。传统激励策略运用的"消极"，根源于中国红十字会经费紧缺，毕竟印刷《救命功德》宣传册，附送宝塔捐赠品，需要成本和前期投入，如 1929 年救济旱灾印刷《救命功德》时，因经费紧缺招致反对，"是书印本邮费，无非夺灾民之膏血"⑤。而新激励策略的运用一方面可直接得到善款，另一方面可提升会员数量，之后收取会费亦是一项固定收入。然或因会费过高⑥，在 30 年代水旱灾害的救济中效果并不突出。

（二）内部"资源"的扩散效应

内部"资源"主要涉及两个层面：一则凭借中国红十字会领导层的社会地位为救灾行动提供方便（包括人力、无力、财力）；二则凭借红十字会组织的国际性、影响力动员他国红十字会或其他组织、个人提供支援。中国红十字会的领导人物往往为政商各界名人，凭借其社会声望

① 《中国红十字会总会总办事处》，《申报》1913 年 1 月 3 日，第 4 版。
② 郭进萍：《红十字文化传播研究（1874—1949）》，苏州大学 2013 年硕士学位论文，第 37 页。
③ 《红会筹赈委员会集会记》，《申报》1929 年 6 月 17 日，第 14 版。
④ 《中国红十字会乞赈启事》，《申报》1931 年 8 月 5 日，第 2 版。
⑤ 《红会催募宝塔捐》，《申报》1929 年 9 月 18 日，第 16 版。
⑥ 据张建俅分析，截至 1931 年，中国红十字会会员总数难破 10 万，主要症结在于会费过高。参见张建俅：《中国红十字会初期发展之研究》，中华书局 2007 年版，第 144 页。

动员各界人士慷慨解囊，或以其特殊身份为救灾活动提供方便，如1929年运送灾童赴沪时，李伟侯以其招商轮船董事身份提供免费船运服务①。20世纪30年代后，充分利用中国红十字会领导人物社会地位优势的模式一如既往，然在凭借"红十字"声誉，动员国际救援范围及形式上发生改变。

一则请求国际红十字组织范围扩大。红十字会为国际性组织，其"普遍性"赋予中国红十字会在灾难时可求助于世界其他国家红十字会的权利。30年代之前中国红十字会面临重大自然灾害时虽已向其他国家红十字会求援，但往往集中于英、美等个别国家，如1913年中国红十字会总办事处以温（州）处（州）、顺（天）直（隶）水灾请求英国红十字会给予支援②；1917年京直水灾时美国红十字会汇来救灾款物；1920年北方五省旱灾时中国红十字会副会长蔡廷干致电美国红十字会，请求援助③。之后，国内军阀混战，中国红十字会集中精力进行战争救护，暂无大规模的救灾行动。30年代后，水旱灾害频发且为害巨大，为动员更多资源救灾救荒，中国红十字会向国际组织广泛呼吁，也得到许多国家红十字会的响应，如1931年，美国红十字会助赈10万美金④，"凡宜坐拉、土耳其、希腊、西班牙、万国、荷兰、捷克斯拉夫红十字会水灾急赈银五千七百零三两三钱、瑞士佛郎六千一百卅佛郎"⑤。1935年，美国红十字会捐助10万元⑥，苏联红十字会及红新月会捐1万元⑦，拉脱维亚亦有捐款886.52元⑧。可见，30年代后，中国红十字会不再局限于请求个别国家红会援助，而将求救范围扩大至多个国家。

二则红十字系统外的国际资源动员呈现"协同"性。多年的人道主义行动使中国红十字会声名远扬。30年代面对重大自然灾害时，中国红十字会除呼吁国内仁人志士慷慨解囊外，亦动员他国国人、海外华侨踊跃捐输。1935年，中国红十字会就协同世界教会组织中外混合委员会在

---

① 《红会昨开第三次委员会》，《申报》1929年7月16日，第15版。
② 《红十字会之筹赈忙》，《申报》1913年1月12日，第7版。
③ 《各方面之筹赈声》，《申报》1920年10月19日，第10版。
④ 《美红会捐助急赈美金十万元》，池子华、傅亮、张丽萍、汪丽萍主编：《〈大公报〉上的红十字》，合肥工业大学出版社2012年版，第427页。
⑤ 《中国红十字会鸣谢》，《申报》1931年9月16日，第6版。
⑥ 《美红会捐款救济长江流域灾民》，《申报》1935年8月16日，第4版。
⑦ 《俄红会捐款赈我水灾》，《申报》1935年9月5日，第8版。
⑧ 《拉脱维亚红会捐五千法郎赈灾款由万国红会交沪，红会派员出发查放》，《申报》1935年9月4日，第11版。

欧洲筹募灾款①。

之所以出现以上两种现象，最直接最紧迫的原因当为中国红十字会已陷入"经济危机"困境，在灾深款绌的历史形势下，不得不广泛进行资源动员，扩充经费。

三、应急响应机制的调整

应急响应机制是救灾机制中最核心、最重要的部分，直接关系到救灾活动的贯彻实施。中国红十字会自成立以来，在历次救灾的磨炼中形成了一套应急响应机制：总会统筹救济行动、设立临时救灾机构、发放救灾款物、急赈工赈双管齐下、组织实地放赈队。随着时空背景的转换，30年代后，尽管中国红十字会仍按照这一模式开展救灾行动，但在具体运作上发生明显变化，主要体现为以下几个方面：

其一，总会统筹力度下降。30年代前，灾害发生时，各灾区分会纷纷致函中国红十字会总会请求救援，总会即派遣放赈员赴灾区调查灾情，设立临时救济机构开展具体救灾事宜，分会则担当协助角色。30年代后，总会救灾角色分量逐渐减小，而分会则"喧宾夺主"②。如1931年江苏大灾，常熟分会、扬州分会、溧阳分会等十分活跃，设义塾、接婴所、组织救济队等，总会近在咫尺，却没有组织有效的赈济行动③。1934年旱灾被称为"中国过去最大的旱灾"④，浙江受灾严重，中国红十字会本应责无旁贷一如既往统筹灾荒救济，然从《申报》这一"晴雨表"上，几乎未见其任何救灾行动。直至1935年方梳理出几条有关该年的救济活动，却主要由松江分会负责。该分会先后设立难民收容所两处，3个月内收容难民达16000余人⑤，资遣难民14000余人⑥。在此过程中，总会仅仅应松江分会请求借孔庙明轮堂设第二收容所；先后拨米

① 《函中国红十字会为准外交部函以我国赈灾现由我国代表吴凯声联合世界教会组织中外混合委员会请连同出面组织中外混合委员会募捐文（十九年六月十八日）》，《振务月刊》1930年第1卷第5期，第36页。

② 胡兰生：《中华民国红十字会历史与工作概述》，《红十字月刊》第18期（1947年6月），第9页。

③ 江苏省红十字会编：《红十字运动在江苏——110周年大事记》，江苏人民出版社2014年版，第19页。

④ 中国经济情报社编：《1935年中国经济年报》第2辑，生活书店1936年版，第146页。

⑤ 《红分会呼吁救济》，《申报》1935年7月19日，第10版。

⑥ 《（松江）红分会遣送浙难民回籍》，《申报》1935年4月17日，第8版。

3 次 320 包运松①；应松江分会之请请求江浙两省铁道部饬沪杭甬路拨车 24 辆遣送灾民②。其余种种困难特别是经费方面几乎均由松江分会自行克服，总会表示"实无余款可拨，爱莫能助"③。实际上，总会确实心有余而力不足，该年中国红十字会的捐款比重降至 7.8%，一个前所未有的低谷④。

其二，临时性救灾机构大减。于灾区设立临时性救灾机构是中国红十字会长期以来开展救灾行动的"例行"举措，因为这样一方面便于及时救治灾民，另一方面作为临时性救灾"大本营"，利于中国红十字会救灾工作的实地展开。如 1917 年救济京直水灾时于天津设立妇孺留养所，于文安设立 3 所灾民留工所，于徕县设立留养习工所等等⑤。1928 年至 1930 年救助华北旱灾时，临时性救灾机构的设立更是达到高峰，如在洛阳设立妇孺收容所，在开封设立妇孺留养所，在北平设立灾童收容所，在陕县、包头、绥远、郑州等处设立灾童收容站，在上海设立灾童留养院等⑥。然至 30 年代后，在现有的资料中很难搜索出临时性救灾机构的踪迹，其中缘由与中国红十字会总会在救灾角色中地位的转变，分会负责救灾事宜不无关联。

其三，款物发放的主体改变。30 年代前，中国红十字会的款物发放形式可概括为四种：（1）中国红十字会总会直接派遣放赈员赴灾区放赈；（2）中国红十字会总会直接发放至灾区设立的临时性救济机构；（3）应灾区分会请求总会支援分会一定款物，由分会发放，但数目一般不大；（4）其他慈善团体将所募善款委托中国红十字会代放。可见在款物发放过程中主要由中国红十字会总会直接发放，即使应分会请求支援分会也是小额的。然 30 年代后，善款的发放主体逐渐转变，表现为二：一则主要由分会负责，如 1931 年，总会将募得的所有捐款 53 万余元交上海警备总司令熊式辉统筹办理，其中分拨江苏、安徽、湖北、湖南各 7500 元；河南 5000 元；江西 3000 元；浙江、广东、四川各 2000 元，

① 《中国红十字会遣送大批难民回籍》，《申报》1935 年 3 月 21 日，第 11 版。
② 《红十字会松分会报告遣送灾民回浙》，《新闻报》1935 年 4 月 2 日，第 11 版。
③ 《（松江）红会复松江分会电》，《申报》1935 年 2 月 21 日，第 10 版。
④ 张建俅：《中国红十字会经费问题浅析》，《近代史研究》2004 年第 3 期，第 106 页。
⑤ 参见池子华：《中国红十字会救济 1917 年京直水灾述略》，《淮阴师范学院学报》2005 年第 2 期，第 221—225 页。
⑥ 《中国红十字会急募留养妇女灾童棉被衣裤布匹鞋袜日用卫生品》，《申报》1929 年 8 月 16 日，第 2 版。

散放则由各该地红十字分会会同地方各公私机关团体共同负责，共计44000元①。二则委托其他慈善团体代放，如1935年，中国红十字会总会将赈款4万元、面粉8000袋、衣服1万件分拨山东、湖南、湖北、江苏各四分之一，交由华洋义赈会散放②。这就意味着中国红十字会逐渐脱离发放主体范围，只是充当了募捐角色——以往其他慈善团体的角色。如此转变，主要源于大战即将来临，中国红十字会忙于战争救护的筹备工作。

其四，赈灾形式"浮于表面"。重大灾害发生时，中国红十字会的赈灾形式一般涉及急赈与工赈两种，急赈即"治标"，为灾民提供衣、食、住、行等日常生活方便，工赈即"治本"，为灾区开河筑路。30年代前，中国红十字会往往以"标本兼治"的形式赈济灾区，如1915年水灾时，中国红十字会筹巨款、散棉衣，以工代赈、修筑堤圩③；再如1917年面对直隶奇灾，中国红十字会在散放款物的同时，修复堤坝、桥梁、道路等④。这种模式一直延续到1928年至1930年西北华北大旱灾。之后的几次水旱灾害救济中，中国红十字会仅以款物接济，并未见工赈形式的开展。

其五，实地放赈队伍踪迹难觅。实地放赈队伍是中国红十字会派遣的一支由少数精干人员组成的救灾队伍，携带一定的救灾款物赴灾区救济灾民，一直以来为中国红十字会于灾害救助时惯常组织的临时性队伍。如1905年安徽北部旱灾，中国红十字会总办事处派遣4个救护队前往灾区⑤；1912年浙江水灾，中国红十字会总办事处派出放赈、掩埋、防疫3队奔赴灾区⑥。这种实地赈济形式一直持续到1931年，为救济长江水灾，中国红十字会先派出防疫救护队10余人赴汉口救治时疫⑦，之后与《时报》馆合组救济队赴江北扬中、兴化救济灾民⑧。此后，史料中难觅实地放赈队的踪影，这是因为1931年之后民族抗战序幕拉开，救护人员短缺的状况凸显，已无力另行组织实地放赈队。

---

① 《红会分配赈款》，《申报》1931年9月26日，第15版。

② 《公牍选载：中国华洋义赈会救灾总会征募股来文》，《中国红十字月刊》第6期（1935年12月），第3页。

③ 《中国红十字会二十年大事纲目》，内部资料，第15页。

④ 池子华：《中国红十字会救济1917年京直水灾述略》，《淮阴师范学院学报》2005年第2期，第221—223页。

⑤ 《中国红十字会征求会员大会特刊》，内部资料，第42页。

⑥ 《中国红十字会征求会员大会特刊》，内部资料，第44页。

⑦ 《红会组防疫救护队出发汉口》，《申报》1931年8月20日，第13版。

⑧ 《红会救济队抵镇》，《申报》1931年9月18日，第13版。

四、监督机制的完善

"监督是为确保公平、公正与效率而建立的一种社会设置，是一套由观念、组织、规范所构成的制度系统"，包括自律（内部规范、制度等）与他律（政府部门、大众媒体、社会团体、社会公众等）两部分①，其核心是对红十字会的财务活动进行有效监督②。一套健全的监督机制是中国红十字会取信于民，立足社会的根本保障。中国红十字会自1904年成立以来一直十分注重款物使用的公开透明，所收救灾款物均于《申报》《新闻报》等报纸登载鸣谢广告，从团体到个人，无论多寡，一概刊登，可谓连篇累牍，然这仅仅触及"他律"中的一部分。20世纪30年代后，中国红十字会监督机制趋于完善，在注重社会民众监督的同时，内部监督、政府监督亦提上工作日程。

1928年至1930年为救济西北华北七省旱灾，中国红十字会设立筹赈委员会，并制定一套严格的内部监督规则。筹赈委员会推黄楚久、谭容圃为经济委员，林康侯、姚虞琴为保管委员，杜月笙、叶誉虎等为筹赈委员，且由总会总办事处会计谢波澄司支出，夏凤池司收入，钱佩贤司簿记，诸静齐司收捐。在实际操作中：收入方面："每日五时将大小捐款悉数送存委员长经济委员指定之银行存储，开具日报单送主任室，派稽核覆核无讹缮入流水簿"；支出方面：首先，先将支款用途交筹赈委员会公议决定数目；其次，交稽核员摘要，会计开具审核单；再次，交钱簿记入账送委员长核准，经济委员签字加盖钢印；最后，将支票交会计径交收款人，出具收据，且规定"凡十元以上必经委员会通过或追认"③。该委员会结束后，所有"收支账目、捐款收据早经潘会计师审查，又经常议会审查，委员会覆核"④。这种自我监督的方式并非一时兴起，1935年救济长江水灾时设立筹募委员会，制定募捐办法七条，完善监督机制，并呈请内政部核准加盖部印⑤。这说明，一方面中国红十字

---

① 孙语圣：《中国红十字会救灾学理论初探》，《探索》2010年第6期，第143页。
② 孙语圣：《中国红十字会救灾机制研究》，合肥工业大学出版社2013年版，第290页。
③ 《为国际善业悲鸣被灾同胞请命》，《申报》1930年2月22日，第6版。
④ 《中国红十字会三次催告前筹赈处赞助委员三联收据逾期作废启事》，《申报》1930年8月4日，第3版。
⑤ 《中国红十字会推定查放水灾委员并在电台扩大宣传》，《新闻报》1935年9月26日，第8版。

会救灾机制中的自我监督已提升至制度层面；另一方面，政府监督亦出现于救灾体系中。可以说，30年代后，中国红十字会救灾机制在监督层面逐渐形成了由民众、内部、政府三方共同组成的监督体系。

监督机制完善由多种因素促成，其导火线在于1928年中国红十字会因"积弊太深"①，陷入"彻查"风波，不能不强化自身建设。特别是1934年中国红十字会直辖内政部后召开的第一次全国会员代表大会上，内政部次长甘乃光指出："中华民国红十字会，每年收支不下百余万元，此项汇款，其用途是否正当，其收支有无浮滥，实需要一万倍之预算制度及会计组织，并会计检查制度以整理之……现在总会账目，已由本部遴派会计师实施检查。"② 政府的介入当然助推了监督机制的完善，而监督机制的完善同样也是中国红十字运动历史演进中自身发展的需要。

总体上看，在大战将至的历史时局中，在中国红十字会与政府关系的转换下，在中国红十字会自身经费问题的困扰下，中国红十字会救灾机制体系中资源动员机制、应急响应机制、监督机制发生转变。简而言之，中国红十字会的救灾"已属于辅助性质"，规模"较前期为小矣"③。尽管其募捐方式、募捐策略的运用大不如前，总会于救灾中的统筹力度、临时性救灾机构的设立、救灾款物发放的主体角色、实地放赈队伍的组建等亦呈下降趋势。但不可否认，其救灾机制转变过程中亦呈现出一定的进步性，如专门性筹募机构的设立，特别是监督机制的趋向完善，对于目前公信力降至冰点的中国红十字会而言具有重要的历史借鉴意义。30年代中国红十字会救灾机制的转变既是历史演进的需求，是中国红十字会自身发展的必然结果，也从一个侧面说明社会组织在特定历史条件下的自身发展规律。

（原载《安徽师范大学学报》2016年第5期。与丁泽丽合作）

历史纵横

239

---

① 《彻查红十字会昨日集会》，《新闻报》1927年8月14日，第1版。
② 《中国红十字会全国代表会昨开幕》，《申报》1934年9月25日，第10版。
③ 胡兰生：《中华民国红十字会历史与工作概述》，《红十字月刊》第18期（1947年6月），第9页。

抗战初期中国红十字会
战地救护工作述论

抗战全面爆发后，中国红十字会迅速将社会各慈善团体的力量整合起来，统一组织，依照日内瓦公约，在华北、淞沪、南京等战场积极进行战地救护工作，取得了令人瞩目的救护业绩，为维持抗战力量做出了应有的贡献。

一、华北战场救护

早在1936年，由于国防形势日益吃紧，中国红十字会就开始联络卫生署、军医署等政府部门和其他医药团体、医事教育机关，以及与救护工作有关的各团体、组织及商会，成立救护委员会，设置救护机关，计划协助供应、支配、训练等各项事宜，准备办理军民临时救护工作。迨平津危急时，上海、南京等沿江沿海一带要隘，随时有战事爆发之虞，当时中国红十字会救护委员会和中央救护事业总管理处一面"准备组织二十个救护大队，候命编发"，一面采购药械，分区存储在六个比较安全的场所，随时供应各战区使用[①]。在中国红十字会加紧救护准备工作之时，大战不期而至。

中国红十字会作为全国最大的慈善团体，其与一般慈善机构最大的区别，便是它有战地救护的内容。在这场全民族的抗战中，红十字会更是责无旁贷，"自绥远抗战事起，即在北平组设救护委员会华北分会，以便就近策动救护工作"[②]。卢沟桥事变发生后，总会以"事起仓猝，由上海派员前往，势必需要"，乃急电救护委员会华北分会"从速组织救

---

① 庞京周：《抗战中救护事业底一个断面》，《中国红十字会历史资料选编，1904—1949》，南京大学出版社1993年版，第351页。

② 庞京周：《抗战中救护事业底一个断面》，《中国红十字会历史资料选编，1904—1949》，南京大学出版社1993年版，第351页。

护队，赴卢沟桥方面救护"①。

平津失陷后，总会首先组织重伤手术组在国民政府所办的"野战""预备""兵站""后方"各种医院担任重伤手术，由华北协和医院、山东齐鲁大学医科学生为基本人员，会同清苑县分会分赴卢沟桥、天津、廊坊、南苑、北苑、杨村等地从事战地救护。此外，总会又加派三支救护医疗大队奔赴前线：一在沧州，由齐鲁大学担任；一在定兴、保定一带，由保定医学院担任；一为随军救护，由中央医学院担任②。同时，总会一面令小站、武清、仓县、蠡县、任邱、饶阳、献县等分会查报地方情形，准备救护③，一面组织上海地区的医疗力量参与华北战场救护，并于8月7日派国立上海医学院、国立同济大学组织救护队前往战区工作④。这种互相配合，不分畛域的协作精神，令人钦敬。只是南口、张垣、商都等地区的救护事业，因为种种困难，中国红十字会的救护工作，尚付阙如，仅由军医自行救护，是此次战地救护美中不足的地方⑤。

二、淞沪会战救护

全面抗战开始后，战地救护工作成为医疗界的当务之急。为此卫生署长刘瑞恒特前往上海，与总会及各界领袖进行会商，刘瑞恒认为"华北前线紧张状态之下，对于紧急救护之准备，实有迫切之需要，故各地应从速设法成立紧急救护团体，并与各地已成立之红十字会与当地卫生机关保持密切之联络，以准备非常时期之来临"⑥。中国红十字会也鉴于日军侵略上海的战争风云日紧，除扩大训练积极准备外，并于7月25日召开理监事会紧急联席会议，会议决议上海的中国红十字会总会为全国救护事业的重心，有统筹调度的责任，且即席决议了三项措施：（1）规定非常时期之非常工作；（2）集中毕业救护学员；（3）募集巨额捐款，

---

① 《中国红会派队赴卢救护》，《申报》1937年7月15日，第4版。

② 《中华民国红十字会总会工作报告》，《中国红十字会月刊》第57期（1940年6月），第14—15页。

③ 庞京周：《抗战中救护事业底一个断面》，《中国红十字会历史资料选编，1904—1949》，南京大学出版社1993年版，第350页。

④ 《中华民国红十字会总会工作报告》，《中国红十字会月刊》第57期（1940年6月），第15页。

⑤ 庞京周：《抗战中救护事业底一个断面》，《中国红十字会历史资料选编，1904—1949》，南京大学出版社1993年版，第351页。

⑥ 《刘瑞恒筹商非常时期紧急救护办法》，《时事新报》（上海），1937年7月25日，转引自《中国红十字会月刊》第27期（1937年9月），第84—85页。

购置医具药品。此外，会议还决议总会与上海市分会会同上海市地方协会、医师公会、中华医学会、药业公会、医事教育机关及其他与救护有关团体合组中国红十字会上海救护委员会，公推颜福庆为主任委员，许冠群、徐乃礼为副主任委员，俞松筠等为委员，内设总务与医务两组，在两组下又设事务、医院、材料、救护、文书、记录、会计、庶务、运输、情报、交际、稽查、慰劳、掩埋等十四课，聘请王撰生、杨怀僧、郭琦元、朱仲高、朱恒璧、徐世纶、吴利国、叶植生、张子道、汪民视等为各主任干事，受中央救护事业管理处的指挥和监督，设办公处于总会内，在红十字会旗帜下集中力量，统一组织，依照日内瓦条例编练救护人员①。这种救护资源的大整合，为淞沪抗战救护准备了条件。7月27日，总会又在新闸路会所召开全体理监事联席会议，决定正式联合"上海市各界抗敌后援会""上海慈善团体联合救灾会"等团体②，与各团体精诚合作。这样红十字会的救护工作，很大一部分便融注于慈联会等社团的救助行动中，以收规模效应③。

　　8月13日，日军进攻上海，因"当时租界中自不能设立军政部之医院"④，中国红十字会总会与上海市救护委员会合作，在中德医院集合救护训练班毕业学员，把毕业学员分三个层次进行编队，"第一批就各人住址相近，编入某地防护队，共需六队，每队十人，举队长一人；第二批编入红十字会救护队，约编十队，每队十人；第三批预备队，所有未编入前两批者，悉数编入"⑤。在整个淞沪抗战中，由中国红十字会"联合上海市救护委员会，组织救护队十个，急救队十二队，救护医院二十四所，征集救护汽车九十八辆，另特约公私医院十六所及国际委员会所设之医院，分布淞沪前线及上海租界，协同一致，执行救护、输送、医疗等作业，并于接近前线之交通孔道，设置伤兵分发站，为受伤军民办理登记、交换绷带，然后分批指送医院收容"⑥。其具体情形如下：

---

① 《中华民国红十字会总会工作概况报告》，《中国红十字会月刊》第57期（1940年6月），第15—16页。

② 《各界积极准备救护训练工作——红十字会》，《申报》1937年7月28日，第9版。

③ 参见池子华：《1937年中国红十字会淞沪抗战救护简论》，《徐州师范大学学报》（哲学社会科学版）2003年第4期，第86页。

④ 庞京周：《抗战两年中之中国红十字会总会》，第5页。

⑤ 《救护组织已有头绪》，《申报》，1937年8月13日，第10版。

⑥ 中华民国红十字会编宣股：《中华民国红十字会战时工作概况》，1942年内部印行。

（一）救护医院

当淞沪情势日趋急迫，战事爆发危在旦夕之际，中国红十字会即着手组织救护医院，希望能迅速应付事变。到八一三抗战开始时，第一至第七以及第二十救护医院就次第成立，以后为收容伤兵继行开办的有第八至十三及第十八救护医院。从 8 月 13 日至 8 月底共成立救护医院 15 所。9 月以后，设立的医院有的由中国红十字会直接创办，担负全部经费，有的与其他机关或团体合作开办，由中国红十字会补贴一部分经费，有的医院经费完全靠自筹，但全部医院均隶属中国红十字会，且伤兵的收容与遣送亦由中国红十字会统一指挥。

除救护医院外，还有"特约医院"参与中国红十字会的战地救护工作。战事初起之时，为尽量收容伤兵，中国红十字会与上海原有医院洽商兼收伤兵，由总会补贴各医院伤病兵每人每日药品伙食费五角。当时与中国红十字会合作的医院有 16 所，各特约医院的床位约共 900 张[①]。

除上述中国红十字会所属救护医院 24 处，特约医院 16 处外，还有其他团体或个人设立的伤兵医院，其组织及经费完全独立，但仍与中国红十字会合作，对于伤兵的收容与遣送都由中国红十字会负责，从 1937 年 8 月 14 日开办，到 1938 年 3 月 8 日结束[②]。以上各医院在淞沪抗战期间共收治伤兵伤民 19539 名[③]。

（二）伤兵分发站

随着战争规模的不断扩大，战线亦不断延长，每天运往上海的伤兵数量有 300 至 900 名之多，而上海市伤兵医院床位最多时仅 5000 余张，伤兵收容形势异常紧张。鉴于此，中国红十字会从 8 月 22 日起在第六救护医院内设立伤兵分发站 1 所，由医护人员将从前线救回的伤兵视其伤势轻重分别处理，重者送入医院，轻者则用火车、轮船等转送至后方。9 月 20 日第六救护医院结束，伤兵分发站改设枫林桥外交大楼，该处可容纳伤兵 1000 名，内设站长 1 人，医师 2 人，护士 10 余名，司理伤兵换药包扎事宜，另由上海市商会童子军团部派童子军一队常驻站内，帮助维持秩序并管理伤兵登记、伤兵输送等事宜。第六救护医院附设的伤

---

① 《中华民国红十字会总会工作概况报告》，《中国红十字会月刊》第 57 期（1940 年 6 月），第 30 页。

② 《中华民国红十字会总会工作概况报告》，《中国红十字会月刊》第 57 期，第 31 页。

③ 《中华民国红十字会总会工作概况报告》，《中国红十字会月刊》第 57 期，第 16 页。

兵分发站自 8 月 20 日起至 9 月 20 日止，共计收容伤兵 2267 名，外交大楼分发站自 9 月 21 日起至 11 月 8 日止，共计收容伤兵 17940 人①。

除上述伤兵分发站外，红十字会亦在昆山设伤兵发送站。八一三全面抗战肇始，上海市救护委员会在昆山设立第一伤兵医院，救护受伤士兵。嗣后，因敌机猛烈轰炸，该院一部分房屋、设施被炸毁，为顾全伤兵及救护人员安全起见，该院于 10 月 21 日奉令将伤兵转送苏州，并继续收容伤兵、办理重伤医院。而该战区司令部以昆山为伤兵总集结处，认为该院如果调往苏州，则输送昆山的伤兵接受治疗很受影响，因此该战区司令部将该院工作人员全体"扣留"，并令其继续工作。在此情况下，上海救护委员会令第一救护队由嘉定调昆山接办伤兵医院。救护队队长雷树德率领队员缜密观察后认为，昆山不宜设立伤兵医院，建议依照枫林桥外交大楼伤兵分发站的办法办理，"伤兵到站后，立即换药给食，其伤重者设法用军政部卫生船舶运往后方医院，伤轻者则由军委会野战救护处分送苏州等地"②，于是，昆山伤兵分发站就开始运作起来了。

昆山为伤兵集散地之一，但因该地交通工具缺乏，伤兵运输困难，加之战事日益激烈，收容的伤兵还未来得及运走，前方伤兵又源源而来，分发站人满为患。为了解决这一现实矛盾，中国红十字会不得已只好另觅兴学路某住宅两座为临时收容处所。不幸的是该处遭敌机炸毁，伤兵死亡多名，物资损失也非常严重。加之此时战局形势日益恶劣，救护工作受到严重威胁，中国红十字会昆山伤兵发送站在如此困难的环境之下，只好将民立女中童军营帐 12 顶架于青阳港畔，加以伪装，以避敌机袭击。运输方面，救护人员将伤者分别用舟车运往苏州，伤兵能步行者则步行，重伤者则搬运至帐内或河畔遮蔽处，等候船运。其时，恰逢军方一运输船队途经此处，医护人员与其多方交涉，才答应将重伤士兵转运至苏州。当时，日军已兵临城下，所有陆军医院人员已事前撤退，昆山伤兵分发站在此形势之下，才于 11 月 13 日晚完成分发任务后奉命撤退。昆山伤兵发送站自 10 月 26 日开办，至 11 月 13 日结束，仅53 名医护人员，在短短不足 20 天的时间内，分发伤兵计达 3200 余名③。

11 月 13 日，上海沦陷，后方交通断绝，中国红十字会为伤兵安危

---

① 《中华民国红十字会总会工作概况报告》，《中国红十字会月刊》第 57 期，第 31 页。
② 《中华民国红十字会总会工作概况报告》，《中国红十字会月刊》第 57 期，第 28 页。
③ 《中华民国红十字会总会工作概况报告》，《中国红十字会月刊》第 57 期，第 29 页。

考虑，遂将救护工作的重点转移到疏散伤兵上来（疏散伤兵的工作实际上在上海沦陷前即已开始）。当时由外商经营的上海轮船还可以航行至浙江温州、台州等地。中国红十字会遂于 11 月 27 日派员分批护运伤兵经台州入浙江，分两路疏散伤兵，一路由台州转宁波，一路由台州经百官转萧山，再由浙赣路各军医院收容，并分派人员驻金华、衢州，护理接运伤兵。到 12 月份，留在上海的伤兵已全部顺利遣送内地①。根据资料统计，上海沦陷前后经红十字会疏散安置的伤兵：杭州 5750 名，松江 264 名，苏州 405 名，嘉兴 659 名，吴兴 321 名，无锡 67 名，香港 91 名，宁波 5607 名，温州 291 名，其他 1603 名，伤愈归队 895 名，残废 158 名，总计 16111 名②。

（三）救护队工作状况

中国红十字会在抗战全面爆发前就开始组织救护队，特别是在八一三淞沪抗战前夕，中国红十字会四处征求救护人员，募集车辆。从 8 月 13 日至 20 日，在短短的一周时间内，中国红十字会为了应环境所需，先后成立救护队 6 队，按照《中央救护大纲》加以缩编，每队队员为 56 人，由红十字会任命能力较强者为各队队长。当时各业救护团体纷纷请求参加战地救护工作，除煤业公会单独组织救护队一队，队员有 100 余人外，其他各业救护团体均经红十字会审查编为急救队 6 队，每队队员 16 人，"以期统一事权，藉取分工合作之效"③。彼时战事虽起，战线尚短，所出发的救护队员分布于江湾、大场、闸北、真如、浦东一带，互相策应，救护成效显著。8 月 25 日后，战线逐渐扩大至吴淞、罗店等处，于是"原有人员咸感不敷"，中国红十字会乃继续组成救护队 4 队，急救队也由 6 队增至 12 队，先后出发，到前方协助救护伤兵④。

整个淞沪会战时期，红十字会救护、急救队人员并不是固定、整齐划一的。战线屡异，而中国红十字会救护人员的增减、屯驻地点的转移，也因之屡更，除南市、浦东、沪西驻有多数救护队员外，其他如黄渡、浏河、太仓等地离沪 90 余公里外，也均有中国红十字会救护队驻

---

① 中华民国红十字会编宣股编：《中华民国红十字会战时工作概况》（1942 年内部印行），第 4 页。

② 《中华民国红十字会总会工作概况报告》，《中国红十字会月刊》第 57 期，第 33 页。

③ 《中华民国红十字会总会工作概况报告》，《中国红十字会月刊》第 57 期，第 35 页。

④ 《中华民国红十字会总会工作概况报告》，《中国红十字会月刊》第 57 期（1940 年 6 月），第 36—48 页。

扎。尽管各队队员有增有减，驻地也时有变化，但"所引为难能可贵者，不论距离远近，昼伏夜行，餐风露宿，不畏艰险，奔走于枪林弹雨之中，不惜任何牺牲，均能密切合作"，其救护成绩是显著的，"综计8月份战区长达数十公里，服务队员平均300人，被救兵民总共6700人，在19天内，合每人平均救出22个半人，每人每天救出1个多人"，"各队服务精神之强毅，深为军事长官和军医当轴所嘉许"①。而整个淞沪会战期间，经救护、急救队所救伤兵竟达39000余人②。

参加此次会战救护工作的除中国红十字会外，还有国民政府卫生与军医部门，但后者的表现令人失望，亲历此次战役救护工作的原国民党元老颜惠庆认为："国家岁费巨款，设立卫生，及军医专管机构，将近十年，所积经验，势必甚丰，而结果令人如此失望！此次抗日战争，对于'人力'方面，不必要的损失，与无谓的牺牲，竟如此浩大而惨重，'典守者'，实难卸责，成千上万的负伤兵士，倘能施行应时的救急治疗，为国家不知将保存若干经验丰富的英勇战士。然而由于毫无野战医院之组织，药剂设备等又极简陋残缺，竟将可以救治的兵员，弃之战场，委之沟壑，任其流血死亡，或终身残废。"而中国红十字会组织的"上海区内的临时救急医院，技术上，虽无可比议，终属因陋就简，然较之一般所谓司令部后方医院，对于伤兵的照料，实有天堂与地狱之别"。军方后方医院"不独谈不到医疗设备，乃至极简单的服务亦等于零，'所谓极简单的服务，就是送茶递水之类'"③。虽然总会及所属各院队工作人员的服务受到若干肯定，但不可讳言的是，死亡的伤兵仍在不少数④，这是因为在整个淞沪抗战救护中，中国红十字会遇到重重困难，使救护工作不能顺利进行：

一、工具尚感不敷，二、租界门禁无定，阻碍交通，三、日机轰炸，只能昼伏夜行，四、医院床位有限，输送无从之时，五、车辆缺乏，征集维艰，调遣为难，六、军部卫生队时感不足，不能与救护队联系输送。以上数端足使受伤将士多尝痛苦，增加死亡⑤。

---

① 庞京周：《抗战救护事业底一个断面》，《中国红十字会历史资料选编，1904—1949》，南京大学出版社1993年版，第352页。

② 《中华民国红十字会总会工作概况报告》，《中国红十字会月刊》第57期，第35—36页。

③ 颜惠庆原著，姚崧龄译：《颜惠庆自传》，（台北）传记文学出版社1973年版，第219页。

④ 参见张建俅：《中国红十字会初期发展之研究》，中华书局2007年版，第195页。

⑤ 《中华民国红十字会总会工作概况报告》，《中国红十字会月刊》第57期（1940年6月），第36页。

尽管如此，中国红十字会的战地救护成绩还是比较突出的。从 1937 年 8 月 14 日至 1938 年 4 月 30 日完全结束止，由上海市各医院收容兵民 19539 名，由伤兵分发站运送后方各地者计 7128 名，由前线直接运送后方各地者 17722 名，合计先后救运受伤兵 44389 名①。

中国红十字会在八一三淞沪会战前对救护工作虽有所准备，但时为总会秘书长的庞京周则认为，"这次上海市救护工作，把几天的预备工作，应付这般大的战局，运输工具并且这般缺乏，根本不能相称，自然不办得满意"②。这番检讨说明总会的救护工作在硬件方面储备并不充分。其原因大概有两点：一是总会内部意见未统一。当时红十字会在上海的"理、监事中尚不缺乏对大局存侥幸心理者"，或是"囿于依附租界之旧观念而无长远打算"，"故集才、集资、集物等工作掣肘殊甚"。二是红会对战地救护的宣传力度欠缺。华北战事发生后，秘书长庞京周奔走京沪庐山时，对救护事业，做过几次演讲，发表过三四篇文章，并且播过一两次音，而所取得的社会效果，"似乎不免听者藐藐"，后来虹桥事件发生后，红十字会曾经用巨幅广告，征求人才物品，为战地救护做准备，"不过所得捐款，未足一千，投效的人，绝鲜专才"③。可能红十字会基于宣传征募所得的社会效果并不理想，在八一三事变后，中国红十字会一反从前常态，如借助《申报》等大众媒体，广泛宣传、鼓动，连篇累牍报告救护详情，呼吁社会各界捐款捐物，量力救急，支持红十字会的救援行动，而是"暂安缄默"④，就连《申报》这一最能反映红十字会动向的媒体，报道也是零星的、非连续的。红十字会的这一举动，结果造成人们对"红会加以莫大的怀疑，就是协助团体，也不免渐加责难"⑤，红十字会这一封锁战地救护消息的举措，隔离了其与社会各界的联系，无法取得社会各界最大限度地对战地救护工作的支持，使本来就困难重重的救护工作变得更加严重。在淞沪会战 50 天后，庞氏自认为总会在此战役期间的表现是"毁誉参半"，而上海市分会的表现则是"予军界印象至劣"，故此庞氏认为"此时若不急由总会出图补救，

<hr>

① 胡兰生：《中华民国红十字会历史与工作概述》，《红十字月刊》第 18 期，第 6 页。
② 庞京周：《抗战救护事业底一个断面》，《中国红十字会历史资料选编，1904—1949》，南京大学出版社 1993 年版，第 353 页。
③ 庞京周：《抗战救护事业底一个断面》，《中国红十字会历史资料选编，1904—1949》，南京大学出版社 1993 年版，第 350 页。
④ 《中国红十字会总会启事》，《申报》1937 年 8 月 20 日，第 4 版。
⑤ 庞京周：《抗战救护事业底一个断面》，《中国红十字会历史资料选编，1904—1949》，南京大学出版社 1993 年版，第 350 页。

则更无机会矣"，请求总会速集人力、物力加以补救①。

三、创办南京伤兵医院

中国红十字会在淞沪抗战期间，就已先后在松江、苏州、杭州、昆山、无锡等地设立了重伤医院，这一措施既减轻了上海各救护医院的压力，同时也为持久抗战救护准备了条件。另一大措施则是在首都南京"设立打破世界纪录能容纳五千床位之大规模重伤医院"②。

1937 年 8 月下旬，宋美龄有意要利用上海的人力、物力、财力在南京筹设一大规模伤兵医院，透过卫生署长刘瑞恒邀请红十字会秘书长庞京周来南京主办此事③。庞氏认为"欲为伤兵服务，非放手去不可"，故在未得总会通过之前，先斩后奏，先往南京主持该院，并且向总会汇报自己到南京主持救护事业后，红十字会的救护事业已"粗得头绪"并"当然独立"，"然无独立支持之能"，请求总会予以支持④，并强调"首都红总会五千床位医院已得蒋夫人同意开始筹备"，无法更改事实，要求总会开理事会追认自己在南京任职的既成事实⑤。庞氏在南京的工作还有另一项有力的根据，即是早先卫生署曾训令"凡属全国性质之民众团体，其总会必须设在首都"。9 月 27 日，总会召开第 9 次常务理、监事联席会议，决定在南京设立首都办事处，并拟组织规程提会讨论通过，如此总会始终都必须派员常驻南京。10 月 4 日首都办事处成立，总会第 11 次常务理、监事联席会议决议派庞京周为该办事处主任⑥。然而总会对庞氏先斩后奏的行为大为不满，所以在首都伤兵医院成立后，最初只派任庞氏为总会首都办事处主任兼任该院的副院长，院长一职则不

① 《秘书长庞京周发副会长杜月笙、刘鸿生暨各理事电报》（1937 年 10 月 3 日），贵州省档案馆藏《中国红十字会救护总队档案》（以下简称《救护总队档案》），M116-280。

② 《中国红十字会将恢复野战救护队》，《申报》（香港版）1938 年 4 月 6 日，第 4 版。

③ 庞曾泩：《少志于学，壮事开拓，老安本业——记先父庞京周医师》，《苏州文史资料》，第 17 辑，第 75—76 页。

④ 《秘书长庞京周发副会长杜月笙、刘鸿生暨各理事电报》（1937 年 10 月 3 日），贵州省档案馆藏《救护总队档案》，M116-280。

⑤ 《秘书长庞京周发副会长杜月笙、刘鸿生暨各理事电报》（1937 年 10 月 4 日），贵州省档案馆藏《救护总队档案》，M116—280。

⑥ 《总会发卫生署呈文》，（1937 年 10 月 5 日），贵阳市档案馆藏《中国红十字会救护总队档案》（以下简称《救护总队档案》），40-3-171。

派人①。据此，庞氏向总会力争"惟院长一席，关系院务至巨，实属未便虚悬"，在院长未到任以前，"只得暂由副院长代理"。庞氏解释为"责任重大"，有其责却未获其名，要求总会各理事派人来京主持②。2天后，庞氏又去电称："惟因初办，人员、物质待系亲自支配调整者甚多，警报时至，每漏忘工作，一切自必较沪上略慢耳"，再次要求总会举"理事来宁督察实况"，名曰"赐予指导，俾资遵循"③，其真正目的是希望总会明令其为院长。其后，经总会第13次常务理、监事联席会议，决议请卫生署长刘瑞恒为首都医院名誉院长，派庞京周兼任该院院长，但同时决定"所遗秘书长一席，庞主任势难兼顾，公推林常务理事康侯暂行兼任"，免去了庞氏总会秘书长的职务④。

南京伤兵医院是总会与官方合作的产物，由总会设法提供医药器材、医护人员，而内政部则负责伤兵纪律管理与后勤给养⑤。该院在庞京周的主持和卫生署长刘瑞恒的支持下，在上海公开招聘医务人员，规定拟聘人员类别、资格及待遇：（1）外科助理医师5人，资格：正式医学校毕业并曾在各大医院外科病室服务1年以上者，月给津贴80元；（2）5年级医学生50名，月给津贴35元至40元；（3）有经验的男护士20人、女护士50人，月给津贴25元至30元；（4）护士长助理2人，月给津贴75元至80元⑥。其所需器物也在上海定购，由于"交货需时，迫不及待"，于是南京伤兵医院向市民征募棉被、枕头、白布、毛巾、热水瓶、搪瓷器具等日常生活用品⑦。据称在不到10天的时间之内，总会便在南京中央大学内利用该校大礼堂、图书馆、科学馆、体育馆、各学院及宿舍等组织成立了首都伤兵医院。该院床位达5000具，医护人

① 《总会发首都办事处训令》（1937年10月21日），贵州省档案馆藏《救护总队档案》，M116-280。

② 《首都办事处主任庞京周发总会公函》（1937年10月21日），贵州省档案馆藏《救护总队档案》，M116-280。

③ 《首都办事处主任庞京周发总会副会长杜月笙暨理、监事电报》（1937年10月23日），贵州省档案馆藏《救护总队档案》，M116-280。

④ 《总会发首都办事处主任庞京周公函》（1937年10月29日），贵州省档案馆藏《救护总队档案》，M116-280。

⑤ 《秘书长庞京周发副会长杜月笙、刘鸿生暨各理事电报》（1937年10月4日），贵州省档案馆藏《救护总队档案》，M116-280。

⑥ 《中国红十字会征求医务人员启事》，《申报》1937年10月20日，第3版。

⑦ 《中国红十字会征募医院器物启事》，《申报》1937年10月21日，第3版。

历史纵横

249

员 300 余人，工役 400 人，其手术室同时可供 7 个病人使用①，是抗战期间中国最大的伤兵医院②。该院于 1937 年 10 月 6 日开始收容受伤将士，其在医务方面设有初诊室、手术室、传染病室、爱克斯光室、骨科室、重伤室及轻伤室等，并在下关车站设立伤兵接应站，凡是各路运抵南京的受伤将士，先由该所包扎后，分别轻重伤势，而将重伤者送至南京伤兵医院，先经初诊室予以登记，调换衣服，注射破伤风、抗毒素及各种初步诊治后，分重伤的种类及部位，如头部、胸部、腹部、四肢等，分送各病室继续治疗，各病室如发现传染病病人，则转送传染病室，经治疗将痊愈的伤兵则送轻伤病室，已经治愈者则由院方通知伤兵管理处前来率领出院。该院手术室每日平均大小手术在二三十次左右，骨科大多为复杂骨折，且其创口十之八九多已化脓。破伤风、痢疾、伤寒等传染病在该院也时有发现③。当时总会在南京设立伤兵医院的目的，在于作为整个京沪战线的后盾，以收容战地送来的伤兵④，正如庞氏所言："淞沪激战之际，我方受伤将士为数颇多，而且租界当局渐有限制收容之议，本会遂于二十六年（1937）十月初计划设一大规模之医院于后方，当以上海至南京，铁路之外，公路有三，水路亦通，溯江而上，又可转院腹地。"⑤ 当时设计该院的人员除庞京周与中西医生外，"尤以前卫生署长刘瑞恒先生指示为多"⑥，创办者本想南京伤兵医院在沪宁沿线抗战救护中有所作为，然而出乎他们意料之外的是，"惜苏昆不能久守，战局聚变"，国民党军队在京沪战线上败退过于迅速，该院办理至11 月中旬不过一个月，就不得不宣告结束，而奉令将伤兵移送安徽及各军医院分散收容，其间所收容伤兵仅 3381 人，却耗费 117820 元，"开办费几去一半"，至为可惜⑦。

　　总会在南京设立伤兵医院后，"嗣因欲缩短受伤者由接应所载送入院之时间"，减少其途中颠簸的痛苦，在和平门车站附近南京孤儿院原址设立和平分院，以资收容⑧；又于 10 月 12 日在下关车站设伤兵接应

红十字运动·历史传承与当代发展

250

――――――――――――――――

　　① 庞京周：《抗战两年中之中国红十字会总会》，第 6 页；有的文献称手术室可同时供 10 余人使用，见《首都伤兵医院概况》，《中国红十字会月刊》第 57 期（1940 年 6 月），第 14 页。
　　② 中华民国红十字会总会编印：《中华民国红十字会战时工作概要》（1946 年内部印行），第 3 页。
　　③ 《首都伤兵医院概况》，《中国红十字会月刊》第 57 期（1940 年 6 月），第 14—15 页。
　　④ 张建俅：《中国红十字会初期发展之研究》，第 197 页。
　　⑤ 庞京周：《抗战两年中之中国红十字会总会》，第 6 页。
　　⑥ 庞京周：《抗战两年中之中国红十字会总会》，第 6 页。
　　⑦ 庞京周：《抗战两年中之中国红十字会总会》，第 7 页。
　　⑧ 《首都伤兵医院概况》，《中国红十字会月刊》第 57 期（1940 年 6 月），第 15 页。

所，与南京市分会暨其他救护团体合作，专为到站伤兵换药，分别伤势轻重派车转送治疗。自10月13日到31日止，计到站伤兵共12767名，其中轻伤官兵经接应所换药敷料有6620人，运送重伤者计有1127人，转送后方医院6818人，转运离京人数为4789人[①]，到站死亡，由接应所出资掩埋者18人[②]。

除上述总会开展的救护事业外，各地分会也积极从事战地救护工作，其中比较有成绩的是中国红十字会武汉分会。从1937年9月22日至1938年3月25日止，护运伤兵42263人，出动担架8340付，派出夫役7585人次，巡回治疗3871人，收容治疗234人，种痘360人[③]。

（原载《历史教学》2010年第9期。与戴斌武合作）

① 《设下关伤兵接应所》，《中国红十字会月刊》第58期（1940年7月），第15—16页；《中国红十字会总会南京下关车站伤兵接运所十月份工作报告》（1937年11月10日），贵阳市档案馆藏《救护总队档案》，40-3-204。

② 《中国红十字会总会南京下关车站伤兵接运所十月份工作报告》（1937年11月10日），贵阳市档案馆藏《救护总队档案》，40-3-204。

③ 根据《中国红十字会汉口分会救护工作报告》（1937年9月22日至1938年3月25日），《中国红十字会月刊》第34期，第41—72页的数字计算所得，非原始数据。

"一·二八"事变与
中国红十字会的沪战救护

　　1932年1月28日，淞沪战事打响，中国红十字会秉承"博爱恤兵"宗旨，义不容辞展开救护。此次救护行动在中国红十字会救护史上无论是规模抑或成效，均有超越，但未引起学界足够关注。目前，相关研究或以抗战初期中国红十字总会救护行动统而论之，或以上海红十字运动为中心展开①，尚无专文全面深入探讨。本文重新梳理史料，以中国红十字会为中心，包括总会、战区分会，对其在淞沪抗战中的救护行动进行全面考察，以就教于方家。

一、救护背景

　　九一八事变后，日本为进一步扩大侵华战争，把矛头指向上海，处心积虑制造事端，点燃战火。

　　1932年1月18日下午，日军官田中隆吉勾结日本女特务川岛芳子，唆使日本和尚天崎启升、水上秀雄及其信徒藤村国吉、后藩芳平、黑岩浅次郎5人，故意挑衅三友实业社工人义勇军。双方"互殴"，日方乘机扩大事端。20日上午，田中隆吉等人又指使日宪兵大尉重藤千春，指挥上海"日本青年同志会"60多名暴徒纵火焚烧三友实业社毛巾工厂，造成1人死亡，2人重伤。当日下午复聚众暴动，捣毁北四川路老靶子路各商店。上海市吴铁城市长派秘书长向日领事提出严重抗议，要求"此后不发生此项事件，严缉凶犯，并保留一切交涉"。但日领事只是口头敷衍，并"没有外交上有效行为的处置"，反向吴市长表示，日僧5

---

　　① 池子华：《抗战初期中国红十字会的战事救护》，《江海学刊》2003年第4期，第132—137页；董根明：《抗战时期中国红十字会组织的整建与救护工作述评》，《抗日战争研究》2011年第3期，第59—65页；薛丽蓉：《1932年淞沪抗战时期上海红十字运动简论》，《〈红十字运动研究〉2007年卷》，安徽人民出版社2007年版，第113—118页。

人被殴打，要求吴市长缉拿凶犯，并提出书面抗议四项要求："（一）市长须对于总领事长表示道歉之意；（二）加害者之搜查逮捕应迅速切实施行；（三）对于被害者五名须予以医药费及抚慰金；（四）关于挑日、侮日之非法越轨行动一概予以取缔，尤其应将上海各界抗日救国委员会及各种抗日团体及时解散之。"①

日本的无理要求，吴市长表示实难应允。日军遂增派军舰及海军陆战队集聚上海，战争一触即发。25日，日本海军省首脑与外务省首脑联合举行会议，声称"中国方面不表示诚意，不实行日本之要求，决以武力立即要求之贯彻"②。28日，日军又派航空母舰加贺号、凤祥号，巡洋舰那珂号、由良号和阿武隈号3艘及水雷舰4艘开赴上海，并向上海市当局发出最后通牒，"限于二十八日下午六时圆满答复，否则即取自由行动"③。迫于压力，上海市当局"为维持其想象的上海和平计，不惜忍痛屈辱，洒泪签字"④。但欲壑难平，日军意在占领上海，乃以保护闸北日侨为名，于28日晚兵分三路，向中国军队发起进攻，"一·二八事变"爆发。

战事发生后，日军扬言4小时内占领上海。保卫上海的十九路军则表示，"为卫国守土而抵抗，虽牺牲至一卒一弹，绝不退缩"⑤。双方激战，伤亡惨重。据统计，至5月5日《停战协议》签订，中国军队伤亡11770人，战区民众伤亡15793人⑥。

鉴于中国军队"担架队太少，救护义务不良"⑦，中国红十字会"秉博爱恤兵之宗旨，以救死扶伤为职志"⑧，责无旁贷展开救护。1月27日下午，上海总会⑨接到淞沪警备司令部急电"嘱咐预备救护事宜"后，"当即预办各项救护工作"⑩。战事爆发后，中国红十字会组织救护队员奔赴前线，开始了民族自卫战争的救援行动。

① 华振中、朱伯康编：《十九路军抗日血战史料》，神州国光社1933年版，第60页。
② 华振中、朱伯康编：《十九路军抗日血战史料》，神州国光社1933年版，第73页。
③ 华振中、朱伯康编：《十九路军抗日血战史料》，神州国光社1933年版，第74页。
④ 黄元起主编：《中国近代史》上册，河南人民出版社1982年版，第338页。
⑤ 洪京陵编：《中国现代史资料选辑》第4册，中国人民大学出版社1989年版，第8页。
⑥ 中国国民党浙江省执行委员会编述：《一二八暴日进扰淞沪事略》（内部资料），1934年编印，第16页。
⑦ 《淞沪抗战纪》（内部资料），1932年编印，第55页。
⑧ 《中华民国红十字会战时工作概况》，中华民国红十字会总会1946年编印，第1页。
⑨ 国民政府定都南京后，遂将北京总会改为北平分会，上海总办事处执行总会事务。
⑩ 卫铁铮：《报告：中国红十字会大事记（续）》，《中国红十字月刊》第6期（1935年12月），第55—57页。

二、战事救护

沪战自1月28日爆发至5月5日结束，历时3个多月。在此过程中，中国红十字会总会在战区各分会的配合下，展开救援。

1月28日战事打响，日军急于占领上海，集中陆战队3000余人、在乡军人3000余人、兵舰20余只、铁甲车10余辆向闸北进攻①。直至3月3日，上海一直为交战中心。中国红十字会总会多方动员，全力投入战事救护。

首先，集中救护力量，组编救护队。战事激烈，沪市各界积极组织救护队开展战事救护。为协调各方力量，在何香凝的建议下，总会将各救护队统一改组为中国红十字会救护队②。救护队由总队与支队组成。总队以王培元为总队长，吕守白为副总队长，由总队长负责全队事宜，下设医务处、秘书处、总务处、纠察处，办理各项事务，如医务处处理伤兵医药等事，秘书处办理文案，总务处设会计、庶务、交通、材料、交际五科，纠察处巡查并规范队员行为。各支队下分医士、护士、救护员、干事、担架五部，担任具体救护事宜③。救护队人员为本会职员及志愿者，无薪俸、津贴。为指导各救护队行动，总会特制定《中国红十字会义务救护队章程》《中国红十字会救护队义务救护员办事规则》等④。

在总会的统筹下，各救护队有条不紊开展救护行动。中日开战，闸北首当其冲，红十字救护队乃以闸北为中心展开救援。救护队员出入于枪林弹雨之中，救护伤兵难民数千人⑤。2月20日起战事加剧，日军集中7万多人，飞机100余架，发起猛烈攻势⑥，我军伤亡惨重，仅庙行

---

① 沈云龙主编：《近代中国史料丛刊续编》第49辑《十九路军兴亡史》，（台北）文海出版社1981年版，第32页。

② 余子道：《抵抗与妥协的两重奏——一·二八淞沪抗战》，广西师范大学出版社1994年版，第282页。

③ 《中国红十字会征求会员大会特刊》，中国红十字会总会1933年编印，第89—92页。

④ 《中国红十字会征求会员大会特刊》，中国红十字会总会1933年编印，第86—88页。

⑤ 《昨日上午停战，救出三千难民》，池子华、严晓凤、郝如一主编：《〈申报〉上的红十字》第3卷，安徽人民出版社2011年版，第599—600页。

⑥ 李云峰、陈舜卿主编，门秀芳等著：《二十世纪中国史》第一部，西北大学出版社1993年版，第458页。

之役，死伤 3000 余人①。为此，总会不断加派救护队，增强救护力量。截至 3 月 1 日第一防线失守，总会共组织救护队 20 支，队员 471 人，救护伤兵难民万余人②。

其次，组编伤兵医院救治伤兵。至 2 月 5 日总会已编列 11 处伤兵医院，并在《申报》等媒体发布启事，告知伤员先送总站，由总站根据伤员受伤状况分送至各医院，如骨伤送第七医院，爱克斯光透视送第一医院，妇孺送第六医院③。战火延烧，受伤兵民日见增多，红十字会临时伤兵医院亦不断扩充，至第一防线失守时，伤兵医院达 41 处，医护、服务人员 1400 余人④。其组成大致可归为五类：（一）总会隶属医院，如第一、第二、第三伤兵医院原为海格路红十字会总医院、新闸路红十字会北市医院、十六铺红十字会南市医院；（二）上海医药团体、救护团体自愿或由总会商借编入红十字医院序列，这类伤兵医院居于多数，如新加坡建华颐养园、龙华路惠工医院、新民路普善医院、徐家汇路骨科医院、南市多稼路公立上海医院等等；（三）上海市慈善家发起组织，如第二十三伤兵医院由大慈善家朱庆澜、张佩年、黄仁霖、高大经、汪民观等发起组织；（四）上海慈善团体独立组织或联合医学院校共同设立，如第十二伤兵医院由联义善会、惠养病院及南洋医大同学会三团体合组；（五）上海地方分会应总会需要编入总会伤兵医院，如第十五伤兵医院由江湾红会组设。组成形式各异，运行方式亦不相同，其经费来源可分三种：总会全部供给、总会部分资助、全部自给。因医护人员多为各界人员自愿加入，为规范医士、护士行为，总会制定《中国红十字会义务医士、护士章程》《义务护士办事规则》，要求其"须听本会收容伤兵之医院值日医生之指导"，"不得托故规避及有始有终"等⑤。收治伤兵情况，以第二十二伤兵医院为例，可以窥见一斑。

该院 2 月 19 日成立，以洋泾浜类思小学及晓明女学为院址，其特别之处在于服务诸医士大多非红会医师，而为基督教教友，如吴云瑞、龚

---

① 华白编：《一二八——淞沪抗战》，大成出版公司发行 1948 年版，第 24 页。
② 《红会一月间之工作》，池子华、严晓凤、郝如一主编：《〈申报〉上的红十字》第 3 卷，安徽人民出版社 2011 年版，第 616—617 页。
③ 《红会努力救护工作》，池子华、严晓凤、郝如一主编：《〈申报〉上的红十字》第 3 卷，安徽人民出版社 2011 年版，第 583—584 页。
④ 《红会一月间之工作》，池子华、严晓凤、郝如一主编：《〈申报〉上的红十字》第 3 卷，安徽人民出版社 2011 年版，第 616—617 页。
⑤ 《中国红十字会征求会员大会特刊》，中国红十字会总会 1933 年编印，第 88—89 页。

寒梅、艾仁麟、庄振家、徐长和、周凤歧等①。该院成立全赖社会慈善人士相助，房屋由基督教会免费借用，应用器具亦由其捐助，院分第一、第二两院，第一院收治轻伤军民，第二院收治重伤军民，两院共有床位300余张，手术及各种急救设备较为齐全，内分经济、庶务、总务、文书、看护六股，组织完备②。第二十二伤兵医院虽然成立较晚，但其成绩较为显著，"前后共收伤兵、伤民二百十一人，死亡者仅占百分之三，其成绩为此次伤兵医院中所罕有"③。

为加强对各伤兵医院的管理，提高服务质量，中国红十字会组织医务委员会，订定章程，巡视各医院，评判优劣。医务委员会的组成：卫生署长、军医司长、上海市卫生局局长、工部局正副医官、中国红十字会医务长王培元为当然委员，公推刁信德、牛惠生、颜福庆、李福生、梅卓生、钟淑贞、张美龄诸医师为委员④。在总会的指导下，各伤兵医院尽职尽责，"收治伤兵若干名，伤民若干名，各院均告满额"⑤。至上海战事结束，救治伤兵伤民近万人⑥。

再次，设立难民收容所。烽烟四起，难民云集。据统计，至2月4日，战区逃出难民已达57000余人⑦，设立难民收容所刻不容缓。至十九路军转战苏州，总会设立难民收容所三处：第一难民收容所设于潭子湾；第二难民收容所设新闸路；第三难民收容所设天蟾舞台，三处共收容难民6800人⑧。其中第三难民收容所成绩尤为显著，该所由红会特别会员顾竹轩所设，他是天蟾舞台经理，鉴于闸北难民流离满目，特致函总会，表示"该舞台可容千人寄宿，拟设一临时难民收容所，专备居留之用。其有贫苦之家，无力为炊者，其饭食由其供给，请编入红会为难

---

① 《中国红十字会第二十二伤兵医院组织内情》，《圣教杂志》1932年第6期，第378页。
② 《红会廿二医院成立》，池子华、严晓凤、郝如一主编：《〈申报〉上的红十字》第3卷，安徽人民出版社2011年版，第608—609页。
③ 《中国红十字会第二十二伤兵医院组织内情》，《圣教杂志》1932年第6期，第378页。
④ 《红十字会常议会记》，池子华、严晓凤、郝如一主编：《〈申报〉上的红十字》第3卷，安徽人民出版社2011年版，第616页。
⑤ 《红会一月间之工作》，池子华、严晓凤、郝如一主编：《〈申报〉上的红十字》第3卷，安徽人民出版社2011年版，第616—617页。
⑥ 《中国红十字会征求会员大会特刊》，中国红十字会总会1933年编印，第98—99页。
⑦ 华振中、朱伯康：《十九路军抗日血战史料》，神州国光社1933年版，第455页。
⑧ 《红会一月间之工作》，池子华、严晓凤、郝如一主编：《〈申报〉上的红十字》第3卷，安徽人民出版社2011年版，第616—617页。

民临时收容所"①。总会对于顾竹轩的善举表示赞赏，特编为红十字会第三收容所。该所"每日供给米粥两顿，馒首五只，并为难民健康计，设有卫生股，延聘中西医士为难民诊治疾病"，一切费用均由顾竹轩承担②，前后收容难民共计5000人，占收容总数的70%多。

难民聚集，易生疾病，总会遂组织医生队（医生、护士各两人），每日携带药品，分赴各收容所，前后诊治病患者500余人③。

3月初，日军援兵两师开赴上海，发动总攻，十九路军后援不济，总指挥蔡廷锴、蒋光鼐表示，"我无兵抽调，侧面后方均受危险，不得已于三日夜将全军撤退至第二防线，从事抵御"，但十九路军誓死奋战，"决本弹尽卒尽之旨，不与暴日共戴一天！"④ 十九路军变更战略之后，上海战场战事渐趋平息，直至5月5日中日双方签订《淞沪停战协定》，沪战正式结束。然红十字会救护队员义愤填膺，"决心赴我军后方工作"⑤。总会先后派第四、第七、第十二救护队"继续向前进发，施行救护"⑥，并"将救护总队分设前方办事处于苏州"（4月改组为特组救护队）⑦，救护伤兵难民。

十九路军退守第二防线后，真如、大场、南翔一带乡民集中于曹家渡一带，故总会于此设立第四收容所，仅数日即收容难民3000人。3月12日，前方办事处得知昆山青旸港附近，太仓沙头、老闸，常熟支塘、莫城、东始庄一带麋集难民2万余人，立即派出两组救护队，"一组由昆山角直地方救出百余人，由水道轮拖到苏，另一组则在青旸港附近救出百余人，由铁路输送到苏"⑧。4月，前方办事处改组为特组救护队后，仍积极救护难民，共救护难民917人⑨。

① 《红会各救护队消息》，池子华、严晓凤、郝如一主编：《〈申报〉上的红十字》第3卷，安徽人民出版社2011年版，第601—602页。

② 《红会难民收容所讯》，池子华、严晓凤、郝如一主编：《〈申报〉上的红十字》第3卷，安徽人民出版社2011年版，第629页。

③ 《红会一月间之工作》，池子华、严晓凤、郝如一主编：《〈申报〉上的红十字》第3卷，安徽人民出版社2011年版，第616—617页。

④ 华振中、朱伯康编：《十九路军抗日血战史料》，神州国光社1933年版，第341—342页。

⑤ 《红会救护队已出发》，池子华、严晓凤、郝如一主编：《〈申报〉上的红十字》第3卷，安徽人民出版社2011年版，第620页。

⑥ 《红会救护队即赴前方》，池子华、严晓凤、郝如一主编：《〈申报〉上的红十字》第3卷，安徽人民出版社2011年版，第623页。

⑦ 《中国红十字会征求会员大会特刊》，中国红十字会总会1933年编印，第98—99页。

⑧ 《红十字会在前方救护难民运苏收容》，池子华、丁泽丽、傅亮主编：《〈新闻报〉上的红十字》，合肥工业大学出版社2014年版，第384页。

⑨ 《中国红十字会征求会员大会特刊》，中国红十字会总会1933年编印，第104—131页。

救护队开赴苏州的同时，上海地区的救护行动仍在继续。期间，总会于上海新增1支救护队、2处伤兵医院、1处难民收容所。其中的1支救护队、1处伤兵医院由松江分会组设。3月初，松江分会理事长周学文接总会令成立第四十三伤兵医院，所需费用由总会拨给①。3月5日，鉴于救护重点转移，第四十三伤兵医院医师俞橘芳得总会准许，为第二十一救护队队长，出发前线救护②。

5月初，战事平息，出发苏州的医护人员、特组救护队奉命相继返沪；6月初，各难民收容所先后结束；8月，除总会固有的第一、第二、第三伤兵医院外，其余伤兵医院均告结束。

沪战救护中，总会统筹协调，地方分会积极配合。上海市分会、青浦分会就是突出的例子。

上海市分会未雨绸缪，战前"召集队员，日夜轮流驻会，以备出发"。战事发生后，上海分会借上海医院为临时医院，负责闸北所有掩埋事宜③。同时募集食品、衣被救助伤兵难民，先后发放白米59石，面包21箱，棉被40条，衣服282件④。其中"战区面包二十一包，红十字会第八伤兵医院白米二石，棉被二十条，三十一伤兵医院白米二石。上海市民地方维持会，炒熟米二十石。瞿直甫医院，白米十一石，棉被二十条，棉衣五套，短衫三十九件，单裤三十八条。上海战区难民救济会，白米二十石。上海市收容灾民办事处，棉衣二百套"。因救护成绩显著，"公立上海医院周楚良先生暨医药师、护士等十九人，南洋医院顾南群先生暨医药师、护士等十三人，叶露病院叶露先生暨医药师、护士等八人，瞿直甫医院瞿直甫先生暨医药师、护士等十四人"，受到总会奖励⑤。

青浦分会在难民救护方面成绩突出。淞沪开战后，青浦虽未沦陷，但嘉定、宝山沦陷后，大批难民蜂拥而至，青浦分会即"招待收容"，

---

① 《红会松江伤兵医院结束》，池子华、严晓凤、郝如一主编：《〈申报〉上的红十字》第3卷，安徽人民出版社2011年版，第635页。

② 《救护队纷赴前线》（节录），池子华、丁泽丽、傅亮主编：《〈新闻报〉上的红十字》，合肥工业大学出版社2014年版，第383页。

③ 《红会分会救护工作》，池子华、严晓凤、郝如一主编：《〈申报〉上的红十字》第3卷，安徽人民出版社2011年版，第579—580页。

④ 中国红十字会总会编：《中国红十字会的九十年》，中国友谊出版社1994年版，第55页。

⑤ 《中国红十字会上海市分会会务报告》，《中国红十字会月刊》第17期（1936年11月），第102—110页。

红十字运动：历史传承与当代发展

258

分担医疗任务，先后收容难民达 5000 余人①。之后按照总会颁发《处置难民手续》，"租赁轮船，航行青沪间，使无数灾黎陆续之沪埠安全之地，嘉宝绅民交口称颂"②。

3 月 3 日，战线转移后，苏南各分会纷纷开展救护行动，其中常熟分会最为活跃。淞沪抗战伊始，常熟分会即组织两支救护队，一队由时寿芝等 11 人组成，二队由谢开热等 12 人组成，奔赴太仓、昆山等地救护伤兵、转运难民，并"举办难民收容所及军事疗养所"③。3 月 9 日至 15 日，设立伤兵医院（后改称临时治疗所），聘请医护人员邵预凡、顾见山、黄承熹、朱炳文等主持医护工作，先后收治八十八师伤兵 122 名，四十七师伤兵 91 名，八十七师伤兵 43 名，警卫军等伤兵 8 名以及平民 5 名，共收伤员 269 人，其中治愈 257 人，救治无效死亡 12 名。另外，门诊伤兵病民 1641 人。同时开办难民收容所 6 所，救济老弱贫苦、流离失所者；组织救护队 6 次赴太仓、昆山、嘉定等战区救运灾民 534 人；赈济过境难民 273 人④。1933 年常熟分会编印《中国红十字会常熟分会民国廿一年纪念册》，蒋介石特题字"惠彼伤残"，各军政要员等亦题字嘉勉。众多军政要员为地方红会题字，这在中国红十字运动史上实属罕见⑤。

《淞沪停战协定》签订后，战区各分会救护使命完成。

三、救护中的困难与应对

自一·二八事变爆发，中国红十字会即组织救护队出发前线救护伤兵难民，践行"人道"宗旨。其间困难重重，中国红十字会不得不设法应对。

其一，日军肆意亵渎《日内瓦公约》，阻挠红十字会的救护行动。红十字会为中立性、国际性的人道主义团体，按照《日内瓦公约》规定，"在为战争受难者提供救援服务时，红会人员、设施、车辆等，在任何情况下，都应得到充分的尊重和保护"⑥。但日军置国际公法于不

---

① 上海市青浦县县志编撰委员会编：《青浦县志》，上海人民出版社 1990 年版，第 716 页。

② 中国第二历史档案馆档案，全宗号 476，卷号 2913。

③ 《常熟分会整顿会务的报告》，中国第二历史档案馆档案，全宗号 476，卷号 2872。

④ 江苏省红十字会编著：《江苏红十字运动八十八年》，东南大学出版社 2001 年版，第 18—19 页。

⑤ 池子华、郝如一主编：《苏州红十字会志》，安徽人民出版社 2008 年版，第 13 页。

⑥ 池子华：《红十字与近代中国》，安徽人民出版社 2004 年版，第 271 页。

顾，不仅妨碍红十字会的救护行动，而且残害红十字救护员，轰炸红十字伤兵医院、救护车辆等。战事初起之时，红十字救护队员至东嘉兴路桥救护，一名10余岁报童被日军用洋刀乱戳致死，叫号之声惨不忍闻，"红会驰救。日军以刺刀作势，拒绝救护。红会无奈，只得归来"①。之后战事趋烈，红十字队员奔赴战地救护伤兵，尽管臂上带有红十字标志，然日军仍以炮火轰击，据不完全统计，受害者10余人②。第七救护队队员刘祁瑞就是一例。

刘祁瑞为福建人，同德医院医科四年级高才生，沪战时加入总会第七救护队。2月15日，刘以战事稍停，率同看护20余人前往闸北救护伤兵，"并携有红会救护旗帜，以示敌方明了系救护人员"，然日军视而不见，竟向救护队员射击，"其枪弹尤集中红会旗帜之下，当时我红会同人曾高呼系救护者，讵敌兵竟置之不睬，仍继续发枪"。刘于枪林弹雨中仍从事救护，日军则瞄准刘，向其臂上、肚部、腿部等射击10余枪。刘中弹后，退出阵线，日军紧追不放，继续射击，刘"顿时昏厥，不能行动"。因伤势过重，16日下午4时不治身亡③。

不仅如此，红十字分会、伤兵医院、救护车亦难逃劫难。大场分会、江湾分会第十五伤兵医院先后遭日军焚毁。更有甚者，日军特意轰炸载有伤兵难民的红十字救护车辆，据《国军淞沪抗日记》记载："有红十字会救伤队，前往真茹、大场、江湾等处救护伤兵及被难灾民，当工作进行时，忽有大队日兵驶至开枪，向红十字会队员射击，所有救护车内伤兵、灾民四百余人，均遭屠杀，无一生还。"④ 日军之残暴令人发指。

面对日军的暴行，中国红十字会首先电陈日内瓦红十字国际委员会，缕述日军肆意践踏《日内瓦公约》的行径。红十字国际委员会接电核实后，即复电日本红十字会，"请其政府通令前敌将士依约保护"⑤。

① 《红会救护消息》，池子华、严晓凤、郝如一主编：《〈申报〉上的红十字》第3卷，安徽人民出版社2011年版，第577—578页。

② 卫铁铮：《报告：中国红十字会大事记（续）》，《中国红十字月刊》第6期（1935年12月），第55—57页。

③ 《红会救护队刘祁瑞被日兵射死经过》，池子华、严晓凤、郝如一主编：《〈申报〉上的红十字》第3卷，安徽人民出版社2011年版，第605—605页。

④ 佚名辑：《国军淞沪抗日记》，沈云龙主编：《近代中国史料丛刊》第3编第21辑第210册，（台北）文海出版有限公司1978年版，第192页。

⑤ 《万国红会复中国红会》，池子华、严晓凤、郝如一主编：《〈申报〉上的红十字》第3卷，安徽人民出版社2011年版，第606页。

其次，请求他国红十字会襄助。日军侵入闸北后阻止中国红十字会各救护队前往战地救护伤兵难民，总会即函请"法国红十字会担任战地救护"。3月6日，法国红会即派救护队赴战区开展工作①。最后，求助外国领事。总会致函美领克银汉转请领事团各领事"主持正谊（义），维护万国公约"②。

其二，战事激烈，伤亡较众，中国红十字会人力、物力不敷应用。在款物方面，中国红十字会主要通过《申报》发布募捐启事向社会各界求助，如《中国红十字会紧急启事》《中国红十字会为救济受伤兵民及难民紧要启事》《中国红十字会为受伤兵民难民乞捐启事》等，呼吁各界伸出援手。从募捐启事的用词"紧急""紧要""乞捐"可见救护物资所需之迫切。为募集更多款物，总会扩大募捐范围，向海内外同胞募捐③。国难当头，募捐呼吁得到响应。各界仁人志士踊跃捐输，沪上各界仅2月3日一天，即收到个人捐助"陈炳谦捐洋一万元，闻兰亭经募交易所联合会助洋二千元，程荣初捐二百元，鲍国栋捐爱邀丁一千针，樟脑五百针，迪及推林五百针，吗啡一千针，爱特老林一打，张某等棉花纱布约值洋三百元，日新盛同大白布四十疋，乔宝斋嘘嘘药膏一百包，余零星捐款物品甚伙"。各社会组织如国难战士慰劳救护会、上海妇女慰劳会、上海中西妇女慰劳伤兵会、商联会等不断向总会伤兵医院捐送医护用品。国外华侨亦慷慨解囊，如"檀香山中华总商会助洋五百九十二元五角，加拿大雷振打埠中华基督教青年会救济上海伤兵难民协会助洋五百元"等④。在医护人员方面，一方面招聘有经验医师护士作为红会医护人员分派各伤兵医院工作，应聘者要求"开具履历，携带毕业证书及卫生局执照，来会面治"⑤，合格人员享受薪俸待遇；另一方面以征求的形式函请沪上医护人员义务协助，"由庞京周先生函送前在医师公会登记之义务医师名单，嘱分头延拨等情"，如"能在敝会各伤兵

① 《各方热心救护难民》，池子华、丁泽丽、傅亮主编：《〈新闻报〉上的红十字》，合肥工业大学出版社2014年版，第382—383页。

② 《红会请各领主持正义》，池子华、严晓凤、郝如一主编：《〈申报〉上的红十字》第3卷，安徽人民出版社2011年版，第619页。

③ 《中国红十字会敬请海内外各界同胞注意》，池子华、严晓凤、郝如一主编：《〈申报〉上的红十字》第3卷，安徽人民出版社2011年版，第611页。

④ 《中国红十字会鸣谢》，池子华、严晓凤、郝如一主编：《〈申报〉上的红十字》第3卷，安徽人民出版社2011年版，第636页。

⑤ 《中国红十字会招请有时疫经验医师及护士通告》，池子华、严晓凤、郝如一主编：《〈申报〉上的红十字》第3卷，安徽人民出版社2011年版，第650页。

医院义务工作，请即与会接洽"①。

其三，滥用红十字标志现象严重。红十字会为国际性人道组织，在战争中，红十字标志为保护性标志。因此，不良分子滥用红十字标志，或未经授权在外募捐，或私运军火等违禁物品，投机取巧。如 1 月 29 日，"见有搬场汽车插用红十字会旗，满挂标语"；1 月 31 日，"在黄埔滩见有装货汽车满装军火，插有红十字旗一面"等②。至 2 月 10 日，沪上"红十字旗帜袖章触目皆是"③。为维护红十字声誉，中国红十字会采取多项措施加以保护：（1）为此次救护行动改发"白地红十字新式袖章，分救字、济字，二种尽用本会关防为记，以前所发一律取消"④。2月 11 日至 18 日又将红十字旗帜重新编号并加盖图章，并声明"上海战区难民临时救济会所用本会旗帜，加盖本会腰圆图记者，由该会负责同生效力"⑤，"所有旧发旗帜臂章，概行无效"⑥。（2）发布遗失声明。在救护行动中，红十字救护队员袖章、旗帜难免遗失，一经发现立即登报声明作废。（3）致函十九路军司令部、上海市政府、租界工部局加以保护，凡冒用红十字旗帜、袖章的机构如私人医院、私人团体等，一概取缔，不听劝阻者以"冒用军徽之条律惩治"⑦。为此工部局特为红十字会遣送难民卡车 38 辆发给通行证，"其他各收容所载送难民亦不得滥用此项旗帜，以免混淆"⑧。（4）发布废除声明，战事结束后，总会即声明"本会各种救护队均于五月二十五日以前完全办理结束停止各处救护工作，所有旗帜袖章除已缴本会作废外，其余未缴之旗帜袖章，自登报之

① 《红十字会征求医师》，池子华、严晓凤、郝如一主编：《〈申报〉上的红十字》第 3 卷，安徽人民出版社 2011 年版，第 613 页。

② 《中国红十字会紧急启事》，池子华、严晓凤、郝如一主编：《〈申报〉上的红十字》第 3 卷，安徽人民出版社 2011 年版，第 577 页。

③ 《取缔滥用红会旗章》，池子华、严晓凤、郝如一主编：《〈申报〉上的红十字》第 3 卷，安徽人民出版社 2011 年版，第 594 页。

④ 《中国红十字会紧要启事》，池子华、严晓凤、郝如一主编：《〈申报〉上的红十字》第 3 卷，安徽人民出版社 2011 年版，第 577 页。

⑤ 《中国红十字会紧要通告》，池子华、严晓凤、郝如一主编：《〈申报〉上的红十字》第 3 卷，安徽人民出版社 2011 年版，第 600—601 页。

⑥ 《旧红会旗章明日作废，新发者加盖腰圆形图章》，池子华、严晓凤、郝如一主编：《〈申报〉上的红十字》第 3 卷，安徽人民出版社 2011 年版，第 604 页。

⑦ 《红十字旗徽取缔之严重》，池子华、严晓凤、郝如一主编：《〈申报〉上的红十字》第 3 卷，安徽人民出版社 2011 年版，第 598 页。

⑧ 《取缔滥用红十字旗》，池子华、丁泽丽、傅亮主编：《〈新闻报〉上的红十字》，合肥工业大学出版社 2014 年版，第 379 页。

日起，一概作废"①。

四、评析

尽管困难重重，但中国红十字会不辱使命，在此次救护行动中表现出色，有许多可圈可点之处。

其一，在伤兵救治、难民收容抑或疫病防治中取得显著成绩。根据现有资料，可将总会救护成绩统计如下：

中国红十字会救护 1932 年沪战成绩

				总数
救治伤兵（救护队 21 支，队员 471 人；伤兵医院 43 所，服务员 1400 余人）				8600 余人
收容难民（难民收容所 5 处）				53100 余人
救治时疫		门诊	住院	
	第一时疫医院	6807 人	975 人	
	第二时疫医院	4582 人	457 人	15903 人
	第三时疫医院	2809 人	273 人	
	总数	14198 人	1705	
费用				283000 元

资料来源：卫铁铮：《报告：中国红十字会大事记（续）》，《中国红十字月刊》第 6 期（1935 年 12 月），第 55—57 页；《中国红十字会二十一年份工作简表》，《中国红十字会征求会员大会特刊》封底附表，中国红十字会总会 1933 年编印。

从上表可知，（1）此次救护中，总会先后组织救护队 21 支，伤兵医院 43 所，参与战时救护人员达 1871 人，规模之大，在红十字救护史上前所未有。尽管服务人员并非全系红会职员，各界志愿者占有相当比例，但也表明红十字会声誉之高和号召力之强。（2）总会共救治伤兵8600 余人，根据统计，淞沪抗战中中国军队共死伤 14000 余人②，战区各分会救治伤兵数不计，即总会救护人数已逾大半，显然中国红十字会总会成为沪战救护的主力。（3）难民收容所 5 处，总计收容难民 53100人，平均每所均上万人，而总会难民收容所最多只能收容千人，可以想

---

① 《中国红十字会紧要启事》，池子华、严晓凤、郝如一主编：《〈申报〉上的红十字》第 3 卷，安徽人民出版社 2011 年版，第 640 页。

② 华振中、朱伯康编：《十九路军抗日血战史料》，神州国光社 1933 年版，第 350 页。

见各难民收容所于收容、资遣间的忙碌程度。（4）在时疫防治方面，红十字救护人员亦尽职尽责。如此等等，引人瞩目，连美国红十字会副会长别克纳而也发函称赞："适值战事正盛之时，其最足使人得到深刻感觉者，厥为中国红十字会之救护工作。该会负责办理适于战时之需要，得一切有惊人之成绩云云。本会闻悉，深为欣幸。"① 获此赞誉，中国红十字会实属名至实归。

其二，整个救护过程中，中国红十字会善款、善物使用透明、严格。战事发生，各界捐输极为踊跃，款物、医护用品、生活用品、食物等，事无巨细，总会无不登报鸣谢并开具收条，大到"孟加锡中华总商会助银三万两又五千两"②，小到民众向伤兵医院捐助饼干2包，蛋糕35块，大头菜1包等等③。资金使用尤为严格，如救护总队接收"各界捐助银钱或物品掣给正式收据为凭并登报鸣谢"；"采办物品或开支费用在十元以上者经由队长核准始得照付"；"购置材料在五十元以上者须得三处占价始可成交，惟战地不在此例"；"所有一切收支及物品应俟结束时聘由会计师查核无误后登报公布以昭大信"④。总队如此，各支队亦不例外。救护队收到"银钱及各界捐来之伤兵慰劳品非经队长及秘书共同签字送交本会副会长或经济委员签字后不得开支"；"如零用物品价值在十元内外者由队长及秘书共同签字交会计科处理之"；"购买应用物品价值在二十元以上者至少估价五处店户方得成交，先由庶务科将价单交队长秘书审核后送交经济委员施行"⑤。严格管理制度，款物使用公开透明，才能取信于民，获得民众的支持。这是中国红十字会沪战救护成功的重要原因。

其三，中国红十字会在民族大义面前，始终坚持"中立""公正"原则，践行"人道"宗旨。沪战救护是中国红十字会首次参与民族战争的救护行动，尽管日军残暴不仁，屠杀无辜同胞，亵渎《日内瓦条约》，阻挠中国红十字会的救援行动，但中国红十字会仍秉持红十字基本原则。一方面筹设第29伤兵医院，以杨树浦圣心医院为院址，专为收治

---

① 《美红会赞美中国红会》，池子华、严晓凤、郝如一主编：《〈申报〉上的红十字》第3卷，安徽人民出版社2011年版，第643页。

② 《中国红十字会紧要启事》，池子华、严晓凤、郝如一主编：《〈申报〉上的红十字》第3卷，安徽人民出版社2011年版，第619页。

③ 《红会第十二病院情况》，池子华、严晓凤、郝如一主编：《〈申报〉上的红十字》第3卷，安徽人民出版社2011年版，第596—597页。

④ 《中国红十字会征求会员大会特刊》，中国红十字会总会1933年编印，第86—87页。

⑤ 《中国红十字会征求会员大会特刊》，中国红十字会总会1933年编印，第86—87页。

日军受伤俘虏，"一切手续均遵一九〇七年海牙公约第七十九条俘虏规则"[①]，以便为其提供服务；另一方面，发布通告，声明"本会系根据日来弗条约（《日内瓦条约》）已成立，无论战时平时均须遵从办理……对于受伤俘虏之待遇亦须遵从万国公约俘虏章程办理，如此后有我军掳得或由救护队救出之日军受伤俘虏或自行投院之日军受伤兵民，务望收到时即速报告本会，万勿擅行处理致损国体并及会誉"[②]。如此"博爱"胸襟，诠释了中国红十字会对人道主义宗旨的真正践行。

其四，其他团体的加入增强了中国红十字会救护能量。南京国民政府成立前，中国红十字会的救护行动虽然不乏与其他慈善组织合作的案例，但此次在红十字旗帜下统一行动，颇具特色。在救护队人员组成上，中国红十字总会先后组织 21 支救护队，事实上，其由"全市各界各方面组建的救护队统一改组"而成[③]。在伤兵医院开办上，总会先后设立 43 所伤兵医院，除第一、第二、第三伤兵医院及第十五、第四十三伤兵医院为红会独立设立外，其他均为总会商借上海医院作为临时伤兵医院或各界自行组织参与救治伤兵编入红十字伤兵医院序列。在难民收容上亦是如此。广泛的社会动员和在红十字旗帜下的资源整合，形成合力，保障了救护行动的顺利进行。

总之，此次救护行动是中国红十字会在中华民族陷入危难之际开展的人道主义行动，其规模之大前所未有，成绩之卓著史无前例，对此后救护行动的开展影响深远。

（原载《民国研究》2015 年春季号。与丁泽丽合作）

---

① 《红十字会厪念日本伤兵组织第二十九伤兵医院》，池子华、丁泽丽、傅亮主编：《〈新闻报〉上的红十字》，合肥工业大学出版社 2014 年版，第 378 页。

② 《各界救济工作（节录）》，池子华、丁泽丽、傅亮主编：《〈新闻报〉上的红十字》，合肥工业大学出版社 2014 年版，第 375—376 页。

③ 余子道：《抵抗与妥协的两重奏——一二八淞沪抗战》，广西师范大学出版社 1994 年版，第 282 页。

人道光辉照耀"孤岛"

——抗日战争期间上海国际红十字会救助难民和伤兵

中国红十字会上海国际委员会（Shanghai International Committee of the Red Cross Society of China），简称"上海国际红十字会"（Shanghai International Red Cross，缩写为 S. I. R. C.），成立于 1937 年 10 月 2 日，结束于 1939 年 3 月 31 日，由旅沪中外慈善界人士共同发起，专以办理伤兵、难民救济事宜，并"为各善团之后盾"。

淞沪抗战救护的急切呼唤

红十字组织的诞生，似乎注定与战争有着不解之缘。19 世纪 60 年代，由于受到索尔弗利诺（Solferino）冲突的巨大触动，瑞士银行家亨利·杜南（Henry Dunant）发起成立红十字国际委员会，国际红十字运动由此而起。20 世纪初，同样因为一场发生在中国东北的日俄战争，中国红十字会诞生。30 多年后，也是因为战争，在上海催生了一个叫"中国红十字会上海国际委员会"的红十字组织。

1937 年 7 月 7 日，日本挑起卢沟桥事变，不宣而战，发动全面侵华战争，华北危在旦夕。为了阻止中国军队北上增援并控制中国经济重心，以达到速战速决的目的，日本企图在上海挑起第二次淞沪战争。8 月 13 日，日本拉开了淞沪战争的大幕。据《立报》报道，当天上午 9 时 15 分，日军陆战队出动 3 辆装甲车，掩护五六十名士兵，由宝山路商务印书馆旧厂址与横浜桥间道路，跨过淞沪铁路，向中国军队阵地进犯，双方交火一刻钟后，日军溃退。下午 4 时，日军又向八字桥与江湾路进犯，发动二次进攻，同时宝山路、天通庵路亦有交火，一时间枪炮声大作，淞沪之战终究不可避免地爆发了。

从战事爆发到 11 月 12 日上海沦陷，中国军队浴血奋战达 3 个月，虽然有人数上的优势，但无奈在日军优势火力猛烈进攻之下节节败退，最终不得不从上海撤出。淞沪会战中双方投入兵力达百万余人，日军伤亡4万余人，中国军队伤亡25万余人。

覆巢之下，安有完卵。普通平民手无寸铁，或在炮火中不幸身亡，或遭日军任意劫杀，即便逃离了火线，也身陷背井离乡、家破人亡的境地。据有关方面粗略估计，死在淞沪战线上的平民约有10万至15万人，而当时上海常住人口超过了300万，更多的人则在等待援救出险。

流离失所的平民扶老携幼，纷纷向租界方向避难。然而租界当局以维持界内侨民和华人居户商家安宁为由，特在与华界接壤处安装铁门，并加强了警戒，但仍有不少人涌入了租界，街头弄口风餐露宿者比比皆是。有鉴于此，各慈善团体、同乡会组织纷纷设立收容所，收容、遣送难民。但据《申报》报道，"在战区未逃出者，为数尚多，时有拟入租界而被阻止者，东奔西突，为状殊惨"。于是，中国红十字会走上了"前台"。

其实早在1936年初，中国红十字会就成立了总会救护委员会，开始准备抗战救护事宜。不久遵照国民政府颁布的《非常时期救护事业大纲》及施行细则，又联络上海市商会、地方协会、中华医学会等团体，在上海市救护事业协进会的基础上，重组中国红十字会上海市救护委员会，积极募集捐款、购置医药用品，并着手编练救护队员，淞沪会战前夕培训学员300余人，这还不包括帮助其他团体培训的学员。

淞沪会战打响后，中国红十字会立即召集学员在中德医院集合，编队奔赴前线开展救护。基于抗战救护需要，先后组织了10支救护队、12支急救队及1支煤业救护队。另设立救护医院24所，特约公私医院16所，征集救护汽车98辆，执行救护受伤兵民任务。

然而，随着战事的升级，救护形势日益紧张，且救护队员的生命安全无法得到保障，各救护队驻所常遭日机轰炸。第一救护队副队长苏克己及护士陈秀芳、谢惠贤、刘中武不幸遇难，为抗战救护蒙上了一层阴影。又因受军部约束，中国红十字会对于救护工作不得不保持缄默，引起各方质疑，因此难以取得社会各界最大限度的支持，救护工作面临重重困难。另外，租界当局出于预防疾病卫生及其他方面的考虑，对于运送伤兵、难民入内设置了种种限制，而各慈善团体、同乡会组织收容难民往往来者不拒，日感力不从心。但是，战争在不断扩大，伤兵和难民人数还在不断增加。

在此困境中，为使伤兵救护和难民救济这两项工作得以在更大范围内更有效地开展，旅沪中外慈善界人士均发出成立"国际红十字委员会"（即"上海国际红十字会"）的呼吁，以争取国际社会的广泛同情和援助。于是，上海国际红十字会的组建被提上了日程。

颜惠庆为建会积极奔走

上海国际红十字会的成功创建，与颜惠庆的积极奔走不无关系，他在筹建过程中发挥了至关重要的作用，可以说，他是上海国际红十字会的缔造者。

颜惠庆，字骏人，1877 年出生在上海虹口，是我国近现代史上著名的外交家。颜惠庆早年毕业于上海同文馆，1895 年前往美国求学，1900年获得美国弗吉尼亚大学学士学位，成为该校毕业的第一位中国学生。回国后他执教于上海圣约翰大学，也曾任商务印书馆和《南方报》编辑。

颜惠庆的外交生涯始于 1908 年 2 月，他以清政府驻美使馆参赞的身份，随同伍廷芳出使美国。次年冬应召回国，担任外交部主事。1911 年11 月升任外务部左丞。民国建立后，先后担任北京政府外交部次长、驻德公使、驻丹麦公使、驻瑞典公使、中国出席巴黎和会代表团顾问、外交部总长、农商总长、内务总长、国务总理等职。1926 年冬，颜惠庆移居天津从事实业活动，1931 年复出政界，先后担任南京国民政府驻美大使、驻苏大使、中国出席国际联盟大会首席代表、圣约翰大学董事长等职。抗日战争前后，他在上海从事慈善活动，1924—1934 年他担任中国红十字会会长，为中国红十字事业发展做出了重要贡献。

淞沪抗战爆发前，时在青岛的颜惠庆乘火车前往上海，在他到达上海的第二天，八一三淞沪战事爆发。他在自传中写道："这是我平生中第一次看到发生在眼皮底下的战争。"日机狂轰滥炸之下，上海的伤兵救护和难民救济带给他极大的感触，他在向救护队员救死扶伤的精神致以崇高敬意的同时，对租界的态度和难民的生存环境深感忧虑，他认为，"寒冬即将来临，为难民提供住处和食物成为迫在眉睫的事情"。

恰在此时，中外慈善界人士纷纷向这位曾经的中国红十字会会长、现任中国红十字会名誉副会长的他表达意见，"亟望有一国际红十字委员会之组成"。颜惠庆对此深表赞同，他说："为了继续进行和支持救护工作，成立某种形式的国际组织以争取援助，显然是十分必要的，这种援助不仅是资金和技术上的，而且是政治和道义上的。"为此，他先后走访了华洋义赈救灾总会总干事贝克（J. E. Baker）、上海防痨协会副会长马晓尔（R. C. Mershall）、中华圣公会港粤教区负责云贵事务的助理主教朱友渔等人征询意见，得到热情支持。成立"国际红十字委员会"的计划迅即付诸实施。

上海国际红十字会的成立

1937年9月18日，"国际红十字委员会"筹备会议在上海国际饭店召开，会议由颜惠庆主持。经过几番商讨，议决成立一个执行委员会来研究"国际红十字委员会"筹备事宜，当时推定颜惠庆、白赛德（Major A. Bassett）、邓纳（J. Donne）、马晓尔、蔡增基、冯炳南、安献金（G. Findlay Andrew）、普兰德（W. H. Plant）、礼德（B. E. Read）、饶家驹（R. P. Jacquinot）、李劳生（Rev. R. Rees）、颜福庆、施思明、劳白生（R. C. Robertson）、钟思（J. R. Jones）、田伯烈（H. J. Timperley）等16人为执行委员会委员，这意味着上海国际红十字会的筹建工作正式启动。

然而此时执行委员会内部对于组建"国际红十字委员会"的思路并不清晰，在组织合法性获得的问题上有较大分歧，颜惠庆主张直接向日内瓦国际红十字会申请独立章程。9月24日，在冯炳南府邸举行执行委员会会议，邀请了到沪考察日机轰炸红十字会救护队员一事的国际红十字会代表瓦特维尔（C. D. Watteville）出席，此举意向非常明确，于是会议议决就中国红十字会所提交章程只作原则上通过，同时决议由瓦特维尔立即向国际红十字会提交独立章程请求。

为了避免损害红十字主权，颜惠庆次日在同国际红十字会驻沪代表卡拉姆（L. P. Calame）的通话中，产生了成立两个组织的想法，即一个隶属于中国红十字会，另一个直属于日内瓦总会。瓦特维尔与卡拉姆旋于28日携备忘录造访颜府，重申了关于工作和组成两个委员会的意见，他从日内瓦得到的答复是"没有人，也没有钱"。

被国际红十字会拒绝当日，颜惠庆召开部门委员会会议，草拟了组织章程，于10月2日提交执行委员会会议通过，并选举了工作人员，主席为颜惠庆，副主席为饶家驹、钟思、博兰德，秘书为施思明，司库为贝纳德（C. R. Bennett），执行干事为贝铁德（C. W. Petitt）、朱友渔、史蒂夫人（Mrs. C. V. Starr），如此形成以颜惠庆为首、以执行委员会为核心的领导体系，上海国际红十字会初步建立。

10月6日，"国际红十字委员会"开会，议决向中国红十字会总会申请许可证，并要求拨款法币1万元作为办公经费，两日之后就收到中国红十字会总会颁发的许可证草本。12 日通过了正式章程。16 日执行委员会议决定："接受中国红十字会提交之会章，同时放弃向日内瓦国际红会请求独立会章之计议。"并将"国际红十字委员会"正式定名为中国红十字会上海国际委员会，分设办事处于静安寺路（今南京西路）国际饭店及河南路（今河南中路）505 号中国华洋义赈救灾总会。

上海国际红十字会的成立，得到旅沪中外慈善界人士的大力支持，先后有 500 多人被聘为办事委员，外籍委员达 150 余人。他们热心慈善，大多属于义务工作，仅小部分接受薪给。这些中外委员，或有一技之长，或有重要影响力，是上海国际红十字会的中坚。除颜惠庆外，对于各项会务进行有重要影响的主要是法籍神父饶家驹、美国人贝克和著名外交家施肇基。其中，贝克率华洋义赈救灾总会总干事办事处同仁全体加入，并担任总干事一职，为会务处理做出了积极贡献，颜惠庆对此有极高的评价："他们专心致志地进行管理，这项管理工作随着时间的推进越来越成为头等大事。"

推动南市难民区的建立

上海国际红十字会组建后，立即着手推进南市难民区的设立。南市难民区，在英文中称作"饶家驹区"，是上海国际红十字会公推饶家驹以该会名义特为难民救援分别与中日当局商洽并得到许可后，在南市划出的一处非战斗人员安全区域，北起民国路（今人民路）、南至方浜路（今方浜中路）、西至方浜桥、东至小东门（初以安仁街为界），包括城隍庙、豫园等处，面积约占旧城厢的三分之一。

之所以要在南市开辟这样一个区域，是由当时救济难民形势所决定的。淞沪战事爆发以后，上海及周边区域先后逃难至租界者达百余万人，经各慈善团体分别收容遣送，仍有大量难民无法安置，及 10 月底第二波难民潮来袭，狭小的租界里早已人满为患，对于租界外不断增加的难民，实在无法再行收容，亟须在租界外寻找安全区域作收容难民用。

南市为上海旧城，西、北面与法租界接壤，是通往法租界的交通要道。区内有大量可辟为难民收容所的公共场所，又便于从法租界运输补给，是较为理想的区域。而且，南市时已成为日军的进攻目标，日方在 10 月 31 日上午通知英、法、美等国驻沪领事，扬言将在当日下午轰炸南市。次日清晨，南市上空就出现敌机盘旋侦察，所幸并未投弹，但造成了南市居民的极大恐慌。南市本来人口密集，加上流落在法租界外的难民，若遭敌机轰炸，平民伤亡必定惨重，成立南市难民区刻不容缓。

饶家驹为此积极谋划，援请英、法、美驻沪外交当局协助，向上海市政府提出在南市划出一部作为收容难民区域的建议，市长俞鸿钧随即向国民政府请示，并遣派要员赴南市调查难民情况。因涉及领土主权，国民政府表态较为谨慎，提出"不与日方洽商"等不得损害中国主权的四项原则。11月3日，饶家驹与俞鸿钧秘密谈判，取得令人满意的结果，并由饶家驹起草与俞鸿钧联合署名的信，信中声明：此区域仅系暂时性质，日军不得以任何方式对此发动进攻，区内治安交由中国警察负责等。饶家驹将此"协议"报告给日本总领事冈本季正，旋得日本政府和海军当局同意，同时要求完全杜绝任何军事行动或武装敌对行为。为此，饶家驹劝说俞鸿钧放弃使用区内两处军事设施，但他隐瞒了冈本季正给他的另外一封信上的内容，那就是一旦中国军队撤出毗邻区域，日方将接管这一地区。

11月8日，上海市政府发布公告，南市难民区将于9日中午12时开放，然而中日双方却并未签署任何正式协议，仅仅是分别与上海国际红十字会达成了"谅解"。可以说，饶家驹是用"善意的谎言"换得南市难民区的事实存在。

南市难民区由饶家驹等7名外籍人士组成的监察委员会负责管理，经费主要来源于上海国际红十字会等国内外慈善团体和个人的捐赠。至1940年6月30日撤销时，南市难民区为超过30万的难民提供了庇护，蒋介石曾为此亲笔书信感谢。

随着这一安全区模式在上海取得成功，南京、汉口等地纷纷仿效，虽未尽获日方同意，但也确实为当地难民提供了短暂保护，国际红十字会因此将其选作交战国在战时保护平民的成功范例而写入1949年《日内瓦第四公约》，对国际人道法的订立产生了重要影响。

出色的人道主义救济业绩

上海国际红十字会以人道主义为怀，救助伤兵、难民可谓不遗余力。同时，上海国际红十字会积极联络各慈善团体，整合人道力量，筹款募捐，共同推动各项救助事业进一步开展。

1937年10月21日，上海国际红十字会开会讨论并规划了宣传与募捐事宜，提出募集1000万元的目标。首先由颜惠庆偕同施肇基成功说服当时财政部长孔祥熙，拨款100万元（包括现币20万元、救国公债80万元）予以倡导，国民政府前后共计拨赠135万元。12月1日至8日，在上海举办募捐活动周，除组织街头募捐队分赴两租界闹市区募捐外，还聘请中外歌剧名家在大上海戏院举办中西慈善音乐大会。又创立三元救命会，广征会员，凡月纳三元者即可入会。1938年5月2日，应美国红十字会邀请，饶家驹由施思明陪同启程赴美募捐，并得以晋谒罗斯福总统。6月17日，在中国难民救济会会长小西奥多·罗斯福上校（Theodore Roosevelt Jr.）的鼎力相助下，饶家驹在纽约唐人街组织了一场"救中国之夜"的大型募捐晚会，由此在美国全国发起"一碗饭"运动。经国内外各慈善团体、个人和华侨的慷慨捐赠，上海国际红十字会共募集善款3129926.74元，同时支出2908088.70元，主要用于难民救济费用。

上海国际红十字会共设立伤兵医院5所、残废伤兵医院1所、难民医院2所、难民收容所诊疗所6处、流动诊疗所8处，为伤兵和难民提供医疗服务。各处伤兵医院收治伤兵共计44271人，其中施行急救手术者17722人。残废伤兵医院共收容残废伤兵403人，手术并装置假肢计140例，并对这些残废伤兵施以针线、缝纫、园艺等职业训练，为他们出院后自立谋生创造条件。两处难民医院共收治病人2861人，住院日数计69651天。各处难民收容所诊疗所及流动诊疗所前后共施诊486316号，总计为70余所收容所近42000名难民提供了医药服务，并每月拨赠现金及药用品于其他团体开办的25所难民医院和20处难民诊疗所，还为难民及贫穷病人免费防疫注射，预防伤寒、虎列拉注射182214次，施种牛痘6188次。

上海国际红十字会还制定收容所设备甲、乙两种标准供各善团改善收容所设施及环境卫生时参照，涉及居住、饭食、衣被、健康、卫生及清洁、组织及登记办法、训练等方面，且组织视察组赴各收容所指导改进；并聘请教育专家陈鹤琴、叶梁露等人在各收容所推行难民教育，分儿童教育、成人教育、职业教育三项，颇见成效；当时全沪221所难民收容所中，成立儿童班者130所，成立成人班者97所，受教儿童42508人、受教成人29528人、受识字教育成人4552人，教师最多时共有580人。

1938年1月1日起，上海国际红十字会先后担任上海慈善团体联合救灾会、上海难民救济分会、上海国际救济会等14个团体所设难民收容所的给养重担，给养难民人数最多时达到17万人（包括南市难民区）。仅此一项，耗费甚繁，终以无力维持而决定至 10 月 31 日起停止全部救济工作，只任筹款募捐，直到会务结束。

上海国际红十字会从成立到结束救济，在短短一年多时间里，无论伤兵救护，抑或难民救济，都取得了卓越成绩，有目共睹，为抗战救护事业做出了巨大贡献，在中国抗日战争史和中国红十字运动史上书写了光彩夺目的一页。

（原载《中国红十字报》2017 年 7 月 7 日。与崔龙健合作）

中国红十字会救护总队抗战救护述论

——以武汉广州会战时期为中心

　　1937 年 12 月，中国红十字会在汉口成立了临时救护委员会，以林可胜为临时救护委员会代理总干事兼救护总队部总队长，救护总队为红十字会战时专负军事救护之机构①，"负责综理医疗救护事宜"，下设干事室、医务、材料、运输、总务等四股②。救护总队在武汉、广州等会战中，充分发挥流动救护的特点，将医务队遍遣各战区，积极配合部队作战，全力协助军医机关治疗伤兵，为维持国家抗战力量做出了贡献。

一、武汉区域

　　徐州会战结束后，战争区域由长江两岸延至华南沿海一带。日军分两个方向进攻武汉：一是沿长江及其沿岸地区西进，为主攻方向；二是沿大别山麓西犯，然后沿平汉路南下进攻武汉。为应付武汉区域战事情形起见，救护总队将各医务队编成 4 个中队，分布在各主要战地交通线上，积极参与战地救护工作。

（一）南浔线

　　该线包括鄱阳湖西岸经德安南迄南昌，西至箬溪等地，由救护总队第 9 中队（中队长为汤蠡舟）负责。武汉会战爆发后，9 中队下属第 53、54、55 三支救护队，分驻在马廻岭、乌石门、杨家桥、虬津、张公渡以及万家渡等地，收治重伤官兵③；其他战场的伤兵统由救护总队第

---

① 胡兰生：《中华民国红十字会历史与工作概述》，《红十字月刊》1947 年第 6 期。
② 《总会救护委员会第一次报告》，贵阳市档案馆藏：《救护总队档案》，40-3-60。
③ 《总会救护委员会第三次报告》，贵州省档案馆藏：《救护总队档案》，M116-14。

10、11 两汽车队负责送往救护总队第 26、38、43 医疗队工作的兵站医院，再由医疗队医生负责施行手术①。由于日军疯狂进攻，该线战事异常惨烈，"距前线 50 至 100 公里内，所有沿公路之村落以及极小之民房，均常被敌机作有计划之轰炸"，在前线的收容所"亦迭遭轰炸"，因此造成救护总队在前方的救护及运输工作"殊为艰险"②。如 1938 年 8 月中旬，第 53 救护队副队长胡瀛学在马廻岭前线从事救护工作时，被敌机炸伤，以身殉国；派往乌石门、德安一带收容所工作的两辆救护汽车也遭敌机扫射中弹③。尽管如此，救护总队的伤兵运输工作，还是按计划正常运转。汽车队每日下午 4 点准时从南昌出发，至翌日凌晨返回，医护人员竭尽职守，"漏夜从公"，争分夺秒地抢救伤员④。第 9 中队救护成绩特别突出，在南浔线共救治伤病兵 13931 人次，注射疫苗 497 人次⑤。

（二）长江两岸线

长江南岸阳新方面，其战线由箬溪北迄江岸；长江北岸、浠水方面，其战线则由长江岸北达广济。该线的战地救护由第 3 中队（中队长为吴云灿）所属医疗队担任。该地伤兵运送路线是长江南岸的伤兵由阳新经大冶、鄂城运至武昌；北岸伤兵则由浠水经上灞河、岐亭、张家湾、黄坡运至汉口。南岸伤病官兵先由第 52、56、57 三支救护队负责护送，至 9 月底救护总队又加派 54、57 两救护队前往北岸协助治疗伤兵⑥。具体救护情形如下：

1. 阳新—武昌线

1938 年 9 月，救护总队第 52、56 两救护队在阳新从事战地救护，57 队在大冶救治伤兵。救护环境异常困难，敌机不时轰炸，第 57 救护队所有器械全部被炸毁。阳新、武昌之间各收容所也经常遭敌机轰炸。救护总队为伤兵的安全考虑，决定由第 3、5 两救护车队，将此线伤兵运回武昌，再转道平汉、陇海两路输送西安以及西安以西各医院治疗⑦。

---

① 《总会救护委员会第三次报告》，贵州省档案馆藏：《救护总队档案》，M116—14。
② 《总会救护委员会第三次报告》，贵州省档案馆藏：《救护总队档案》，M116—14。
③ 《总会救护委员会第三次报告》，贵州省档案馆藏：《救护总队档案》，M116—14。
④ 《总会救护委员会第三次报告》，贵州省档案馆藏：《救护总队档案》，M116—14。
⑤ 胡兰生：《中华民国红十字会历史与工作概述》，《红十字月刊》1947 年第 6 期。
⑥ 《总会救护委员会第三次报告》，贵州省档案馆藏：《救护总队档案》，M116—14。
⑦ 《总会救护委员会第三次报告》，贵州省档案馆藏：《救护总队档案》，M116—14。

除战伤外，军队士兵和乡民多患疟疾、痢疾及肠病，救护总队也尽力加以防治，将大量奎宁丸及注射剂发给各队，医治前线患病官兵。在此线，救护总队医疗队共救治伤病兵36989人次，注射疫苗7339人次①。

2. 浠水—汉口线

10月初，救护总队分派第54、57两救护队在上灞河、张家湾、河口、黄坡等处治疗伤兵，并派第3汽车队全队及第5汽车队一部分车辆将伤兵向汉口输送②，致使汉口伤兵大增，达七八千人之多。救护总队当即派遣第1、36两医疗队，第12、18两医护队驰赴汉口各医院、各收容所从事治疗伤兵工作，又加派第49医防队在武昌、汉阳各医院协助治疗伤兵。因汉口各收容所房屋简陋，伤兵拥挤不堪，以致重伤官兵均集中在第64后方医院，统由第1、36两队治疗，而汉口被炸伤的民众，"亦均麇杂其间"③，第1、36两队手术繁忙，医护人员"自晨迄晚，毫无宁息者，计有一月之久"。经上述各队治疗的伤兵，"几及全数之半"，达8051人次④。

3. 咸宁—崇阳—平江线

信阳失陷后，军政部电告救护总队，嘱其将驻汉各队后移⑤。救护总队认为"职责未完"，没有立即撤退，直到在汉口的伤兵由各主管机关分别向宜昌、长沙各地转移后，才令第15队于10月15日开往宜昌，第12、18两队于17日，第1、2、36队于18日先后撤至长沙，同时命令第52、54、56及57各救护队暂移武昌、崇阳、平江一带各收容所。嗣后，救护总队将这4支救护队与原往崇阳工作的第5医疗及第8医护两队并入第2中队，由中队长王贵恒率领救护自长江南岸及大冶以东后移的伤兵。原先该区伤兵多集中在粤汉线的贺胜桥一带，后因交通关系，改集咸宁、赵李桥等站候车，再转运至长沙、咸宁。而大冶至金牛一带的伤兵仍送往贺胜桥、咸宁。辛潭铺至通山间伤兵则经崇阳、羊楼洞向赵李桥集中。其时，敌机不断轰炸该区城市及乡村，崇阳全城在9月26日至28日3天的连续狂炸中变为废墟。原驻崇阳工作的第5、8两医护队，在第一次轰炸前就迁至城外"得免于难"⑥。敌机疯狂轰炸，救

① 《总会救护委员会第三次报告》，贵州省档案馆藏：《救护总队档案》，M116-14。
② 《总会救护委员会第三次报告》，贵州省档案馆藏：《救护总队档案》，M116-14。
③ 《总会救护委员会第三次报告》，贵州省档案馆藏：《救护总队档案》，M116-14。
④ 《总会救护委员会第三次报告》，贵州省档案馆藏：《救护总队档案》，M116-14。
⑤ 《总会发救护委员会总干事林可胜电报》，贵州省档案馆藏：《救护总队档案》，M116-14。
⑥ 《总会救护委员会第三次报告》，贵州省档案馆藏：《救护总队档案》，M116-14。

护形势更为恶化。

广州失陷后，国民党部队纷纷向粤汉路以西后撤，伤兵大部分滞留在通山、崇阳、羊楼洞一线。救护总队遂派救护车将上述伤兵经崇阳、白驴田、上塔市陆续运往平江。尽管救护形势恶劣，救护总队医护人员仍奋不顾身，救治伤病兵达 13548 人次①。

4. 箬溪—武宁—平江线

此线包括由箬溪经武宁、三都、修水、长寿而至平江一线，位居阳新、德安两线之间，由第 11 中队负责该线伤兵的治疗。1938 年 9 月，第 59 医疗队与第 60 医护队同赴箬溪治疗伤兵，另一小分队则进抵王家岭执行伤兵护送任务。因局势变化，上述各队不久即向修水方向后移。早在 8 月间，王家岭至修水间的公路东段遭局部破坏，全线桥梁又复失修，救护人员无法利用交通工具转移伤兵，只能步行，用担架将伤员由前线抬赴三都，再由第 5 汽车队向修水、长寿及平江等处输送。9 月中旬，救护总队加派第 12 医护队前往三都，另派第 11 医疗队及 21 医护队前往长寿，第 59 队仍驻修水，第 60 队改驻梁平等处救治伤兵。共救治伤兵 3628 人次，病兵 2953 人次②。

5. 汉口—宜昌—巴东线

1938 年 7 月，救护总队派遣第 3 中队所属第 16 医疗队及第 19 医护队两队前往宜昌救治伤兵，第 15 医疗队在 10 月中旬由武汉西退宜昌后，救护总队即将其编入第 3 中队，任命徐崇恩为代理中队长，负责该线伤兵的救治。11 月间，宜昌迭遭敌机狂炸，各队工作的医院棚继被炸毁，救护总队乃将第 15 队派往重庆，第 16、19 两队则派驻巴东。第 16 队的一分队，应军医署驻鄂办事处的请求，一度返回宜昌救治伤兵③。

在武汉区域，救护总队所属医护人员克服各种困难，不顾个人安危出入前线，急救和抢运伤兵，取得突出成绩，从 1938 年 8 月至 11 月，总计运送伤兵 16001 人，其中南浔线运送伤兵 7592 名，汉口、浠水线运送伤兵 852 名，阳新、武昌线运送伤兵 1184 名，咸宁、崇阳、平江线运送伤兵 2425 名，箬溪、武宁、平江线运送伤兵 3948 名④。

---

① 《总会救护委员会第三次报告》，贵州省档案馆藏：《救护总队档案》，M116–14。
② 《总会救护委员会第三次报告》，贵州省档案馆藏：《救护总队档案》，M116–14。
③ 《总会救护委员会第三次报告》，贵州省档案馆藏：《救护总队档案》，M116–14。
④ 《武汉区域运送伤兵数日统计表》，贵州省档案馆藏：《救护总队档案》，M116–14。

二、湖南区域

（一）长沙—衡阳线

武汉会战期间，湘鄂边境的伤兵移向长沙、衡阳。日军尚未迫近武汉之前，第五战区内徐州、陇海各线伤兵有部分输送长沙。该线战地救护工作由第4中队负责。其中第3医疗队及第24、37两医护队，除在长沙协助战时卫生人员训练班培训医护人员外，还协助治疗受伤难民。武汉吃紧时，第1、36、18三队先后从汉口撤退至长沙，被编入第12中队，在病兵最多的后方医院协助治疗伤兵。武汉、广州失陷后，湖南省政府准备迁离，各军事机关也相继后撤，一时"人心大恐"；加之谣言四起，"相传岳阳业已不守，敌舰且进至洞庭湖中"，后又盛传敌军已近平江及抵粤汉路之汨罗站，一时风声鹤唳，长沙大火因此而起①。鉴于形势紧张，救护总队在长沙的救伤工作不得不停止，除干部人员仍留长沙外，其余人员分批撤往祁阳。为转移驻长沙的医务队及器械材料，救护总队将在湘鄂边境工作的救护车队，也调集长沙，执行紧急运输任务。可是，部分运输车辆因机械故障，急需修理，长沙汽车零件却非常缺乏，加之救护总队购买的新车轮胎，被滞留安南，不能及时运到长沙。更为严重的是，运输股仅库存100加仑汽油，油料极度匮乏。在此危急关头，驻汉口英国大使馆恰好转来苏格兰红十字会捐给救护总队750英镑捐款。救护总队请"沙雀号"英舰舰长代其致电英大使馆，请求将此款专作长沙购买汽油之用。几经周折，救护总队终获捐款，用来购买汽油，使医护人员及卫生器材得以安全转移。否则当长沙大火之际，救护总队的卫生材料"定将损失不赀也"②。

（二）长沙—常德—沅陵线

第2、11、12三个中队撤离长沙后，救护总队随即派王贵恒、罗盛昭、汪凯熙等中队长率领前往长沙—常德—沅陵一线从事救治伤兵工作。当医护人员在猴子石渡口及常德、桃源各地救治伤兵之时，频遭敌机袭击。加之难民络绎于途，轻伤员亦复相携蹒跚而行，其情景"凄惨

---

① 《总会救护委员会第三次报告》，贵州省档案馆藏：《救护总队档案》，M116-14。
② 《总会救护委员会第三次报告》，贵州省档案馆藏：《救护总队档案》，M116-14。

满目，不忍卒睹"①。医护人员尽力予以救助和治疗，但杯水车薪，无法解决实质问题。军医当局为缓解上述情形，设法用民船载运伤兵五六千名，由常德至沅陵，但因河道水浅湍急，时有覆舟事故发生，伤兵"葬身鱼腹者，不知凡几"②。与此同时，因人口激增，粮食匮乏，物价昂贵，伤兵难民"更无以为生"③。如沅陵一城，战前居民不过4万，自难民、伤兵麇集后，骤增达40余万之巨，"诚为有人满之患"④。后方勤务部为补救上述困难起见，在益阳至辰溪间，每隔二三十里设一招待站。救护总队亦派第52、54、56、57、63等5支救护队及第62医护队开抵桃源，分布在各招待站，为伤兵服务⑤。

与桃源局势相比，沅陵以南各地社会秩序较稳定，粮食亦较充足。于是救护总队各队及第1、3救护车队将上述伤兵尽量运送沅陵安置，并增加内科护理的医护队队数，参照衡阳至桂林一带的救护经验，制定各种计划逐步加以推广。在此线，救共治伤兵18989人次，病兵人数3489人次⑥。

（三）衡阳—桂林线

该线伤兵救治由第5中队与第9中队负责。其所属各医务队分派在衡阳、祁阳、零陵各医院及收容所，协助治疗从长沙转移来的伤病兵。在伤病患者中，除患疟疾、回归热、痢疾及肠病等疾病外，其余多为营养不良症，大多伤病士兵"瘦弱不堪"⑦。不仅如此，多数伤兵在严寒时节还穿着夏季制服，不仅棉被缺乏，连军毯也付阙如。伤兵的个人卫生也极糟糕，"龌龊已极，且满身白虱"，患皮肤病及溃疡的患者，"亦触目皆是"⑧。鉴于上述情形，第5、9两中队除派医护人员医治伤病外，还拨出专款，购置各种设备，为伤病兵灭虱、沐浴、治疗创造条件，派指导员多人督促各医务队尽力予以紧急处置，预防传染病的流行。为了缓解伤病士兵营养不良症状，救护总队在各医院设立特别饮食部，对必须给予特别营养的伤病员兵，除供给大量牛奶外，还资助医院给养经

---

① 《总会救护委员会第三次报告》，贵州省档案馆藏：《救护总队档案》，M116-14。
② 《总会救护委员会第三次报告》，贵州省档案馆藏：《救护总队档案》，M116-14。
③ 《总会救护委员会第三次报告》，贵州省档案馆藏：《救护总队档案》，M116-14。
④ 《总会救护委员会第三次报告》，贵州省档案馆藏：《救护总队档案》，M116-14。
⑤ 《总会救护委员会第三次报告》，贵州省档案馆藏：《救护总队档案》，M116-14。
⑥ 《总会救护委员会第三次报告》，贵州省档案馆藏：《救护总队档案》，M116-14。
⑦ 《总会救护委员会第三次报告》，贵州省档案馆藏：《救护总队档案》，M116-14。
⑧ 《总会救护委员会第三次报告》，贵州省档案馆藏：《救护总队档案》，M116-14。

费，用以购置各种食品，如鸡蛋、猪肝、猪肉及豆腐浆等物。救护总队通过实施上述措施，使衡阳、桂林一线的救护工作"俾收良好之效果"①。

（四）长沙—邵阳—芷江线

武汉会战及广州作战前，由救护总队向邵阳区域转移的伤兵人数不多。当洞口至芷江公路建成之后，长沙—邵阳—芷江一线就成为运送伤病兵的交通要道。救护总队为了在该线及时抢救和治疗伤病，派邱长汉代中队长率领第4中队各队在沿途护送和治疗伤兵。其分布地点：第2医疗队驻长沙，第65医护队驻湘潭，第64救护队驻湘乡，第14医疗队、第9医护队驻邵阳，第32医疗队在洪江②。

武汉会战及广州作战期间，湖南成为运送和治疗伤兵的重要区域，救护总队派第2、4、5、9、11、12等6个中队在此区域执行战地救护任务，治疗和运送大批伤兵。根据档案资料，总计救护总队在湖南区域共运伤兵5094人，其中长沙、沅陵线运送伤兵4644人，长沙、邵阳线运送伤兵450人③。

三、赣浙区域

（一）南昌—金华线

该线包括皖南、赣北及浙江等处。长江南岸游击区如青阳、宣城一带伤兵，多由各地先向岩寺集中；上海、杭州一带伤兵，则向金华集中，然后由岩寺、金华两处经水道或铁路线向浙赣沿线第三战区各医院输送。该线各医院伤兵总数约为1.4万余人，在第三战区作战受伤者不过三四千人，其余是在汉口撤退以前由陇海、平汉两线运送来的伤兵④。此线伤兵由救护总队第6中队所辖各队负责收治，其中第4医疗队在贵溪，第2医疗队在玉山，第31医疗、第32医护及第64救护等队在兰溪、金华一带⑤。

① 《总会救护委员会第三次报告》，贵州省档案馆藏：《救护总队档案》，M116-14。
② 《总会救护委员会第三次报告》，贵州省档案馆藏：《救护总队档案》，M116-14。
③ 《湖南区域运送伤兵人数统计表》，贵州省档案馆藏：《救护总队档案》，M116-14。
④ 《总会救护委员会第三次报告》，贵州省档案馆藏：《救护总队档案》，M116-14。
⑤ 《总会救护委员会第三次报告》，贵州省档案馆藏：《救护总队档案》，M116-14。

（二）南昌—吉安线

该线系救护总队第 5 中队所辖救护区域。各队分布在南昌、吉安之间，第 20 医疗队驻南昌，后与第 27 医疗队迁往新淦；第 14 医疗队与第 9 医护队驻永丰；第 6 医疗队与第 17 医护队驻吉安；第 48 医护队则驻南昌、临川、吉安一带从事战地救护工作。1938 年 11 月上旬，粤汉路有被日军切断之虞，中国军队多向铁路以西撤退，救护总队乃令第 5、6 两中队所属各队以及已在吉安、安福等处的第 9 中队一部分分别撤至衡阳、祁阳两地待命。12 月间，当战局渐趋稳定之时，救护总队继续派遣数支医务队前往赣浙一带开展救护工作，并令各队"无论在任何情形之下，即与总队部失却联络，亦留该区"，坚持从事战地救护工作①。第 6 中队所属第 31 医疗队、第 67 医护队均表示自愿前往前线从事救护工作。是年底，该两队由第 6 中队何鸣九中队长率领前往浙赣皖一带随军救治伤兵。第 48 医护队在其余各队由江西撤退之时，仍留吉安治疗伤兵②。

四、两广区域

在广东，1938 年夏季，粤东北一带发现霍乱流行，广东省卫生机关为遏止疫情蔓延，乃联合各卫生机构集议防治办法。救护总队驻广东各医务队，亦积极配合。时驻该地第 7 中队将所属各队一律拨交广东防疫（霍乱）委员会听候派遣，协助驻地卫生部门从事预防注射及改进环境卫生等工作。各队工作分配如下：第 30 医疗队及 39 医护队在广州防治霍乱，第 41 医护队在中国红十字会广州分会医院协助治疗被敌机炸伤的民众，第 34 医护队（原系医疗队，为适应环境起见，改编为医护队）在江门，第 43 医护队在陆丰及普宁，第 45 医护队轮流于曲江、龙门、五华、梅县之间，第 46 医疗队则在增城、博罗及河源等处协助治疗伤兵及实施防疫工作。至 9 月底，广东霍乱已逐渐被扑灭，第 7 中队各医务队除第 46 队仍留河源从事预防治疗外，其余各队均于 10 月初同抵广州从事战地救护工作③。

10 月 12 日，日军在大鹏湾登陆之时，第四路军军医处，即与救护

---

① 《总会救护委员会第三次报告》，贵州省档案馆藏：《救护总队档案》，M116–14。

② 《总会救护委员会第三次报告》，贵州省档案馆藏：《救护总队档案》，M116–14。

③ 《总会救护委员会第三次报告》，贵州省档案馆藏：《救护总队档案》，M116–14。

总队南区大队长尹亦声商议，将第7中队各队分派至各军医院协助治疗伤兵，然日军在大鹏湾登陆5天后，就迅速进迫广州，以致救护总队所拟计划未能实现。各队即于10月16日接军事当局通知，陆续退出广州。第34队于即日退至从化第20后方医院，第41队则前往梅坑第四路军后方医院。17日，第43及45队迁达曲江，第39队随同大队部一并移驻从化，继续在军医院协助治疗伤兵①。

10月18、19两天，从化频遭敌机轰炸，第20后方医院及当地军邮局相继被日机炸毁，救护总队南区大队部与所属各医务队联系完全断绝。中队长尹亦声当即派出第22号救护车前往广州方面探听消息，当救护车到达目的地时，广州已于21日失陷，于是南区大队部决定于22日晨率各队继续北撤。当南区大队部路经翁源时，据闻第四路军军医处处长已抵新江，尹亦声遂率领各队前往该处，随即与军医处洽商救护工作方针。经双方协商，军医处请求南区大队留两队在新江听候分派工作，其余各队继续后撤。前留在河源第118后方医院协助治疗伤兵的第46队，在该院迁离河源后，退至曲江与第43队协助市立医院从事救护工作。不久，该两队又调往第四路军第一重伤医院，第45队则在曲江公理会医院工作。11月4日，南区大队部接救护总队命令，饬令该部所属各队全部退出粤境，南区大队部遂决定于11月13日全部启行撤至衡阳②。救护总队完成了在广东区域的战地救护工作。

在广西。该线伤兵治疗由第8中队负责。各队工作地点：第42医防队驻柳州，第44医护队驻梧州，两队在柳州与梧州各城市及其附近地区实施轮回巡诊，分别从事霍乱及其他疾病的防治工作。如所在区域遭遇敌机轰炸时，该两队也协助驻地卫生机关实施急救工作。广州失陷后，第44队即调往柳州军医院治疗伤兵③。

12月间，救护总队将第7、8两中队所属各队一律调至祁阳，经调整改编后，派至广西境内各处工作，主要任务是为从湖南转往广西的伤兵服务，如日军一旦沿西江进袭广西，其所属各队立即调集梧州、南宁一带实施救护。其时，第7中队分派在湘桂线西段，所属第6医疗队、44医护队驻全州，第41医护队驻灵川潭下圩，第50医疗队、22医护队驻灵川大面圩，第73、74两救护队及第43医护队驻桂林等地救治伤兵。

① 《总会救护委员会第三次报告》，贵州省档案馆藏：《救护总队档案》，M116-14。
② 《总会救护委员会第三次报告》，贵州省档案馆藏：《救护总队档案》，M116-14。
③ 《总会救护委员会第三次报告》，贵州省档案馆藏：《救护总队档案》，M116-14。

第 8 中队所属各队则分布于桂林、柳州之间，其中第 46 医疗队、45 医护队驻卫家渡，第 38 医疗队、39 医护队及 69 救护队驻平乐，第 42 医护队分成两组分别驻长安镇、柳州两处救治伤兵①。

在武汉广州会战期间，救护总队秉承"博爱恤兵""救死扶伤""平时有备，战时有能"的救护信念，医护人员不顾个人安危、舍生忘死，积极抢救伤病员，为争取抗战最后胜利做出了重要的贡献。其救护业绩可从下列数据中窥见一斑：救护总队在会战期间，总计外科手术 70489 人、骨折复位 34143 人、换药 6021237 人，治伤兵 6125869 人、病兵 1014740 人、平民 1473676 人，总计伤病军民 8614285 人②。

（原载《深圳大学学报》2010 年第 5 期。与戴斌武合作）

历史纵横

---

① 《总会救护委员会第三次报告》，贵州省档案馆藏：《救护总队档案》，M116-14。
② 《总会救护总队部业务报告》，贵州省档案馆藏：《救护总队档案》，M116-14。

从战地救护到社会服务

——简论抗战后期中国红十字会的"复员"构想

抗战胜利后，中国红十字会进入复员时期。实际上，复员的准备工作在抗战期间即已开始，对此学界尚缺乏研究。鉴于战时中国红十字会的救护工作主要由救护总队部承担，且自1943年初中国红十字会改组后，总会秘书长（具体处理会务）兼任救护总队部总队长，使得总会与救护总队部的工作息息相关，以战时救护总队的复员准备工作为重点考察中国红十字会的复员准备工作，无疑是一个可行的路径。本文以救护总队部所编印的《救护通讯》为中心，对中国红十字会复员准备工作粗加梳理，以期推动对该问题研究的深入，不妥之处敬请方家批评指正。

一

根据《大西洋宪章》中"免除匮乏之自由"的精神，在英美等同盟国的倡导下，联合国决定建立善后救济总署，其任务在于"一旦任何地区被盟军解放或敌军被迫撤出，当地居民将立即获得食物、衣物和住所援助，以减轻其痛苦；帮助民众卫生防疫、恢复健康，为战俘及流亡者返回家园作好准备和安排，帮助恢复迫切需要的农业和工业生产，恢复必需的服务"[1]，其资源的分配，无论在何处，"都将根据该地人口的相对需要公平地分配或分发，不得因种族、宗教和政治信仰不同而有所歧视"[2]。这与红十字"人道、中立、博爱"的精神是相通的。由于美英

---

[1] 参议院外交委员会主编：《美国外交政策基本文件：1941—1949》（Senate Committee on Foreign Relations, eds., *American Foreign Policy Basic Documents*, 1941–1949），华盛顿美国政府出版局1950年版，第15页。转引自王德春：《联合国善后救济总署的诞生及其使命》，《世界历史》2004年第5期，第45页。

[2] L. 古德里奇、M. 卡罗尔主编：《美国外交关系文件》第6卷，第261页。转引自王德春：《联合国善后救济总署的诞生及其使命》，《世界历史》2004年第5期，第46页。

是善后救济计划的主要提出者与实施者，故美英红十字会也最早着手复员准备工作。善后救济这个问题提出后，美国红十字会便汇集专家，开始计划"战后复员期间红十字会工作"。

红十字组织是一个国际组织，战后复员也是一个国际性的大问题。尽管当时中国是世界四大国之一，但由于近代中国多灾多难，积贫积弱，且"中国遭遇如此长时间的战争，负担实重，损失甚大"①。善后救济计划的提出，犹如黑暗中的一丝光亮，从心理上增添了中国人民胜利的信心，有利于坚持抗战，对战后远东乃至世界和平，具有重大的促进作用，正如中国红十字会蒋梦麟会长所言："中国之前途属于世界，正义和平之世界属于中国。"②

为做好善后救济工作，美国红十字会决定联系中国红十字会，准备中国战后复员期间救济事宜，"其主要救济对象，为迁乡民众之衣食救济"③。不久，美国驻华红十字会特派代表高理文表示：希望中国红十字会及时打算，美国红十字会会尽力赞助④。1943年10月，高理文到贵阳救护总队部会商"战后复员期间红十字会工作问题"⑤。经讨论，由救护总队部"拟具复员救济工作计划，以复员部队及还乡民众为对象，沿公路、铁道、河流，择要设置医疗队或诊疗室，并于相当冲要城市设置小型医院，暨其他救济方案，送备参考"⑥。

由于战时中国各个地区情况千差万别，如东北、华北、华东等地因受日本对该占领地区统治形式的不同，在短时间内拟具一个妥善的切合实际的计划还很困难，也不现实。该计划只是大致地勾勒了一个战后救济的轮廓。在随后美国大西洋城召开的联合国善后救济会议上，中国代表蒋廷黻正式提出，"当日军被驱退后，中国人民之需要救济者，预计可达八千四百万之众"⑦。而中国红十字会战后救济计划，"将以全部救济八千四百万人口中，依百分之五为最高标准，约计一百二十万人，将受本会之救济"⑧。

① 史泰莱：《中国收复区的救济与复兴》，译自10月4日《远东调查》，《救护通讯》第33期（1945年2月），第3页。

② 《蒋会长梦麟勉同仁书》，《会务通讯》第29期（1944年1月），第22页。

③ 《消息拾零》，《救护通讯》第2期（1943年11月），第6页。

④ 《编辑者言》，《救护通讯》第1期（1943年10月），第3页。

⑤ 《各方联络》，《救护通讯》第1期（1943年10月），第2页。

⑥ 《各方联络》，《救护通讯》第1期（1943年10月），第2页。

⑦ 《消息拾零》，《救护通讯》第3期（1943年11月），第3页。

⑧ 《消息拾零》，《救护通讯》第3期（1943年11月），第3页。

12 月，救护总队部奉命已正式拟就战后复员救济计划，"兹择其要领分述如次：第一、救济对象：以返乡还籍民众为主，其因在中国境内受战争影响之敌友侨兵，承政府之委托时，以中立性团体之立场，亦同予救济。第二、救济人数：依照蒋廷黼博士发表二（八）千四百万人之估计数目，由本会担任救济者，约为一百二十万人，并依事实上之情况，分三期施行，每期为四十万人。第三、救济方法：分衣食住行医药及到达家乡后最低生产之资金。第四、救济机构：行政机构直属中华民国红十字会总会，由现有机构配合运用，业务机构，于重要交通线适宜设置食宿站、制服厂、诊疗所、医院、材料库，并控制运输车辆"①。

该计划主要侧重于救护方式与方法，其救济机构将由现有机构配合运用，但尚缺乏一个明晰的、可供具体操作的方案，显然是与制定者对战后的局势与局面无法预测有关。由于该计划是"奉命"拟就的，由此也就正式拉开了中国红十字会复员准备工作的序幕。

二

复员工作，千头万绪。虽然计划初成，但"一旦复员开始，中国红十字会的工作，不逊于战争"②。因此，集思广益，做好复员准备工作的宣传、动员是不可或缺的。

在战火纷飞的日子里，许多人对和平时期的到来尚缺乏充分的心理预期，做好宣传发动工作，充分汇集对复员工作的意见与看法，是必要的。提出复员计划既可以树立必胜的信念，增强战斗力，又可为复员各项准备工作渐次推行获得充分的心理认同。《救护通讯》1943 年 10 月创刊，正好是中国红十字会开始着手复员准备工作之际，诚如第一期《编辑者言》所说："我们热望爱护红十字旗帜的工作同［志］，赐予我们复员期间的工作意见，无论是药业是衣食，都竭诚欢迎， 《救护通讯》……也打算在下月出一版'战后救护问题'专号，请合力协助这新的诞生。"③ 此后直到 1945 年 8 月 15 日停刊，几乎每一期都登载了与复员有关的文章，对红十字会战后救护趋向、战后工作意见等进行广泛的探讨，实质上也是在广泛宣传与动员，以期集思广益，"协助这新的诞

① 《救护设施》，《救护通讯》第 5 期（1943 年 12 月），第 4 页。
② 朱文新：《元旦献辞》，《救护通讯》第 24 期（1944 年 1 月），第 2 页。
③ 《编辑者言》，《救护通讯》第 1 期（1943 年 10 月），第 3 页。

生"。

中国红十字会战时工作最高之准绳是"救死扶伤，博爱恤兵"。至于战后的救护趋向，《救护通讯》也做了深入广泛的探讨。蒋梦麟会长认为，"当前中国的根本问题，推厥根本，还是'贫''病''愚'三者"，所以"只有从事工业建设以救贫，推行医疗事业以救病，发展教育工作以救愚"①。"健康"时刻在影响民族的福利和国家的福利，从而也影响到国家的强盛，因为"学问、技能、道德以及美满的人生无往而不依靠健康。健康决定了兴趣和忍耐力，兴趣和忍耐力决定了效率，决定了快乐，快乐决定了人生和态度"②，"推行医疗事业以救病"的重要意义不言而喻。健康是"军事第一""抗战第一"的前提与基础，也是今后改进民生、提高民权的根本条件，故而"健康第一"③。因此，复员后红十字会的救护工作，就应该更加注重民众的医疗健康工作，造就身心健康的国民，自觉融入抗战建国、战后强国的洪流。

"战前的救护工作，整个是消极的，不是积极的。消极的是医治危及生命的伤害和疾病"④。战后应实行积极的救护工作，"积极的就是维持民族健康以至于复兴民族，正是建国的一个重要工作"，"尤应配合着建设国防的工程朝着民族健康之大道迈进"⑤。复员后，红十字会还需从事积极的广泛的防疫工作。"这个工作，不但直接是给予人民健康的保障，实与新中国的建设，乃有密切关系"⑤。近代中国，灾难深重，人民困苦不堪，身心备受欺凌与打击。健全的国民，不仅需要健康的体魄，更需要健康的心理，"今后百年之治疗的观念，心理治疗是重要的，而且需要在心理治疗上求得更美满的收获"，"要以心理的治疗补救药物治疗之不及"⑥。蒋梦麟会长指出："救护工作，只不过是红十字会的工作之一种，就在目前各国的红十字会，早已担任普遍而广泛的'精神''物质'并重的救济工作了"⑦。

---

① 《克服贫·病·愚——中国根本问题的解决》，《救护通讯》第 15 期（1944 年 5 月），第 2 页。

② 周尚：《美国征兵的健康条件及其指导》，《救护通讯》第 8 期（1944 年 2 月），第 2 页。

③ 陈衡哲：《健康第一》，《救护通讯》第 37 期（1945 年 4 月），第 1 页。

④ 江晦鸣：《战后救护工作之趋向》，《救护通讯》第 4 期（1943 年 10 月），第 1—3 页。

⑤ 胡兰生：《中国红十字会战后工作意见》，《会务通讯》第 24 期（1944 年 1 月），第 3—4 页。

⑥ 汤蠡舟：《百年来治疗的观念》，《救护通讯》第 3 期（1943 年 11 月），第 1 页。

⑦ 刘猛、江晦鸣：《会长训词——认清大势　加紧努力》，《救护通讯》第 15 期（1944 年 5 月），第 3 页。

救济受兵灾的一般贫苦人民，既是红十字会的基本工作，也是中国红十字会 1904 年成立以来的一贯积极推行的工作。预计战后红十字会的物力财力不可能担负起普遍而广泛的救护重任，因此，救济工作需另辟蹊径，推行社会健康保险，才能惠及广大民众。"如果由国家或私人来经营社会健康保险的事业，不论人力财力都不易立时进行此项艰巨的任务"，而"现代卫生发达的国家，无论是国营或私营的健康保险会或健康保险社的组织，已经普遍于社会，而成为社会福利的事业中心，以辅助公共卫生事业所不及"①。

　　更为有趣的是，为进一步普及红十字会战后复员工作，1945 年救护总队部（国民党）特别党部还特别举行"中国红十字会战后工作计划"小组竞赛会，包括各区党（分）部党员均参加，由副总队长汤蠡舟与特别党部书记长李承俊担任评判②，以计划的周密、切实、可行为评分标准。这无异于在救护总队内部对复员计划进行更为实际的、广泛的普及与动员。

三

　　在广为宣传发动的同时，红十字会在组织机构、人员训练等方面也在积极做好各项准备工作。

　　1943 年 12 月 12 日，救护总队部"参照中央颁布党政各机关设计考核委员会组织通则"③，成立设计考核委员会，作为复员设计机构。该委员会由中国红十字会总会秘书长兼救护总队部总队长胡兰生任主任委员，副总队长任副主任委员，由党政相关部门领导任常务委员、委员，共计 15 人组成。委员会一经成立，便"已举行战后救护与救济工作之计划会议，经决定各项重要原则，分别起草方案，以资进行"④。从该委员会的名称来看，设计与考核相连，以加强对计划执行力度的监督与考核。但从该组织规程第三条"本会之职权"内容来看，基本上限定于年度工作计划的设计与考核。可见，在当时客观环境下，还无法预见复员日期何时能真正到来，故未提及中期与长期计划。对于不同情况的沦陷

　　① 江晦鸣：《战后救护工作之趋向》，《救护通讯》第 4 期（1943 年 10 月），第 1—3 页。
　　② 《活动纪要》，《救护通讯》第 41 期（1945 年 6 月），第 6 页。
　　③ 《中华民国红十字会总会救护总队部设计考核委员会组织规程》第 1 条，《救护通讯》第 5 期（1943 年 12 月），第 6 页。
　　④ 《救护设施》，《救护通讯》第 4 期（1943 年 10 月），第 4 页。

区收复后的救济事宜，该委员会也未考虑周详。因有江苏省政府主席韩德勤"莅部参观"，并商讨"游击区救护及战后收复沦陷区民众救济等事宜"①；不久以后，又有救护总队部副总队长汤蠡舟等访晤江苏省政府秘书长胡嘉诚，商谈敌后游击区救护作业推行事宜②。

同时，为协调各方面的工作，充分做好复员准备，红十字会相关人员还兼任其他相关机构的职务，如总会秘书长兼救护总队部总队长胡兰生1944年6月兼任行政院善后救济调查委员会③人民还乡委员会主席，对于战后救济工作，负有计划推行之任务④；1945年，胡兰生兼任中央战时服务督导团团务委员，并为该团计划对后方各交通线民众的医疗救济事宜⑤。救护总队部副总队长汤蠡舟1944年9月兼任军医署卫生勤务设计委员会兼任委员⑥。而最重要的当属1945年红十字会会长蒋梦麟任行政院秘书长，这更有利于战后红十字会复员工作的协调与进行。

人才是各项事业发展的基础。对当时中国红十字会来说，培养更多的医学人才，更是迫在眉睫的工作。经过多年的战场救护，救护总队副总队长汤蠡舟对比深有感触："就医学教育而言，战前设施，完全为书本教育，实验教育，临床教育"，培养的医务人才"只知习于个人工作，不曾问闻社会动静，超然与世界相违"，今后应实施"计划的医学教育"，使培养的人才能配合国家的需要，"以谋求全民族健康全人类幸福为志职"⑦。为积极准备与推动复员后的医学人才的教育与储备，1943年11月，救护总队部决定派副总队长朱润深赴美国学习考察，并研究战后医药救济问题⑧，以便回国后积极改进与完善现有医学教育体制。为培养更多的救护人才，自1943年以来，红十字会就筹划改变以往流动救护形式，在各战区建立战区医院，以便为广大的医护工作人员提供学习与实践的基地，提高其医疗水平。如《中华民国红十字会总会救护总队部战区医院组织规程》第三条明确规定：本院协助战区充实医药设

---

① 《各方联络》，《救护通讯》第4期（1943年10月），第4页。

② 《各方联络》，《救护通讯》第9期（1944年2月），第5页。

③ "行政院为统筹战后救护及一切善后事宜，特成立善后救济调查委员会。该会主要任务，系与联合国善后救济总署工作取得联系，并从事我国善后救济所需物资之调查统计分配运输等事项。"《救护通讯》第14期（1944年5月），第5页。

④ 《人事公告》，《救护通讯》第16期（1944年6月），第5页。

⑤ 《各方联络》，《救护通讯》第31期（1945年1月），第5页。

⑥ 《消息拾零》，《救护通讯》第22期（1944年9月），第5页。

⑦ 汤蠡舟：《战后的医学教育》，《救护通讯》第19期（1944年7月），第1页。

⑧ 《消息拾零》，《救护通讯》第30期（1945年1月），第5页。

备，训练救护人才，以期达成建立战后军区卫生之基础为目的①。《救护通讯》从第 5 期开始，专设"读书专页"，以介绍从美国及友邦国家传入的先进的医药知识，积极拓宽全体从业人员的学习渠道，更好地了解与学习国外先进的医药知识，以期达到提高业务知识的目的。

此外，救护总队还积极进行全国疫情调查，积极谋求防疫工作的改进与完善，切实保障人民群众的身体健康②；积极补充医药材料，"严密仓储，预作分屯计划，更求配合战后救济工作之需要"③；改善各种卫生器材之制式包装，严密卫生器材之仓储管理，适应战时之补给，而利战后救济工作之展开④。交通运输的规划与改进等项工作随着战局的改变而渐次调整、实验与改进。对于后方，尤其是后方重要城市与重要交通线，配备专项资金，充实设备，积极设置医疗队、诊疗所，以期树立战后国民健康保险事业之基础⑤。

四

八年的浴血奋战，中国终于赢得了胜利。由于日本是无条件投降，并非"被驱退"，故日本投降以后，中国红十字会的工作理当有新的准备。救护总队副总队长汤蠡舟指出，红十字会"当以善后救护为中心。凡返乡之人及复员之兵，其途中疾苦，皆为红十字会战后救护之对象。更当本万国红十字会之立场，对于战俘卫生，及盟军所至各地之救护，皆需协助办理"；此后，红十字会"应以社会安全为中心。故需配合建国工程，尽量发展各地红十字分会，并建立分会各项事业之基础，使社会安全之大敌'疾病'，赖红十字会之努力，得以预防与治疗，别公医以外，而有'健康保险'之享受也"⑥。这是一个充满着乐观主义的构想。

与此同时，8 月 10 日，救护总队部制定了《中华民国红十字会总会

① 《中华民国红十字会总会救护总队部战区医院组织规程》，《救护通讯》第 16 期（1944年 6 月），第 6 页。

② 《防疫概况》，《救护通讯》第 17 期（1944 年 6 月），第 5 页。

③ 《救护设施》，《救护通讯》第 35 期（1945 年 3 月），第 4 页。

④ 《救护设施》，《救护通讯》第 6 期（1944 年 1 月），第 5 页。

⑤ 《救护设施》，《救护通讯》第 32 期（1945 年 2 月），第 5 页。

⑥ 汤蠡舟：《日本投降以后的救护动向》，《救护通讯》第 44 期（1945 年 8 月），第 1 页。

救护总队部善后救护工作实施纲要》（以下简称《纲要》）①。由于中国幅员辽阔，因受战争影响，各地区情况差别较大，随着时间的推移，战后中国红十字会复员工作的展开与此《纲要》的规定不可能没有出入，但比照此时的《纲要》与1943年的计划，除"材料""运输"等工作比较具体外，有两点值得注意：

第一，该《纲要》"总则"中第一条明确规定："'救死扶伤'，'博爱恤兵'，为红十字会战时工作最高之准绳。至于善后救护工作，仍当本此准绳，力谋'安全第一'，'保健优先'以保民族因受灾病之安全。"虽然此前一再呼吁"健康第一"，但"救死扶伤""博爱恤兵"仍为最高准绳。显然考虑到尽管日本投降了，但对日占区的接收可能是一个充满战争风险的过程，且中国共产党的军队在战时得到了极大的发展，已控制了西北、华北广大地区，战后国共之间是否会兵戎相见？另外，各地还有伪军、军阀、土匪等，可能还会兴风作浪。所以，尽管在前期的讨论中健康问题对今后建国与强国来说极为重要，但是在严峻的现实面前，红十字会还必须面对现实，切实准备与应付，尽量免除兵灾可能给人民带来的痛苦。

该《纲要》"总则"中第二条则做了间接的注释："红十字会战时救护工作之设施，以'平时有备，战时有为'为目的，期于战时工作期间，树立平时工作之基础。至于善后救护工作，自当善用战时工作之成果，保持固有救护之力量，以适应还乡兵民及一切非常灾变之用。"该条乃沿袭第一条的思路，红十字会对还乡兵民遭遇灾变的救护是其基本职责，也是复员准备工作的目标，可以"善用战时工作之成果"，但大战之后仍"保持固有救护之力量"，以适应一切非常灾变，显然对未来的局势充满了极大的忧患。

第二，该《纲要》第四条明确指出了战后红十字会在整个善后工作中的地位："协助善后救济机构及军医机关，办理还乡兵民医疗防疫等技术工作，以求达到善后工作完善之发展。"第十条："配合军医机关之需要，协助新建立军区卫生机关技术工作，以利战后建军卫生工作之推进。"与1943年所定计划相比，此处的"协助"明确了红十字会"助手"的角色定位，也说明复员时期红十字会救护工作重心的转移，即第八条所谓"救护工作之中心，除应积极推行消极的诊疗工作外，应开展积极的防疫保健工作"。当然，要在善后工作中发挥作用，奠定红十字

---

① 《中华民国红十字会总会救护总队部善后救护工作实施纲要》，《救护通讯》第44期（1945年8月），第5页。

恒久基业，也必须培养人才，转变观念。该《纲要》第十一条就提出："积极训练救护人才，予以适当分配，改正慈善观念，养成专业精神，俾能终身尽瘁于红十字会之专业，负起社会安全工作中之光荣任务。"这是中国红十字事业持续发展的重要条件。

<h1 style="text-align:center">五</h1>

围绕复员工作，中国红十字会做了不少准备。战时中国红十字会提出"蓄三年之艾，治七年之疾"。但鉴于当时的客观环境和政治社会环境，"蓄艾"并不十分理想。

复员后红十字会各项工作顺利开展，端赖战时红十字会的经济基础与组织体系的不断健全。为打定红十字会的经济基础，必须广募会员，扩充基金。自1941年以来，中国红十字会便开展红十字周活动，广征会员，在复员后光辉的愿景指引下，1943年、1944年的征募运动更为盛况空前。但由于当时国困民穷，尽管征募活动轰轰烈烈，但征求结果并不乐观，筹备的基金与理想之间存在巨大差距。为健全组织体系，需要"恢复原有各地分会及推动各地新的分会成立"，立定基础，"办理当地的卫生作业"①。但是，随着1943年、1944年日军的进攻，国土又有新的沦丧，拓展分会的愿望还未接触到沦陷区的实际。因此，蒋梦麟会长勉励大家，"如今，我们的物质力量虽不可及，我们必须立定志愿，不怕艰苦，不怕困难，放大眼光，展开视野，而以满腔的服务的热忱，朝着新中国和世界的远景看去"②。

红十字会本来是一个中立性的民间机构，在抗战初期，集聚了大量的来自各方面的救护人才，为战时救护做出了重要贡献。但自1941年后，国民党逐渐在红十字会推行党化政策，1944年更要求所有人员必须是国民党员③，从而使红十字会逐步失去了"中立"的地位，不能充分发挥民间机构广为集聚人才的优势；加之当时红十字会待遇极低，广大从业人员生活极端困难，却又得不到国民政府适当的补助与待遇，致使大量的优秀人才或流失，或望而却步。如救护总队部最高峰时有3000

---

① 胡兰生：《中国红十字会战后工作意见》，《会务通讯》第24期（1944年1月），第3—4页。

② 刘猛、江晦鸣：《会长训词——认清大势 加紧努力》，《救护通讯》第15期（1944年5月），第3页。

③ 《消息拾零》，《救护通讯》第6期（1944年1月），第6页。

多人，在推行党化政策后，以淘汰冗员的名义，致使大量的优秀人才流失，最后只剩下千余人，对救护工作造成不利影响，更不利于"复员"后中国红十字事业的长远发展。

至于美国等国家在中国红十字会准备复员过程中的地位与作用，因资料的缺乏，无法进行全面深入的分析。由于红十字会是一个国际性的组织，加上当时国民政府与美国的特殊关系，中国红十字会复员准备工作从一开始就是在美国红十字会的帮助下着手准备的，其后，美国更是积极参与，加强联系与指导①。联合国善后救济总署与中国红十字会的关系也很密切，联总官员、专家多次到救护总队部同中国红十字会高层领导协商救济事宜②。因联总主要发起人为美英两国，主要领导也是这两国人，可以说联总与中国红十字会的关系主要也是美国与中国红十字会的关系③。换句话说，美国红十字会在中国红十字会复员准备过程中是发挥了独特作用的。

总之，在美国红十字会的帮助下，中国红十字会拟具复员救济工作计划，在会内进行宣传发动，同时在组织机构、人员训练等方面也积极做好各项准备工作。尽管复员准备很不充分，但还是为抗战胜利后复员时期慈善救助工作的全面展开创造了条件，奠定了基础。

（原载《民国档案》2009 年第 1 期。与吴佩华合作）

---

① "美国红十字会驻华代表杜乐文氏，连日莅部访观，并于贵阳筹设办事处，经常与本部保持联络。"《救护通讯》第 17 期（1944 年 6 月），第 6 页。"美国红十字会近在贵阳设置军人俱乐部，并与本部保持工作上之联系。"《救护通讯》第 38 期（1945 年 5 月），第 3 页。

② "联合国救济善后总署专家史雷及陶森两氏，联袂莅渝，与本部胡兼总队长兰生交换战后复员意见，并由本会提供中国红十字会战后复员计划，以供参考。"《救护通讯》第 14 期（1944 年 5 月），第 5 页；"善后救济总署黔南办事处副主任甘霖格氏、卫生署专员……先后莅部，会商由黔南至桂北一带，收复区民众医药救济事宜。"《救护通讯》第 43 期（1945 年 7 月），第 4 页。

③ 相关著作目前所见有：王德春：《联合国善后救济总署与中国（1945—1947）》，人民出版社 2004 年版。

全面抗战时期国际红十字组织
对华人道援助述论

　　近十余年来，关于红十字运动的研究取得了丰硕成果，但学界关注最多的是中国红十字会的历史，相关研究综述已有多篇，在此不再赘述。在对中国红十字会进行系统考察的过程中，学界对抗战时期国际红十字组织的人道援华活动已有所论及①，但是，限于研究主题，并未对其人道援华活动做集中深入的探究。就笔者检索所及，迄今为止，关于抗战时期国际红十字组织对华人道援助的专题文论仅有三篇，其中有两篇从整体上对国际红十字组织人道援华的背景、内容、特点、成效、影响做了较为系统的研究②，另有一篇则对美国红十字会人道援华的个案进行了梳理③。红十字组织是抗战时期一支独特的国际援华力量，其援华举措和世界形势的发展密切相关，其人道援华之举虽系民间组织的国际交往，却不难从中窥见多重势力在战时中国的交织和碰撞，对于这段历史有进一步挖掘论述的必要。本文拟结合相关资料，对其人道援华的史实进行重新梳理，以期探究其人道援华的特点和规律，以就教于方家。

---

　　① 详见孙柏秋主编、池子华等著：《百年红十字》，安徽人民出版社 2003 年版，第 183—192 页；池子华：《红十字与近代中国》，安徽人民出版社 2004 年版，第 406—425 页；张玉法主编、周秋光等著：《中华民国红十字会百年会史（1904—2003）》，（台北）致琦企业有限公司 2004 年版，第 333—341 页；张建俅：《中国红十字会初期发展之研究》，中华书局 2007 年版，第 248—254 页。

　　② 董晓航、高翔宇：《全面抗战时期国际红十字会对华援助述论——以〈申报〉为中心的考察》，《黑龙江史志》2011 年第 13 期；阎智海：《全面抗战时期国际红十字组织对华援助研究》，苏州大学 2011 年硕士学位论文。另载池子华等著：《红十字：近代战争灾难中的人道主义》第五章，合肥工业大学出版社 2013 年版。

　　③ 阎智海：《全面抗战时期美国红十字会对华援助简论》，载郝如一、池子华主编：《〈红十字运动研究〉2011 年卷》，安徽人民出版社 2011 年版。

一、抗战初期国际红十字组织的对华人道援助

卢沟桥事变以来，中国红十字会全力以赴推动抗战救护工作，但是抗战初期中国的战时救护工作面临着前所未有的困难。就国内环境而言，日本肆意扩大侵华战争，在战争期间并未遵循国际人道法，而国民政府对战争救护工作准备不足，中国军医制度落后，医务专门人才短缺，医药材料匮乏，仅仅依靠中国红十字会自身的力量，势必难以周全应对；就国际环境而言，欧美诸国对战初的中国消极观望，一定程度上助长了日本侵华的气焰，同时也制约着国际红十字组织人道援华的步伐。随着战事的持续扩大，在中国争取外援的努力和国际援华声浪的推动下，国际红十字组织克服重重困难，陆续加入人道援华的队伍中来，从而为抗战时期中国的战地救护工作做出了积极贡献。

从现有史料来看，美国红十字会是全面抗战以来最先对华进行人道援助的国家红会。早在 1937 年 8 月 3 日，美红会即宣称已委托国防部转交美驻华大使詹森 1 万美金，用于救济华北战区难民[①]。八一三事变爆发后，战火迅速延及上海及周边地区，中国的局势更加危殆，在华外侨亦处于危险之中。为援助中国并帮助撤离在华美侨及他国侨民，美红会多次捐款援助中国。9 月底，美红会捐助 10 万美金救济在华外侨；10 月初，美红会又捐赠中国红十字会上海国际委员会 1.5 万元（法币）作为其运作经费；同月 20 日，美红会续拨 8000 美金救济上海难民；11 月 6 日，美红会又捐赠 4 万美金救济中国伤兵难民[②]。此外，美红会尚于 11 月初在广东率先成立分支机构，并筹设财政、医务、救济、防疫四个委员会，以便开展援华工作[③]。

美红会之外，英国红十字会亦较早对华进行人道援助。1937 年 10 月初，在英国坎特伯雷大主教、威斯敏斯特大主教及伦敦市长的吁请下，中国协会、英国传道会联合会、英红会等团体共同发起募捐运动，"以作救济中国伤兵军民之用"[④]。10 月 21 日，伦敦市长发表广播演说，呼吁全国捐款以救济中国战区难民。为推动募捐工作的顺利进行，英红会、中国协会以及英国传道会联合会共同筹组委员会，以接受捐款，委

---

① 《美红会捐款万元救济华北难民》，《申报》1937 年 8 月 5 日，第 6 版。
② 《美红会续汇捐款》，《大公报》1937 年 11 月 7 日，第 3 版。
③ 《粤美红会成立，分设四组开始工作》，《大公报》1937 年 11 月 6 日，第 3 版。
④ 《英教会红会募捐运动》，《申报》1937 年 10 月 2 日，第 5 版。

员会主席为前任陆军部次官诺穆尔勋爵，所捐款物则由委员会汇交中国，由英国驻华大使许阁森及香港总督诺斯考特主持分配。11月11日，英红会特举行会议协商捐款进行事宜，据会议主席史丹莱爵士称，伦敦市长救济中国伤兵难民基金已募集7万镑，所募款项已汇交中国者1.5万镑，用以购备药物器具者2万镑，用以购置绒毯衣物者2000镑，第一批援华医药物资重20吨，已于11月7日运送赴华，第二批物资则于是日运华①。11月30日，杜里美琪、史密士、汉基博士三人从英国希斯顿飞往中国。抵达香港后，杜里美琪希望和有关方面商妥红十字医药用品空运至华办法，汉基博士和史密士则拟为中国红会效力。

德国红十字会也于1937年加入人道援华的队伍。10月底，当中国政府向欧洲各国发表救济伤兵难民呼吁后，德红会迅即募集大量医药器材、痘苗、绷带等救济用品，并表示将"在最短期内运往中国，捐赠中国红十字会，以助救济之需"②。据《申报》记载，德红会所募救济中国受伤军民之大宗药品可供10万人之用。

12月下旬，苏联红十字与红新月会也捐赠中国10万美金，以便中国购买医药用品，救济"因战事而蒙伤害者"③，为此，苏联驻华代办梅拉美德氏专程拜访国民政府外交部长王宠惠，代表苏红会接洽捐款事宜。

为办理中国战区伤兵难民救护事宜，比利时红十字会曾筹集款项在上海组织委员会，而比利时政府则捐款20万法郎协助该会，"成绩颇为可观"④。

自1938年以来，国际红十字组织的援华队伍在不断壮大，其援华力度也随之加大。以美红会为例，随着美国国内援华声浪的不断高涨，美红会援华之举得到了政府的支持和首肯。1月24日，美国总统罗斯福致函美红会，呼吁其在国内募捐百万美金，用以救济中国受难民众。美红会会长戴维斯也吁请美国人民踊跃捐款援助中国，"须知美人捐洋一元，即足以维持中国难民一人一月之生活"⑤。为顺利推进人道援华事

---

① 《伦敦救济我难民最近捐款》，《申报·临时夕刊》1937年11月12日，第1版；《伦敦市民捐救济金》，《申报》1937年11月13日，第3版；另见《英伦各界捐款救我难民伤兵》，《大公报》1937年11月13日，第3版。

② 《德国红会助我医药》，《申报·临时夕刊》1937年10月31日，第1版。

③ 《苏联红十字会与红半月会救助我战区难民》，《大公报》1937年12月24日，第3版。

④ 《比国红会在沪救护受伤兵民》，《大公报》1937年12月30日，第3版。

⑤ 《美红会会长呼吁募捐救济我伤兵难民》，（汉口）《申报》1938年5月21日，第2版。

宜，在美国国内，美红会3700个分会组织积极开展劝募工作，募捐运动进行甚为顺利；在中国战区，美红会组织成立了中国难民基金委员会，并聘请美国驻华大使詹森为委员会主席，美国驻上海总领事高思为名誉副主席，另聘请美国驻华大使馆商务参赞安诺德等为委员，具体负责捐款的接洽和后续处理。美国援华的举措也激起了国际援华的浪潮，1月27日，菲律宾马尼拉贸易公司捐助中国2000比索，以示对中国受灾民众之同情。菲律宾红会干事长华尔夫则声称，罗斯福总统订定之募捐总额系1000万元，而非如电传之100万元。在美国政府的首肯和支持下，美红会援华募捐工作卓有成效，在募捐开展的三星期内即收到捐款50万美金，截至6月15日，美红会共收到各界救济中国难民捐款75万美金。在募集捐款的同时，美红会时有捐款助华，4月18日，美红会汇交上海国际红十字会顾问委员会10万美金，指定用于购买药品。

从相关史料来看，国际红十字组织在抗战初期对华物资援助并不多，就医药援华方面而言，德红会较其他国家红会的援华表现更为突出。1938年2月中旬，在筹备援华物资完妥后，德红会派德国驻华大使陶德曼之子运送来华，偕行者包括医师浦革斯、苗尔亚、巴度等，中国驻德大使馆特于2月8日开会欢送。3月10日，德红会援华物资运抵香港，中国红会特派秘书长庞京周以及驻港专员伍长耀前往欢迎。为表示谢意，3月11日晚，中国红会在香港大酒店设宴欢迎陶氏一行。德红会此次捐赠中国医药用品21箱，400包，共重200吨，另有一半物资因舱位关系，将由下班轮船载运来华。3月17日，陶氏一行抵达广州，并在德领署派员随同下拜访了广州市市长。3月19日，陶氏一行乘欧亚机抵达汉口，赴机场欢迎者有陶德曼大使夫妇、卫生署署长颜福庆代表马家骥医师、中国红十字会总会秘书冯子明等，陶氏一行决定日内即谒见国民党当局并商洽举行捐赠药品典礼事宜。据3月20日《大公报》记载，德红会此次捐赠药品价值2万金镑，需40列车装载。5月初，德红会所赠400余箱医药用品转给前方，而另一部分不日亦将运抵汉口。5月中旬，华北红十字会接到德红会所捐助之药品33箱，约值8000元[①]。德红会所派代表团除负责接洽医药物资运华外，在中国尚服务4月之久，7月下旬，该团乘德邮船"朴资丹号"启程返国。德红会代表团在华时间虽然短暂，但所至各地均受到政府及民众的热烈欢迎。

1938年夏，中国各地先后发现霍乱，医药随之成为战时救护最紧缺

① 《简讯》，（汉口）《申报》1938年5月18日，第2版。

历史纵横

的物资。国民政府一方面安排卫生署推行预防注射，一方面请求国联转请各国捐助疫苗。美国政府在接到国联卫生组的来电后，决定援助中国防疫工作，筹划捐助霍乱预防血清 100 万毫升，由美红会先行订购三分之一，购齐后由美国驻香港领事馆转交中国。

7 月下旬，菲律宾红会亦响应援华呼吁给予中国医药援助，为协助中国救治霍乱，该会特廉价售与中国霍乱预防针 100 万剂。据该会称，这批药剂将于 8 月 1 日运抵香港，价格每剂较美国货便宜两分半。8 月 2 日，菲律宾红会所捐赠之马尼拉所制霍乱预防药苗 50 万剂运抵香港。8 月 3 日，"亚洲皇后"船又运到 50 万剂，并于 8 月 5 日由港汉车运赴长沙。在国际红十字组织与国联的合作下，600 万剂防疫药苗全部运抵中国，而第一次运送疫苗者为土耳其，菲律宾红会所运 100 万剂则属于最后一批。

国际红十字组织除对华进行实质性的援助外，还多次借助国际红十字大会的舞台，公开表示对中国的同情和道义声援。1938 年 6 月 20 日，第 16 届国际红十字大会在英国伦敦举行，时任中央委员会主席的戴维斯对日军的残暴行为予以谴责。会议决议慰问中国，并以人道主义名义向世界各国呼吁，"要求分别制止飞机轰炸，或加以相当之限制"①。就现实角度而言，道义援助并不能有效制止日军的野蛮行径，但是，国际舆论向中国一边倒的情况则是日本不愿看到的，由此，道义声援无形中也便具有一定的约束力。

二、抗战相持阶段以来
至太平洋战争爆发前夕的对华人道援助

1938 年 10 月，广州、武汉相继失陷，中日之间陷入长期的对峙状态。这一时期，尽管因二战的爆发阻断了部分国家红会的援华之路，但从整体上看，国际红十字组织的援华力度却在不断加大，除继续募集款物援助中国外，各国红十字会尚在中国设立办事机构推进援华工作，美、英等国家红会均设立了驻华办事处，协调处理援华事宜，同时还协助组织医务人员来华从事战地救护工作，极大地推动了国际红十字组织人道援华的进程。这一时期，医药和粮食成为国际红十字组织援华的最主要物资，而美红会的援华表现尤为突出。

---

① 《国际红会慰问我人民，并吁请制止滥炸》，（汉口）《申报》1938 年 6 月 25 日，第 1 版。

1938年底，美红会决定依照救济西班牙难民先例救济中国难民。据当年10月11日电文，美红会捐赠中国救济难民之麦粉6500担，药品、罐头食品7000包，该项物资将于年底运抵上海，第一批援华物资于12月中旬即可运到，美红会表示还将"续为中国难民捐助各种必需品"①。但是，从美红会声明捐赠中国到麦粉真正运抵中国历时整整三月。1939年1月9日，第一批美麦运抵上海，计重1600吨，此外，还有罐头、肉类、乳制品、婴儿食品、药材及医学器械等，皆系美国慈善团体与学生捐款所购，用以救济中国难民。3月中旬，美红会又捐赠中国金鸡纳霜200万片。同时，美红会分别于4月7日和14日将所捐药物分批运华，包括药物、裹伤绷带1.2万包和避瘟药物及牛痘苗10万剂。同年4月，美红会续捐小麦1.2万袋启程来港，用作救济难民之用。

　　1940年5月，罗斯福总统夫人代表美红会发表演说，呼吁美国民众捐助战争救济金，希望美国民众能够慷慨解囊，爱邻如己。同时，美红会决定由缅甸转运价值500万美金的医药用品援助中国。10月5日，美红会职员贝克博士偕同美国赈济处主计员费笏赴港接洽医药捐赠事宜。10月22日，贝克一行抵达陪都重庆，与国民党当局及社会各界协商医药运输及分配办法。11月2日，为接应美红会所捐医药用品，在中国红会秘书长潘小萼及国民政府代表屈映光等陪同下，贝克一行乘中航机飞赴仰光。其时，美红会早已委托美轮"柯林斯威士"号，自西雅图运载米麦共500吨赴华，美轮"华盛顿"号亦于10月19日驶远东，"快运"号则于10月25日离美，"该二轮均系运载药品衣物至仰光，再由仰光经滇缅路运华西"②。首批运华医药用品共重200余吨，约值30万美金，于12月17日运抵仰光，并将由滇缅路运来华西。而华东方面，将由美国运粮食至上海，并由上海美军青年会裘簠干事主持分发。为顺利接应美红会援华物资，中国红会总会特指定由潘小萼协调负责，而中国红会代表陈朝俊则于10月9日拜访了缅甸红会主席，与该会商谈美红会物资的转运问题，并得到缅甸红会的应允帮助③。此外，印度红会亦致函缅甸红会主席，询问捐赠寒衣运华办法，经双方商谈，结果颇为圆满。1941年3月，美红会捐赠之医药用品陆续运抵昆明。

　　① 《简讯——中央社上海十一日路透电》，《大公报》1938年10月12日，第3版；另见《美红会捐赠医药品救济我国难民》，《中央日报》1938年10月12日，第2版。

　　② 《美国红十字会捐赠五百万美金药物援华》，《会务通讯》第1期，1941年1月1日，第6页。

　　③ 《缅甸风光》，《会务通讯》第1期，1941年1月1日，第17页。

美红会除援助中国医药、粮食等物资外，还以其他物资捐赠中国。1940 年 12 月，美红会捐赠中国圣诞节玩具 3000 匣，中国红会将 500 匣留香港，1000 匣寄重庆，另贵阳、上海、昆明三地则分别寄 500 匣。同年，美红会还捐赠中国红会昆明办事处救护车两辆。与此同时，美红会还陆续捐款援助中国。据相关史料记载，从 1937 年 10 月至 1940 年 3 月，美红会直接汇寄上海之救济款项达 80 万美金①。1940 年秋，美红会又捐款 1 万美金救济重庆难民，款项则由美国驻华大使馆参事裴克、《纽约时报》特派记者宾奏安、基督教公谊会傅明德三人组织委员会，协同重庆当局办理救济事宜②。

这一时期，国际红十字组织加大了人力援华的力度。在对华人力援助的过程中，不仅有美国、英国等国家红会的大力参与，挪威、瑞士等国的红十字组织亦尽心尽力。据史料记载，1939 年 4 月中旬，瑞士红十字会表示愿援助中国，并派遣医师伯尔乐等人来华服务，拟先赴贵阳与当地红会商洽一切，而随行携带的一批药物，均系瑞士方面热心人士所捐集者③。国际红十字组织援华运动的发展推动了各国红会驻华办事机构的设立，美、英、法等国红会组织均设立了驻华办事机构，以协调其援华事宜。如 1940 年以前，美红会对华援助主要通过美国驻华大使馆及上海市美国顾问委员会来协调处理，随着援华力度的逐渐加大，美红会决定在中国设立正式的办事机构，以便与之保持密切的联络。1940 年 4 月，美国顾问委员会一度停止活动；9 月，美国顾问委员会改称美国红十字会上海分会。美红会先后在中国设立两处分会，一处在华东服务，其总办事处设于上海；一处在华西服务，其总办事处设于重庆；美红会还在缅甸腊戍设立一运输处，管理援华医药物资由缅运华事宜。此外，美红会尚于 1941 年设立昆明办事处，该办事处于 1942 年 1 月迁往重庆。1941 年 6 月，美红会又组织救护队，派遣美籍医师杨固伯尔等人率队启程来华工作。美红会还多次派代表来华考察。7 月初，美红会代表史美夫抵港并赴上海考察；10 月下旬，美红会又派代表格尔氏来华调查中国医药救济的现状，并以此作为美红会捐赠物品之根据。至于英红会驻华办事机构设立情况，虽然相关文献记载不详，但这一机构的设立却是事实。

---

① 《美红会米麦两万包运沪救济平民》，《申报》1940 年 11 月 25 日，第 7 版。
② 《美国人士捐款救济渝被炸难民》，《申报》1940 年 8 月 27 日，第 4 版。
③ 《瑞士同情我抗战派两医生携药物来华》，（香港）《申报》1939 年 4 月 19 日，第 5 版。

另外，国际援华医疗队赴华救护也和国际红十字组织的推动有关。如 1939 年加入中国红十字会救护总队部的"西班牙大夫"①，他们能顺利赴华工作和国际红十字组织的呼吁与协作是分不开的。英红会为促成"西班牙大夫"来华做了一定工作，据 1939 年英红会的报告指出，英红会"经与医药援华会联系，十七名欧洲避难医生已派往中国，并将参加中国红十字会工作"②。而据史沫特莱记载，"西班牙大夫"来华援助的过程中，挪威红十字会设法从法国集中营将其营救出来，并且支付其来华的旅费，负责其在华志愿工作期间的生活费③。

国际红十字组织的人力援华，从 1938 年以来持续不断，1942 年达到高潮，来华服务的医护人员至少在百人开外，包括以白求恩为代表的加美援华医疗队、受印度国大党派遣援助中国的印度医疗队和"西班牙大夫"。其中，"西班牙大夫"在华参加救护工作时间最长，其成员也最多。在红十字的旗帜下，外籍医疗队员与中国红会救护队员甘苦与共，有的甚至为人道救护事业献出了宝贵的生命，他们也为世界反法西斯战争的胜利建立了不朽的功勋。

国际红十字组织除接济中国难民外，对外国在华侨民亦曾施以援手。二战爆发前夕，因希特勒在欧洲大肆推行种族灭绝政策，残酷迫害犹太民族，时为自由港的上海成为犹太难民避祸的天堂。1939 年初，在沪犹太难民人数已达 3000 人，其"食宿困难，悲惨万状"④。数以千计的犹太难民涌向上海，给原本已不胜负荷的上海难民救济问题添加了新的负担。为此，中国红十字会上海国际委员会致电美红会，呼吁美国教会援华救济委员会给予帮助，美国教会援华会与当地犹太委员会则建议美红会提请纽约美犹联合救济委员会关注此事，并设法筹资以满足上海之需要。5 月 1 日，贝克致电美驻华红会秘书居特，并就动用美国小麦

① "西班牙大夫"其实并非西班牙人，因其来华之前曾参加过 1936—1939 年西班牙内战共和派国际医务纵队，因而被称为"西班牙大夫"。参见池子华：《国际援华医疗队抗战救护纪实》，《钟山风雨》2005 年第 2 期，第 17 页。

② ［法］席雄（G. E. Sichon）：《回忆与见证——记 1936 年在西班牙和 1939—1945 年在中国两场战争中的医生》，张至善编译：《西班牙反法西斯战争时期的国际纵队与中国》，北京大学出版社 2007 年版，第 173 页。

③ ［美］艾格尼丝·史沫特莱著，江枫译：《中国的战歌》，作家出版社 1986 年版，第 514 页。

④ 《犹太难民又有二百赴沪》，《中央日报》1939 年 1 月 15 日，第 3 版。

救济犹太难民问题进行了探讨①。

三、太平洋战争爆发以来的对华人道援助

1941 年 12 月，太平洋战争爆发，美国也陷入了战争的泥淖，但是美红会对华援助并未因之停止或减少。这一时期，美红会除致力于本国救济事务及大力援助欧洲外，中国也是其人道援助的重点区域。12 月 9 日，美红会发起了募捐 5000 万元赈济美国兵灾的号召，借以救济因日机空袭而受灾的平民。1942 年 3 月，为救济四川各县市被炸城区小学生，美红会特捐赠蓝布 40 吨作为衣料。同年，美红会续捐重庆市社会局布匹 10 吨，重庆市府专门组织了赠布分配委员会进行分发。1942 年以来，中国红会因海外侨胞捐款锐减而经费支绌不堪，美红会驻华代表伊文思、李德为此电商美红会捐款协助中国红会，以便维持中国的伤兵救护和平民救助等工作。为此，美红会除捐助中国红会 10 万美金作为其运作经费外，另赠予中国妇女指导委员会及战时儿童保育会 5 万美金，均由中国红会收转，美红会甚至表示"将来对中国红会经费尚有源源接济之希望"②。为协助中国发展童子军事业起见，美红会尚捐赠童子军总会 1000 美金，指定该款项作为办理中国女童子军事业之用③。1943 年 3 月 23 日，美红会又捐赠中国红会 5 万美金，用以救济伤兵和难民。抗战胜利前夕，为救济广东、贵州、湖南等地灾民，美红会还慷慨捐助中国红十字会救护总队部 2000 多万元（法币）。尽管战争屡屡阻碍着国际红十字组织医药物资运华的进度，但是，其人道援助中国的步伐却一直在继续。仅 1943 年 11 月至 1944 年 5 月半年间，美红会援华医药用品已有 235 吨以上由空中运到中国。1943 年以来，美红会赴华工作人员骤增，至抗战胜利前夕，美红会在华工作人员已达 70 余人。另外，美红会还先后在中国设立战地服务所 7 处，从而成为中国战地救护体系的重要外援力量。

至于英红会捐助中国情形，从 1939 年起至 1941 年间，史料记载相对较少。从 1942 年起，英红会多次捐款援助中国，而且捐助的对象主

---

① 中国第二历史档案馆，文俊雄译：《中外慈善团体援助欧洲来沪犹太难民史料（二）》，《民国档案》2000 年第 1 期，第 41 页。

② 《本会外捐之先声》，《会务通讯》第 7 期，1942 年 4 月 1 日，第 13 页。

③ 《教育消息：美国红十字会赠款办理我国女童子军事业》，《教育通讯》第 5 卷第 19 期，1942 年 7 月，第 6 页。

要为中国红十字会。如 1942 年 4 月，英红会捐赠中国红十字会医疗队 6000 镑，同时，英国救济中国难民募捐委员会捐赠中国红十字会 2500 镑①。1943 年 6 月 1 日，英红会决定拿出 25 万镑，"以备在中国从事红十字会工作"②，同时，克利浦斯夫人所主持之联合援华委员会又以 2.5 万镑充实是项经费。而在 1942 年间，为响应救治中国伤兵的号召，英红会特派遣医务人员来华协助，当年 10 月，英籍医师一行计 22 人行抵长沙，队员包括医生 8 人、看护 12 人、X 光技术员 1 人、会计 1 人。该队除准备在长沙设立后方医院一所外，还计划在湘潭设立医院，以便在前线附近工作③。经过短暂筹备，至迟 12 月初，英红会救护队在长沙所筹设之医院已开始正式应诊伤兵及难民④。英红会援华之举值得赞赏，但是，其在华工作的开展并未得到国民党当局的积极支持，国民党当局对外部来华力量的紧密控制遭到了英红会在华救护队的反感，从而减缓了其援华的进程，这未免不是一种缺憾。

这一时期，英红会对华援助颇为有力。据 1944 年 2 月 21 日电文称，英国红十字会战时委员会和耶路撒冷圣约翰教团，应中国红会的请求和英红会的建议，捐赠中国红会 3958762 元，供云南前线救护之用。4 月初，英红会续捐中国红十字会昆明办事处 188 万元（法币），作为其运作经费。同年，英红会又捐助中国红会 2.5 万镑用于帮助办理西南灭虱站和运输所需，其时，英红会自身收支尚且不敷，其经常开支已达每月 700 万元上下，在这种情况下，英红会依然对中国慷慨捐输，其援华情谊是值得中国人民铭记的。此外，英红会还和伤兵之友社合作组织伤兵服务队 4 队，并每月资助其经费 30 万元，而该社及救世军则负担工作。

红十字国际委员会则更为关注国际性战争状态下战俘和平民的处境，二战期间，委员会积极访问战俘营并在日内瓦设立中央情报所，"在战俘和他们的家人之间传递信息"⑤，并试图为被占领区的拘留者和平民提供保护与帮助。抗战开始后，红十字国际委员会曾派代表来华调查，自 20 世纪 40 年代以来，为战俘及难民传递信息成为其在华人道救

---

① 《英助我红会共达五万镑》，《新华日报》1942 年 6 月 20 日，第 3 版。

② 《英国红十字会拨款廿五万镑在我国从事救济工作》，《新华日报》1943 年 6 月 8 日，第 2 版。

③ 《英籍医师来华服务，一行廿二人已抵长沙》，《新华日报》1942 年 10 月 15 日，第 2 版。

④ 《长沙英红会医院开始应诊》，《新华日报》1942 年 12 月 4 日，第 2 版。

⑤ ［瑞士］汉斯·侯格：《时间证实了杜南的设想》，［瑞士］亨利·杜南著、杨小宏译：《索尔弗利诺回忆录》，山东友谊出版社 1998 年版，第 68 页。

助工作的重点，据其驻沪代表依格尔称，"该会之日内瓦总会担任以远东平民所发之函件，转寄予欧洲、美洲、非洲与澳洲之平民"，此外，尚担任"查询香港、菲律宾、昭南岛、荷印，及日军其他占领区内之平民情况"①。在为战俘及在华侨民传递信息的过程中，中国红会积极配合，《申报》也多次刊载招领信件的启事，红十字国际委员会的代表则充当起该会及日、美等国红会之间的联络员，从而更好地推动了这项工作的顺利进行。

需指出的是，抗战期间红十字国际委员会曾多次派代表来华视察，并敦促日本军事当局善待战俘，然而实际效果并不理想。1943 年 11 月，该委员会代表培斯泰洛齐曾视察位于奉天的俘房收容所，据其报告称："俘房均受有适正之待遇，居住于很好之建筑物内，即一切家具床褥等亦均具备，衣类则冬夏两套，至于食物亦称良好，卫生设施极为完善，如医院、齿科治疗所、传染病防预注射等均皆具备。"② 结合抗战的具体史实来看，这一报告和日军侵华期间野蛮屠杀的真相明显不符，红十字的宗旨和原则使得红十字国际委员会有机会近距离接触战俘，然而，受多重因素影响和工作原则所限，其人道工作并未能给兵灾的受难者带来实质性的改善。

四、国际红十字组织对华人道援助的特点及成效

国际红十字组织对华援助有着复杂的国际国内背景，红十字的宗旨和原则决定了其援华的内容和特点。全面抗战期间，国际红十字组织人道援华的特点鲜明，主要体现在三个方面。

第一、援华的内容丰富、形式多样，援助的对象特定。就援华的主要内容而言，国际红十字组织在道义声援中国的同时，始终以财力、物力、人力等资源援助中国，援华物资种类繁多，不仅有医药和粮食等战时稀缺物资，而且有布匹、罐头、牛奶、儿童玩具等生活用品。就援华的形式而言，国际红十字组织对华援助不拘一格，或者捐款援助中国，或者捐赠物资援助中国，或者派遣医护及工作人员援助中国，或者居中协调，为援华事宜而奔波。如缅甸红会在抗战初期虽未直接以款物援

① 《国际红会代办平民海外邮件》，《申报》1942 年 4 月 21 日，第 3 版。
② 《红会代表报告日善待俘房》，《申报》1944 年 2 月 6 日，第 1 版。

华，但是"许多支援抗战的物资，是通过缅甸红十字会运回国内的"①，这同样是对中国抗战的一种贡献。就援华的对象而言，国际红十字组织所援助者为特定的群体，或为伤病士兵，或为战俘，或为受灾民众；在对华援助的过程中，尽管有多笔款物是经由中外官方机构来处理的，但是款物的最终流向则是指定的，国际红十字组织对华援助最终惠及的是伤病兵、战俘和平民。

第二、援华的国家红十字会众多，援华时间持续到抗战结束。作为国际性的组织，红十字会致力于推动世界和平，自红十字运动兴起之日，其人道足迹便已跨越国界。抗战初期，尽管各国红会因救济欧洲战事而经费难以为继，但是在国际红十字组织的援华呼吁下，"计响应者有十二国，其中有两国红会，更形努力，募捐结果几两倍于救济西乱之捐款"②。据不完全统计，抗战八年间，积极响应援华呼吁并付诸实际行动的国际红会组织多达20余个，遍及世界各地。从1937年抗战烽烟初起，到1945年中日战争结束，几乎每一年每一月，国际红十字组织都有援华之举，从而为中国的抗战救护事业做出了不可磨灭的贡献。

第三、援华的态度由消极被动转为积极主动，援华的过程艰难而又曲折。国际红十字组织对华人道援助受诸多因素影响，就国际方面而言，红十字组织受本国政府外交政策的制约，人道援华的背后难免掺杂着本国政府的政治意图，红十字外交似乎成为抗战初期国际政治变幻的晴雨表。随着二战的全面爆发，部分国家红会的援华之路也被阻断，国际红十字组织对华援助变得更为曲折艰难。就中国方面而言，人道援华也受中国国内政治气候的影响，尽管国民政府在对国际红十字组织援华一事上积极争取，但是，国民党当局希望其援助的对象是国民党军队，而不愿人道援助使中共的抗日军队受益，由此延缓了红十字人道援华的进程。此外，在对华援助的过程中，国际红十字组织力图避免介入中日纷争，以此来换取日本当局对其合理行动的许可和支持，其人道诉求的最终实现离不开各方面的配合，再加上抗战期间红十字会并无一部战时保护平民的国际公约作为其行动的依据，由此加大了其人道援华的难度，而其在战初对中国的援助也便屡屡遭人诟病。

然而，纵观抗战八年，国际红十字组织对华人道援助的成效也是显而易见的。兹仅以中国红十字会接受捐赠情况为例，以窥国际红十字组

① 余定邦：《中缅关系史》，光明日报出版社2000年版，第303页。

② 林康侯：《中国红十字会代表参加第十六届万国红十字会大会报告书》，中国红十字会总会编：《中国红十字会历史资料选编，1904—1949》，南京大学出版社1993年版，第402页。

历史纵横

织援华成效之一斑。据相关史料记载，从 1937 年 8 月 30 日至 1938 年 3 月 21 日止，中国红十字会共收入国币 448443.98 元；中国红十字会总会内迁重庆后，其经费来源虽有部分政府为之补助，但多数依赖于国际援助，1942 年中国红十字会共收入 2000 万元，1943 年共收约 2500 万元，1944 年共收约 14000 万元，1945 年共收 60000 万元；而国际社会之捐助，"以捐款数目最大，占全部收入百分之五十强，而向（国）外捐款又占百分之九十五以上。就中以英国红十字会与援华会等经常捐助及美国医药助华会捐助为最多"①。

至于物资接受情况，则中国红十字会"卫生材料之来源，仰赖于欧美友邦之捐赠，及国外侨胞之慨助者为多。八年以来，先后接收外援材料，为数颇巨……依太平洋战争为阶段，前半期之材料，百分之七十捐自美国医药助华会；后半期百分之七十捐自美国红十字会。其中百分之六十为药品，百分之三十六为敷料，百分之四为器械"②。据史料记载，截至 1945 年 11 月，仅重庆市卫生局接收外国捐赠的医药器材、药品、布匹共计 24 批，重庆市民医院接收计 16 批，重庆妇科医院接收 2 批。1947 年 5 月 15 日，经重庆市卫生局清点，自 "1940 年以来接收使用的美国红十字会捐赠的各种药品、器材及其它物品共 538 种（件、套）"③。正如潘小萼所指出的，"（中国）红十字会得自海内外各团体与个人协助甚大，苟无此种有力的协助，红十字会之整个救护事业，势将无由进行"④。

国际红十字组织对华援助惠及受难民众及伤病士兵是不争的事实，其人道援助产生了积极而深远的影响。红十字组织的人道救援不仅仅是中国红会战时救护物资重要的国际来源，在某种程度上也是中国红会开展救护工作的强有力后盾，而国际红十字医护人员赴华参与救护，不仅成为中国红会人员开展工作的动力，更成为战时中国向侵略进行抗争的一种精神鼓励。

（原载《史学月刊》2016 年第 1 期。与阎智海合作）

① 胡兰生：《中华民国红十字会历史与工作概述》，《红十字月刊》第 18 期，1947 年 6 月 30 日，第 11 页。

② 秦孝仪主编：《抗战建国史料——社会建设（五）》，《革命文献》第 100 辑，（台北）"中国国民党中央委员会党史委员会" 1984 年版，第 172 页。

③ 四川省地方志编纂委员会编：《四川省志·外事志》，巴蜀书社 2001 年版，第 322 页。

④ 潘小萼：《创刊赘言》，《会务通讯》第 1 期，1941 年 1 月 1 日，第 2—3 页。

学 术 评 论

2015：理论研究的新气象

盘点 2015 年，红十字理论研究可谓硕果累累，不仅总会主编的"红十字运动研究丛书"、红十字运动研究中心主编的"红十字文化丛书"等新作迭出外，而且有大量理论文章涌现，令人欣喜。除此之外，以下几个方面，也是特别值得关注的"新气象"。

其一，研究机构的新设。一是红十字运动研究中心的"扩容"。9 月 25 日，苏州大学红十字运动研究中心贵州分中心在贵州省红十字会挂牌，为红十字运动研究注入了新鲜血液。二是上海红十字运动研究会成立，并于 11 月 27 日举行成立仪式，这是第一家省级红会自身独立创设的理论研究机构，为构建中国特色红十字事业理论体系，推动理论研究和红十字事业健康发展，激发了新的活力。

其二，嘉兴座谈会的成功举办。9 月 1 日，由中国红十字会总会报刊社、中国红十字基金会和红十字运动研究中心联合主办，嘉兴市红十字会（红十字运动研究中心嘉兴研究基地）承办的"'依法治会'与红十字事业发展"座谈会，在浙江省嘉兴市召开。50 余人出席座谈会，收到的 21 篇交流论文，多侧面、多角度探讨了依法治会的思想内涵、方法路径以及"依法治会"与红十字事业发展的实践探索和重要意义。中国红十字会党组副书记、副会长郭长江出席座谈会，并就理论研究的未来走势提出"两个转变"——由偏重历史的研究向历史与现实并重转变、由偏重国内的研究向中外比较的方向转变——的指导性意见。

其三，征文活动收获满满。2015 年是世界反法西斯战争和中国抗日战争胜利 70 周年，又是中国红十字会第十次全国会员代表大会召开之年。作为中国红十字运动喉舌的《中国红十字报》，刊登征文启事，征集专题文章，并开辟"纪念抗战胜利 70 周年"和"学习'十大'精神"专栏，集中刊发。红十字系统、理论界专家学者踊跃投稿。几十篇文章的发表，为理论研究增色不少。

其四，总会领导率先垂范。总会领导集体，不仅强调理论研究的重要性，通过各种方式推动理论研究的开展，而且率先垂范，对关涉红十字事业发展的重大理论问题进行探索。细心的读者都会发现，在《中国红十字报》理论版（第三版），郭长江副会长、王汝鹏副会长、郝林娜副会长等，都有极有分量的文章刊发，高屋建瓴，针对性强。中国红十字基金会秘书长兼副理事长孙硕鹏、副理事长刘选国等，也都有多篇文章发表。这些文章，对红十字事业发展具有重要的指导意义，同时也营造了浓厚而良好的理论研究氛围。

其五，重大项目的启动。作为全国红十字运动重要研究基地，红十字运动研究中心累计出版学术著作50部，受到广泛关注。研究中心在迎来十周年华诞之际，启动了《中国红十字运动通史》重大项目。据悉，《中国红十字运动通史》共计8卷，2017年完成，约300万字，力争多层面、多角度、多方位再现中国红十字会110年的风雨历程和辉煌业绩。这将是红十字运动研究标志性成果。

过去的一年，理论研究取得的成果令人鼓舞，在新的一年里，也有新的愿景与期待。

一是希望有越来越多的研究机构成立。有不少省市已经具备建立研究机构的条件，关键在于如何落实。上海的经验、贵州的做法，虽然各有千秋，但都可以借鉴。

二是希望期待多年的由总会牵头组建全国红十字运动研究会能够"尘埃落定"。这对凝聚研究力量，整合优势资源，引领、推动全国理论研究的开展，至关重要。

三是希望举办一次大型红十字理论研讨会，交流成果，分享经验。自2009年在苏州大学举办"红十字运动与慈善文化"国际学术研讨会以来，这样的大型学术活动，至今没有举办过，不能不说是一件遗憾的事。

四是期待更多更优质的研究成果面世。理论研究的良好氛围正在形成，在业界、学界的积极参与下，对重大问题的研究有望突破，如在红十字历史与文化、红十字事业法制化进程、公信力建设、制度建设与能力建设等等方面的研究，可望取得新的进展。

五是期待集理论研究、人才培养、干部培训为一体的红十字国际学院，能够在苏州大学建成。世界上第一所这样的国际学院落户中国，不仅功在当代利在千秋，而且势必成为红十字理论研究的"新高地"，令人憧憬。

总而言之，在总会的倡导下，在《中国红十字报》的推动下，开创2016年理论研究的新局面，是可以预期的。

（原载《红十字运动研究》电子期刊2016年第1期）

序《微言浅语：红十字会工作笔录》

在全国红十字会系统，张孚传同志堪称为数不多的"笔杆子"之一。近年来，经常可以读到他在《中国红十字报》等报刊上发表的文章，才华横溢，令人敬佩。如今这些文章结集为《微言浅语：红十字会工作笔谈》公开出版，实在是可喜可贺！

文集收录作者在红十字运动研究领域的部分成果，分13个专题，收录39篇文稿。这些文章，既有理论探索，又有实践总结；既有宏观分析，又有微观透视；既有整体把握，又有热点聚焦；既有现实思考，又有未来构想；既纵览全局，又凸显浙江特色。总的来说，这些文章视野开阔，视角独特，新人耳目，耐人寻味。

记得中国红十字会郭长江副会长曾经说过，红十字会"干事的人多，想事的人少"。所谓"想事的人少"，就是指红十字会干部动脑筋进行理论研究的人太少。近年来，在总会的推动下，"想事"的人逐渐多了起来，这是可喜的现象。孚传同志就是"想事"的典型。

我们常说，思想是行动的先导，理论是实践的指南。理论研究的重要性不言而喻。国务院《关于促进红十字事业发展的意见》指出，"深入开展红十字理论研究，大力宣传红十字文化在引领社会道德风尚、提升精神文明程度和推动文化大发展大繁荣中的积极作用"。开展红十字理论研究，已成为社会发展和文化繁荣的现实需要。作为红十字人，除了"干事"，"想事"亦责无旁贷。

其实，理论研究并非高不可攀、高深莫测。广义上的理论研究，涉及的面非常广泛，凡与红十字会业务、会务有关的内容，都是理论研究的范畴，"三救""三献"、红十字青少年、红十字外交、传播国际人道法、红十字会之间的境内境外交流，以及红十字历史与文化等等，都是理论研究的基本内容。每一个方面，都有大量的课题需要我们去耕耘，都有层出不穷的问题需要我们去发现，去探索。就拿"三救""三献"来说，应急救援、应急救护、人道救助、献血液、献造血干细胞、献人体器官（组织），哪一项工作不是千头万绪！如何把工作做得更好，就需要不断总结经验教训，这就是理论研究。不难看出，理论研究并不虚幻，而是实实在在摆在我们面前的现实问题。孚传同志的文集，就是很好的例子。

总之，"干事"固然重要，"想事"也不能偏废。"想事"与"干事"即理论与实践有机结合，双轮驱动，才能不断推进红十字事业健康持续发展。希望越来越多的红十字人参与理论研究，同时祝愿孚传同志再接再厉，不断取得新的研究成果。

是为序。

2016 年 5 月 2 日

《人道之光》序

　　全面、深刻了解盐都红十字工作与红十字事业发展情况，还是在
2014 年。当年 12 月 12 日，继上海嘉定、浙江嘉兴之后，盐都区红十字
会成为红十字运动研究中心的第三个研究基地。也正是从那时起，我们
欣喜地发现，盐都区红十字人在"围绕中心、服务大局"中不断谋求红
十字事业的发展，在具体人道工作开展上颇有思路，很多工作实践能够
上升为成熟的理论，成为其他地区红会工作的参照。这本画册提供的许
多难忘瞬间和生动场景的图片，也比较全面地展示了该区红十字会五届
理事会 5 年间取得的处于全省乃至全国先进行列的骄人业绩：基层组织
建设实现行政区划、行业、系统全覆盖基础上，先于全省创新出标准化
建设新举措，走上"智慧红会"建设的新路径；加强人道宣传骨干队伍
建设，博爱文化传播贯穿红十字工作的始终，不仅向社会传播了红十字
文化的基本理念，也为红十字事业的发展营造了良好的社会氛围；有效
搭建爱心平台，有序推出博爱项目，便于社会力量参与人道事业，博爱
救助金筹资水平一直处于全市的前列，为开展助医、助学、助困、助
老、助残等系列博爱工程提供了强有力的保障；强化应急体系建设，注
重生命保障工程，深入实施应急救护培训项目，充分发挥志愿者作用，
无偿献血、捐献造血干细胞、遗体、器官（组织）捐献工作有新突破；
顺应发展潮流，贴近民生需求，创新工作模式，打造特色品牌，诸如博
爱超市、共享阳光工作站、旧衣物接收站、"月光妈妈"和"暖巢使者"
志愿服务行动、社区农村红十字示范服务、红十字青少年等，已经成为
盐都红十字工作的创新名片，为红十字事业的发展聚集了人气，拓展了
道路，奠定了更接地气更得支持的基础……这些成绩的取得，离不开盐
都区党委、政府的正确领导和有力支持，离不开盐都人民的密切关注和
积极参与，离不开盐都红十字会系统专兼职工作者及会员、志愿者的辛
勤耕耘和无私奉献。这也是整个红十字会系统的力量源泉和更好开展工
作的宝贵经验。

适逢盐都区红十字会第六次会员代表大会的召开，衷心祝愿盐都红十字人在新的起点上，保持事业发展的优势，把握良好的发展机遇，定位切合盐都实际、适应全局的新目标，致力组织建设特色化、宣传筹资长效化、应急反应科学化、公益项目品牌化、志愿服务标杆化、运行机制社会化，激发推动事业更好更快发展新动力，为做好党委政府人道领域助手、推动全省乃至全国红十字事业的进步再立新功，再创盐都红十字事业新的辉煌。

2016 年 6 月 26 日

《民国时期中国红十字会制度建设》序

习近平总书记在接见出席中国红十字会第十次全国会员代表大会的代表时指出："我国红十字事业是中国特色社会主义事业的重要组成部分，中国红十字会是党和政府在人道领域联系群众的桥梁和纽带"，"红十字是一种精神，更是一面旗帜，跨越国界、种族、信仰，引领着世界范围内的人道主义运动。"习总书记的讲话使红十字人深受鼓舞，为红十字事业发展营造了良好的社会环境，启发社会各界对于红十字事业发展问题的思考。

在这个社会矛盾凸显、机遇与挑战并存的特殊时期，人道需求也发生了复杂而深刻的变化，贯彻落实《中国红十字事业发展规划（2016—2020年）》，以"依法治会"为引擎，推动红十字会制度建设是实现中国红十字事业可持续发展不可或缺的能力建设目标之一。但是，很显然，当前的制度建设没有及时跟进，一些制度不具有约束性或约束性不够强大。对此，有必要追溯中国红十字会制度建设的发展历程，以史为鉴，构建当今红十字会制度建设的理论体系。

《民国时期中国红十字会制度建设》一书借助于红十字运动研究中心这一有利平台，从制度角度剖析中国红十字运动的历史，可谓视角新颖。作者通过搜集整理《申报》《新闻报》《中国红十字会月刊》《中国红十字会会务通讯》等报纸杂志中与中国红十字会制度相关的史料规章，条分缕析，再现民国时期中国红十字会制度体系，深层次、多角度探讨其制度变革的前因后果，为读者展现了一个较为客观、全面的制度建设面貌，是红十字文化研究的重要成果。具体而言，该书详细叙述了民国时期中国红十字会的制度内容，涉及红十字运动中的组织建设、职员管理、会员征募、财务经费、人道救护、标志标识使用等方面，为当今红十字会深化管理体制改革，创新组织运行机制、募捐机制、用人机制，健全考核和评估机制，完善监督管理机制，以及与国际红十字运动互动等重大问题提供了思路。而书中所述关于民国时期中国红十字会制度建设的局限，一定程度上也值得今天的红十字人在进行制度建设过程中借鉴和反思。

制度建设在理论上是没有终点的动态过程，没有最好，只有更好。民国时期，中国红十字会所进行的一系列制度建设与创新并非尽善尽美，但是，作为中国红十字运动史上的重要内容，却是新中国成立后中国红十字会开展制度建设的基石，对当代红十字会制度创新与发展有积极意义。

本书是李欣栩在其硕士学位论文基础上修改完善而成。作为硕士论文，能够成此规模，实属不易；而能公开出版，亦不多见。这与李欣栩同学勤奋好学、刻苦努力是分不开的。如今她以优异的成绩"硕博连读"，开始了博士研究生的学业。作为导师，希望她一如既往，开拓进取，奋发有为，在学术上取得更大成绩。

是为序。

2017 年 4 月 8 日

红十字运动：历史传承与当代发展

序《无锡华氏义庄：
中国传统慈善事业的个案研究》

　　中国历史上，一个文化世家能绵延繁盛，世代不衰，这不单单是外界的经济、政治地位所决定的，更重要的是其内在的精神支撑。此种精神在数代之中，不断累积，凝成家风家训，形成家族文化，影响于后世。深厚的家族文化，表现为生活方式、文化氛围、精神风貌及社会责任等。

　　作为无锡文化世家之一，荡口华氏家族以诗书传家，于科举上不断突破，形成了"尚德乐善"的家族文化，为地方社会做出贡献。华氏家族文化有着诸多表现：在求知上，重视文化教育，涌现出了一大批文化名人；在仕宦上，为官时清廉持身，为民效力；在社会事务上，创设义庄，积极投身于各种社会公益事业。

　　义庄在北宋年间，由范仲淹始创，此后绵延千余年，成为各大宗族声望的标志。义庄承载了诸多社会功能，它予族内弱势群体以赡养，为子弟提供教育，设置义冢使穷人得以体面下葬，参与各类社会公共工程以服务地方等。创办义庄，使慈善成为经常性的行为，而不是偶发行为，于经济上也是相当可取。因为从经济角度来看，偶尔为之的、突发性的慈善，往往开销更大，效果也差；而捐义田、设义庄，使慈善成为经常性的行为，则降低了成本，提高了效果。

　　明清两代，无锡华氏族人先后多次创设义庄，为地方，为宗族，做出了巨大贡献。义庄的创办，甚为艰难，常常需要几代人的努力。明代华守吉未能创办义庄，遗命儿子华辉继承父志。清乾隆年间，华端揆未能创办义庄，遗命儿子华进思实现遗愿。道光年间，华清莲未能创办义庄，遗命华存恭诸子继续努力。进入民国后，华应斋捐田500亩准备创办义庄，却在筹建过程中去世，最终未能建成义庄……

　　义庄创办成功后，后世子孙会尽力将之维系壮大，发挥其社会功能。华氏诸义庄创办之后，在稳定社会秩序、帮助贫弱族人、从事公共工程、推行社会教化等方面，起着重要的作用。

创办义庄的历代华氏族人，其背后有着理念的支持，有着信仰的遵从。自南齐孝子华宝始，虽经历了各种变故，华氏却以孝悌相传，凝聚族人，并为社会效力。自明代开始，鹅湖华氏，在科举、经商、从政、文化等各个领域，获得大发展，涌现出了一批杰出人物。而这些人物的涌现，被视为"祖先厚德、余庆子孙"的表现，这又激励着一代代的华氏族人去从事慈善。无锡华氏义庄虽是中国慈善史上的个案，但由其中可以管窥中国传统社会的复杂生态，可以看到社会秩序如何依靠绅士阶层维持，以及宗族力量如何凝聚族人、教化如何在经济补助中推行、传统慈善机构如何进行运作等。

明代高攀龙提出过一种设想，即以义庄、宗族为平台，可以实现某种程度的社会自治，进而人人思其本，以克服宗族中的"强者骋，弱者靡，崇者亢，卑者越，赢者淫，拙者滥"等社会问题，实现亲亲贤贤，由此进入一个美好社会。高攀龙的设想虽具有理想化色彩，但义庄在传统社会治理中的良性作用，却是值得肯定的。《礼记》中提出了门内之治与门外之治，门内相当于家，门外则相当于公共领域，门内、门外都以"孝"为前提，"孝"是基础。此外还必须有"义"，"义"表现在对公共事务承担责任、提供乡间公共服务等方面，如教化、赈灾、养老送终、扶弱和架桥等。义庄即是"义"的最好体现，义庄存在于乡间，它传承了中国传统的价值，维持着地方秩序与善良风俗。

义庄及家族文化的研究，在当下具有一定的现实意义。以荡口华氏家族为代表的文化世家所奉行的价值，恰恰是被整个社会所认可的价值观，此种价值观对于民众的教化力量，远远大于说教。华氏义庄，蕴含了传统文化中的孝、义、自强、勤奋、爱国、修齐治平、自强不息、厚德载物等诸多向上向善的价值观。在今日，这些价值观为实现中华民族伟大复兴的"中国梦"充实了资源与动力，成为"文化自信"的有效载体，对促进社会进步必将起到积极作用。

2015 年，全国人大常委会原副委员长、中国红十字会会长华建敏通过中国红十字基金会刘选国副理事长给我提出建议，希望红十字运动研究中心研究一下包括华氏义庄在内的传统慈善事业，探讨慈善文化对中国红十字事业有何可资借鉴的价值。经查阅相关资料，我发现这是一个被忽略的学术领域，因为就连被誉为"江南第一义庄"的华氏义庄，现有的研究成果也是寥寥。这就意味着这是一个大有可为的领域。正好袁灿兴博士申请做我的高级访问学者，我便将此课题委托他来做。灿兴欣然接受，立即全身心投入。经过两年多的努力，课题完成了，呈现在读者面前的这本书，就是最终成果。尽管书中一些问题的探讨还有进一步提升的空间，但就整体而言，还是可圈可点的。

义庄及义庄文化的研究，对灿兴而言，只是一个开端，希望他在此基础上，继续攀登，不断取得新的研究成果。

是为序。

2017 年 7 月 27 日

理论研究的"行动"者

——《但闻人道絮语声》序

我曾经写过一篇文章,题目是《红十字理论研究:"心动"与"行动"》,认为理论研究是"心动"与"行动"有机结合的过程。只有把"心动"与"行动"完美结合起来,才能不断开创理论研究的新境界。

所谓"心动",是指理论研究的重要性在红十字人内心深处激起的共振共鸣,由衷认识到理论研究对繁荣红十字文化、提升"软实力"、促进红十字事业发展所具有的特殊价值和构建和谐社会、培育与践行社会主义核心价值观的积极意义。理论研究的"心动",是理论研究意识的内在机理,是理论自觉的体现。"心动"是"行动"的内生动力,只有"心动",才会有"行动"的持续。

所谓"行动",是指理论研究意识付诸实践的过程。理论研究的开展,即"行动",是"心动"的外在表现,是主观能动性的表达方式,是理论自觉的"兑付"行为。

应该说,近年来红十字会在理论研究方面有"心动",也采取了"行动",取得了一些成果,但因受制于各种客观条件,包括人力、物力、财力,没有广泛的"行动",根子还是"心动"动力不足。突破限制,创造条件,在力所能及的范围内最大限度地开展理论研究,才是真正意义上的"行动自觉",才是"心动"与"行动"的完美统一。文涛同志做到了,《但闻人道絮语声——红十字人道工作笔记》,就是"心动"与"行动"的结晶,在此向他表示祝贺。

其实,理论研究并非高深莫测、令人望而生畏的"玄学",也不能单纯理解为"研究理论"。说白了,理论研究涉及红十字会工作的方方面面,新版《中华人民共和国红十字会法》赋予红会9项职能,哪一项不是千头万绪!如何把工作做得更好,就需要不断总结经验教训,这就是理论研究。除此之外,红会的"多边"关系,也是理论研究题中应有之义,诸如红会与政府之间的关系、与其他社会组织之间的关系、与市场的关系、与捐赠人之间的关系、与受助者之间的关系等等，都是理论研究的课题，都需要进行理性的思考。显然，理论研究不是"空对空"的海市蜃楼、"空中楼阁"，而是摆在我们面前的非常现实的问题。进行理论研究，学界固然责无旁贷，但同样也是每个红十字人的基本"业务"，就像文涛那样，勤于思考，笔耕不辍，把理论与实践结合起来。这对传播红十字文化，弘扬红十字精神，推进工作的开展，多有裨益。

作为一部文集，《但闻人道絮语声》编排有序，结构合理，文笔清新活泼而不失深沉。难能可贵的是，文章在凸显湖北省红十字会"地方特色"的同时，放眼全局，提出了许多建设性建议，发表了不少真知灼见，诸如《红十字文化传播的八个关键词》《五个维度看"中山慈善万人行"》《弘扬人道精神 打造"四维"红十字会党员干部队伍》等，无不闪耀着思想者的"火花"。"接地气"的文字，引人入胜，读后余音绕梁，颇具感染力，使人在不知不觉中感悟人道的力量。这是一部"好看"的书，值得业界、学界同仁学习。

"心动"贵在有恒，"行动"贵在坚持。文涛年轻有为，相信他会一如既往做理论研究的"行动"者，更希望越来越多的红十字人，"心动"起来，"行动"起来，为红十字理论研究、文化建设贡献才智。

是为序。

2017 年 9 月

学术评论

杂 文 随 笔

红十字与民间外交

世界上有三大国际性组织，即联合国、奥委会和红十字会。在一般人的观念中，红十字会从事的主要工作是战争救护、灾害救济以及社会服务，这没有错。但红十字会在民间外交领域所发挥的作用一直以来并没有引起学界的足够重视，这是令人遗憾的。

红十字会固然有官方背景，是"政府助手"，但它同时又是最大的国际性民间组织。这种"国际性""民间性"以及红十字运动的"中立性"原则，决定了红十字会在民间外交领域有时可以比其他任何民间社团释放更强大的能量。中日建交就是一个例子。

1972年9月29日，中日两国政府发表联合声明，宣布从即日起正式建立外交关系，从而结束了两国间存在了27年的不正常状态，开始了中日关系史上的新纪元。在此过程中，中国红十字会为恢复中日关系正常化"铺路架桥"，功不可没，特别是中国红十字会代表团首次访问日本，揭开了中日关系史上的新篇章。

1954年10月30日至11月12日，中国红十字会代表团一行10人在团长李德全、副团长廖承志率领下，在日本进行了为期13天的友好访问。中国红十字会代表团是作为新中国第一个民间使节访问日本的，它是战后对日进行友好访问的新中国第一个代表团。

中国红十字会被邀访日，基于协助日侨归国的人道之举。

抗战胜利后，大批日本侨民流落中国。新中国建立之初，居留中国的日本侨民有34000多人，他们多数有回国的愿望，但因两国间并无外交关系，难圆归国之梦。出于人道关怀，中国红十字会对这一历史遗留问题倾注了一腔热血，从1949年到1952年，已协助日侨520人分批回国。

1952年7月，由中国红十字会、外交部、公安部、总理办公室等部门组成了日侨事务委员会，与日本红十字会（赤十字社）等民间团体组成的日本代表团进行广泛接触。1953年3月5日在《关于商洽协助日侨回国问题的公报》公布后，中国红十字会继续紧张而繁重的"协助"工作。1953 年 3 月 20 日至 22 日，第一批归国日侨 1936 人，由天津、秦皇岛、上海乘船回国。截止到这年 10 月 10 日，共有七批日侨回国，人数达 26026 名。中国红十字会协助日侨分批回国的计划宣告完成。

为感谢中国红十字会对日侨归国的协助，日本代表团团长、日本红十字会会长岛津忠承在 1953 年 3 月就郑重提出"邀请中国红十字会各代表在今年秋间访问日本，以便加强中日两国人民的友谊。"尽管兑现"邀请"历时 20 个月，但在日本红十字会等民间团体的不懈努力下，终于促成了中国红十字会的"破冰"之旅。

中国红十字会代表团访日之行，影响广泛而深远。1954 年 11 月 18 日，"促进邀请中国红十字会代表访问日本协议会"在东京举行会议，总结欢迎中国红十字会访日代表团的工作。日本工会总评议事务局长高野实说："这次中国红十字会代表团来日本实在具有很大的影响。要求日中友好的呼声如雨后春笋般地出现在全国各地。"日中友好协会常任理事加岛敏雄报告他在中国红十字会访日代表团回国后去长野市看到的情况说："过去对日中友好不表示关心的市民也都充满信心地谈论中国和日本友好是当然的了。"日中友好，是两国人民共同的心声。

这次访问是新中国民间外交的成功范例，访问突出了中日两国人民要求友好相处的共同愿望，结束了中日之间民间交往中的单向状态，揭开了中日关系史上新的一页。从此中国文化、贸易、经济等各界代表团陆续访问日本，更多的日本各界代表团访问中国，从民间到官方，克服重重障碍，逐步取得共识，终于取得中日关系史上的突破，在 1972 年 9 月实现了中日关系正常化。

上述例子说明，红十字会在民间外交领域扮演了重要角色。民间外交，形式多样，内容丰富，而且在全球化的时代背景之下，民间外交的作用与影响更加凸显。民间外交研究可以说是充满生机与活力的热门领域，而对红十字外交的研究，可以丰富民间外交研究的内容。

（2008 年 12 月 20 日在苏州大学主办的"民间外交与和谐世界讨论会"上的发言）

在"抗战时期的上海红十字" 理论研讨会上的发言

尊敬的各位领导、各位来宾、各位同道：

大家下午好！

很荣幸能够参加"抗战时期的上海红十字"理论研讨会，也感谢主办方给我提供学习、交流的机会。

上海是中国红十字运动的发源地，也是近代全国红十字运动的中心。全面抗战初期，上海是中国红十字会总会所在地，总会在上海市红十字会的有力支持、配合下，开展了卓有成效的人道救援。这里以淞沪抗战为例，加以说明。

1937 年 7 月 7 日，日本挑起全面侵华战争。七七事变不久，日军大举进攻上海，8 月 13 日，沪战爆发，中日双方在淞沪地区展开激烈鏖战。红十字会沉着应对，有条不紊展开战地救护。

淞沪抗战从 8 月 13 日开始，至 11 月 13 日结束，历经三个月，其间几乎无日不战，虹口、杨树浦、狮子林、川沙口、罗店、北新泾等都是著名战例，搏战激烈，伤亡惨重。红十字会全力以赴，竭力施救。救护举措以及所举得的业绩主要体现在以下几个方面：

第一，组织救护队和急救队。随着战事的扩大，红十字会先后组织 10 支救护队和 12 支急救队，队员人数超过 700 人，另外还有煤业救护队百余人，开赴战地。各队队员不畏艰险，奔走于枪林弹雨之中，救护伤兵难民。据统计，经救护队、急救队所救伤兵总计 39000 余人，在此过程中，有苏克己、张秀芳、谢志贤、刘中武等 30 多位救护人员惨遭日军杀害，这是日军对日内瓦公约的肆意践踏。同时也说明战事救护的险恶和红十字会救护、急救队员的奋不顾身的精神。

第二，开办救护医院。淞沪抗战期间，红十字会相继开办救护医院 24 所，总床位超过 5000 张。这些救护医院，虽然规模有大有小，开办时间有长有短，但对收治伤兵，则不遗余力。救护医院之外，还有"特约医院"参与红会救护工作，共计16家，如仁和医院、中德医院、劳工医院、铁路医院等。"特约医院"由红十字会按收容伤兵人数给予津贴（每名每日药品伙食费5角），与红会合作，共同救治伤兵。除此之外，还有一些社团或私立医院，也与红十字会保持合作关系。据统计，从1937年8月14日至1938年4月30日，救护医院、特约医院以及与红十字会合作的其他医院，总计收治伤兵伤民达19539名。

第三，设立伤兵分发站。由于战事扩大，军事碰撞加剧，伤兵日增，每天有数百名，多时近千名，而上海各救护医院床位最多时仅5000多张，床位紧张，不可能全部收治，所以从8月22日起在第六救护医院内设立伤兵分发站一所，从前线救回伤兵视伤势轻重分别处理，重伤员送入医院，轻伤员暂留分发站，等候火车、船只转送后方。9月20日第六救护医院结束，伤兵分发站改设于枫林桥外交大楼，内设站长1人、医师2人、护士10余人，负责伤兵换药包扎事宜。第六救护医院附设的伤兵分发站自8月20日至9月20日共收容分发伤兵2267名，外交大楼分发站自9月21日起至11月8日止共收容分发伤兵17940人。

第四，疏散伤兵。11月13日，上海沦陷，滞留上海伤兵的安危是红十字会最大的牵挂。红十字会于是将救护工作的重点转移到疏散伤兵上来（疏散伤兵的工作实际上在上海陷落前即以开始）。当时由外商经营的轮船可以航行浙江温州、台州，红十字会通过这两条航路，进行疏散，到12月间，滞留上海的伤兵全部疏散到内地，没有落入日军之手。据统计，上海沦陷前后经红十字会疏散安置的伤兵，总计16111名。

从上述的叙述中，我们可以肯定地说，在淞沪抗战中，红十字会出生入死，竭尽全力开展战地救护，为抗战事业谱写了一曲可歌可泣的人道主义赞歌，书写了中国红十字运动史上辉煌的篇章。

历史可以照亮未来。上海市红十字会重视对历史文化遗产的开发、研究，难能可贵。此次研讨会，就是很好的诠释。特别值得赞赏的是，上海市红十字会还与我们红十字运动研究中心合作，启动了"红十字在上海"的课题，我作为红十字运动研究中心的负责人，对此表示由衷的敬佩，也深感责无旁贷。我们希望通过挖掘历史资料，全面、立体呈现红十字运动在上海的酝酿、发生、发展的风雨历程，彰显出"上海：中国红十字运动的发祥地""上海：红十字文化中国化的试验场""上海：传播红十字文化的基地""上海：全国红十字运动的中心""上海：本地红十字运动的卓异风采"等主题的独特魅力。这项计划的第一步就是整理相关的历史资料，为《红十字在上海》专著的撰写和资料长编的出版夯实基础。课题启动 3 个多月以来，进展顺利。目前我们做了一个《红十字在上海资料索引》，初步查询到相关资料上千种，整理资料已有 20多万字，其中包括抗战时期上海红十字会的资料。这些资料主要有这样几类：一是当时的报刊资料，如《申报》《国闻周报》《救灾会刊》《医药评论》《中国红十字会月刊》《中国红十字会上海国际委员会救济月刊》《上海医事周刊》《中华医学杂志》等等，都有大量资料登载，如《红会上海分会努力救护伤兵》《上海红十字会民众救护队之表演》、红十字会上海国际委员会难民救济工作等等，详细而具体。二是档案资料，上海市档案馆、中国第二历史档案馆馆藏档案如《中华民国红十字会总会工作概况报告》《中国红十字会上海市救护委员会工作报告》《中华民国红十字会总会三年来总报告》等，都集中反映了抗战时期红十字会战地救护、难民救济工作实况。三是已整理出版的资料，如《国军淞沪抗日记》《八一三淞沪抗战》等等。四是口述资料，如《皖南从军纪实》，详细记述了上海红十字会煤业救护队的组建、抗战救护以及集体参加新四军的光辉历程，具有很高的史料价值。除此之外，还有红会内部资料以及图片资料等。资料的搜集虽然很艰苦，但我们相信在上海市红十字会的鼎力支持下，一定能够选编出高质量、权威性的资料汇编，同时也希望在座的各位同仁，给予关心、支持、协助，共襄盛举，为繁荣上海红十字文化事业添砖加瓦，为红十字文化在上海的传承与光大，贡献你们宝贵的心力与智慧。谢谢！

（2012 年 11 月 15 日在上海市红十字会主办的"抗战时期的上海红十字"理论研讨会上的发言）

传承历史 开拓未来

各位领导，各位嘉宾：

很荣幸能够出席常州市红十字会建会 100 周年暨《常州红十字志》首发式盛典。

常州红十字运动是中国红十字运动的有机组成部分，有着悠久的历史积淀。百年来，常州红会秉持人道主义精神，在战争救护、灾荒救助、社会服务诸多方面发挥了积极的作用，谱写了一曲曲人道主义的赞歌，在中国近代史和中华人民共和国史上留下了闪光的足迹。尤其是改革开放以来，常州市红十字会与时俱进，开拓进取，在"三救""三献"工作中都有不俗的表现，成为社会保障与社会建设中一支重要力量。

常州人杰地灵，慈善传统源远流长。丰厚的慈善沃壤，不仅为常州红十字事业发展营造了良好的氛围，而且还孕育了中国红十字会第一任会长盛宣怀，以及在中国红十字运动史上做出重要贡献的庄录、闻兰亭、苏克己等杰出人物。他们是常州的骄傲。

2013 年 5 月 13 日，国家主席习近平在人民大会堂会见红十字国际委员会主席莫雷尔时指出，红十字"不仅是一种精神，更是一面旗帜"，"人道主义事业是全人类共同的事业"。常州红十字运动的百年历程，就是对这种精神的弘扬和对人类共同事业的诠释。

传承历史，开拓未来。为了继承红十字文化遗产，常州市红十字会精心组织，辛勤耕耘，数年之功，几易其稿，终于在喜迎百年华诞之际，隆重推出《常州红十字志》，为百年庆典献上一份厚礼，可喜可贺。

《常州红十字志》全面回顾了百年来常州红十字运动的风雨历程，再现了波澜壮阔的历史场景，系统展示了常州红十字人服务社会、博爱众生的风采。《常州红十字志》资料翔实可靠，内容丰富饱满，条理清晰，体例完备，结构完整，有开拓有创新，是一部难得的精品力作。作为常州市红十字会独立编纂的第一部志书，它的出版，不仅丰富了中国红十字运动史的内容，而且对打造红十字文化品牌，提升文化"软实力"，推动红十字事业可持续发展，都具有不可低估的价值。

修志问道，启迪未来。正如李克强总理为2014年4月19日在京召开的第五次全国地方志工作会议所作批示指出的那样："地方志是传承中华文明、发掘历史智慧的重要载体，存史、育人、资政，做好编修工作十分重要。"《常州红十字志》的出版，毫无疑问，必将成为中国地方志百花园中的一枝奇葩。常州市红十字会为此而付出的努力，堪称功德无量。

承前启后，鉴往知来。衷心祝愿常州市红十字会以《常州红十字志》的出版和百年华诞之庆为契机，积极进取，奋发有为，开拓创新，再创辉煌。

（2014年5月8日在"纪念常州市红十字会建会100周年暨《常州红十字志》首发式"座谈会上的发言）

"'两论一动'与红十字事业发展座谈会"总结发言

尊敬的郭会长、马会长，各位代表、各位来宾：

"两论一动"与红十字事业发展座谈会，经过紧张的座谈、交流，即将闭幕，这里做简短小结。

这次座谈会，虽然时间很短，但成效很高，归纳起来，有如下几个主要特点：

一是学界和业界同仁济济一堂，共谋发展大计，这是一种很好的模式。以往红十字会的工作交流或理论研讨，大多局限于系统内部，是典型的"体内循环"。学术界也是如此。大家单打独斗，各自为战，缺乏跨系统的交流与互动，不仅不利于红十字文化的广泛传播，而且限制了各自的眼界，制约了工作和理论研究更好地开展。本次座谈会，打破了这种局面，由业界和学界联手，共同主办，共同参与，共襄盛举，实现了"体外循环"，这是一个新的超越，也是本次座谈会的一大亮点。

二是畅所欲言，取得了积极的成果。无论是各位代表的发言，还是会议交流文章，都不乏真知灼见。诸如嘉定区红十字会的青少年工作、志愿服务团队建设、理论研究等等，颇富特色。红十字会职能的科学定位与有效履行、关于优化上下级红十字会关系的探讨、红十字文化建设的路径、基层红十字会组织软实力建设、以行动为抓手推动基层组织科学发展、"两论一动"的提出、研究现状及未来设想等成果，涉及"理论"研究的如何开展，"舆论"的高地如何构筑，"行动"的策略如何实现，理论、舆论、行动之间的内在关联如何建构等等问题，有开拓，有创新，有识见，具有很高的理论价值和实践意义。通过座谈，大家对开展"两论一动"工作的重要性、必要性、紧迫性、可行性，以及"两论一动"对繁荣红十字文化、促进红十字事业发展的无可替代的价值，有了更清晰的认识，为更好地落实"两论一动"明确了方向。

三是开了一个好头，具有示范意义。举办"两论一动"与红十字事业发展学术专题座谈会，这在红十字系统还是第一次，开了一个好头。这样的学术专题座谈会，绝不应该是最后一次。因此，本次座谈会的主办单位中国红十字会总会报刊社和苏州大学红十字运动研究中心，达成共识，认为不定期举办理论研究座谈会是必要的。在这里，我们也发出倡议，各级红十字会，如果愿意承办类似座谈会，可以通过书面申请，经协商确定；如果申请单位较多，我们还可以考虑增加座谈会的次数或采取联办的方式。每次座谈会，《中国红十字报》可以推出专版，《红十字运动研究》杂志推出专栏。如果成果很多，我们还可以汇编成册，公开出版发行。总之，希望通过座谈会，推动"两论一动"工作在全国范围内更好、更扎实有效的持续开展。

最后，我代表主办单位、协办单位，对会议承办单位嘉定区红十字会表示由衷的感谢，本次会议的顺利召开，他们付出了辛勤劳动，提供了周到而细致的服务，令人感动，令人难忘。同时，也对郭会长百忙之中亲临大会表示由衷感谢，表明总会领导对"两论一动"工作的高度重视，我们深受鼓舞。同时代表主办、协办单位感谢各位嘉宾的积极参与，为座谈会的召开，你们奉献出自己的远见卓识和宝贵时间！在此祝各位代表、各位来宾事业发达，身体健康，阖家幸福，万事如意！谢谢！

（2014 年 5 月 15 日在嘉定区红十字会承办的"'两论一动'与红十字事业发展座谈会"上的总结发言）

从历史中汲取智慧和力量

——在《红十字在上海，1904—1949》首发式上的发言

尊敬的高书记、马会长，各位领导、各位同仁：

很高兴出席《红十字在上海，1904—1949》首发式。《红十字在上海，1904—1949》是上海市红十字会与苏州大学红十字运动研究中心精诚合作、共同努力的结晶。下面就研究计划的实施以及这本书的主要特色做一简要介绍，请各位同仁批评指正。

之所以要开展"红十字在上海，1904—1949"的课题研究，原因是多方面的，其中主要原因有三点：

一是填补空白的学术渴望。众所周知，上海是中国红十字运动的发祥地。自 1904 年中国红十字会在上海诞生以来，上海以其区位优势，成为红十字文化中国化的试验场、传播红十字文化的基地、全国红十字运动的中心。在此过程中，中国红十字会上海分会给予了有力的配合、支持。毫无疑问，中国红十字运动的发生、发展，是与上海紧密联系在一起的。可是，多年来，红十字运动研究的著作虽然不少，但针对上海红十字运动的专门研究并没有实质性地开展起来，成果寥寥，这与上海在中国红十字运动史上的独特地位极不相称。填补这一学术研究的空白，刻不容缓。

二是事业发展的现实需要。诚如 2011 年 12 月 2 日华建敏会长在出席上海市红十字会成立 100 周年纪念大会时指出的那样："上海是中国红十字运动的诞生地，在中国红十字运动的发展史上具有突出的重要地位。改革开放以来……各项工作都取得了显著成绩。"华建敏强调："继承我国红十字运动百年来积累形成的爱国进步传统，发扬'人道、博爱、奉献'的红十字精神，进一步加快中国特色红十字事业的发展，是适应国家发展和社会进步的要求，更是满足人民群众新期待的需要。"事业发展，需要总结历史经验教训，需要从历史中汲取智慧和力量，只有这样，才能更好地传承历史，开创未来。

三是深化理论研究提升"软实力"的要求。华建敏会长在上海市红十字会建会100周年纪念大会上的讲话，在充分肯定上海红十字运动历史地位的同时，也提出"深化理论研究"、繁荣红十字文化事业、提升"软实力"的殷切希望。事实上也是如此，理论与实践是事业发展的"双轮"，不能偏废。只有不断深化理论研究，"充分挖掘红十字文化内涵，广泛传播人道理念"，才能"更好地推动中国红十字事业的长远发展"。

　　基于上述原因，上海市红十字会与红十字运动研究中心走到了一起，共同开展了"红十字在上海，1904—1949"的课题研究。

　　"红十字在上海，1904—1949"课题从2012年正式启动，到正式出版，经过近3年的拼搏，终于如期完成。纵观全书，我认为这本书有如下几个突出的特点或亮点：

　　第一是原创性。研究中国红十字会的历史，不可能绕开上海，这是不言而喻的。事实上，在红会历史研究的著作中，也都或多或少涉及上海，但因为不是专门性的研究，许多重要内容被忽略。《红十字在上海，1904—1949》这本书，另起炉灶，以上海为中心进行拓展，精耕细作，开展专门化研究，无论是深度，还是广度，都取得了新的超越，达到了一个新的学术高度，也在一定程度上填补了中国红十字运动史研究的空白，因而具有开拓性、原创性的鲜明特色。

　　第二是系统性。《红十字在上海，1904—1949》共15章，全面、立体地呈现了红十字运动在上海的酝酿、发生、发展的风雨历程，非常详细系统。通过这种系统性的研究，使我们真正理解了上海为什么成为中国红十字运动的发祥地、红十字文化中国化的试验场、传播红十字文化的基地、全国红十字运动中心的真谛，也可以理解上海本地红十字运动的独特魅力和卓异风采。这种系统性的梳理，在红十字运动研究领域尚属首次。

　　第三是全面性。这种全面性不仅体现在研究内容的全面系统，而且还体现在如下两个方面：一是《红十字在上海，1904—1949》，不仅仅着眼于上海红十字会的研究，而是包括了中国红十字会、国际红十字组织以及赤十字会在内的几乎所有在上海活动的红会组织；二是"上海"的区域范围，也不仅仅限定在上海城区，而是包括了现在上海市的管辖范围（17个区县）。通过这样的研究视角，全面再现了近代上海地区红十字运动的多元性，揭示了上海红会与中国红会以及与上海社会的互动关系。

第四，资料丰富翔实。《红十字在上海，1904—1949》包括专著和《资料长编》两个部分。为了全面深化课题的研究，研究团队不辞辛劳，南征北战，广泛搜求资料，最终形成三卷本100多万字的《资料长编》，为学术专著的写作奠定了坚实的基础。这部著作，洋洋洒洒43万字，显得厚重而扎实，丰富翔实的资料，起到了重要的支撑作用。而三卷本《资料长编》的即将出版，对推动上海以及中国红十字运动研究的进一步深入，势必产生深远影响。

第五，深沉的时代价值。历史研究的重要功能是服务现实。正所谓"前事不忘后事之师"，无论是历史的经验，还是教训，都是宝贵的财富，都值得我们认真吸取和借鉴，只有这样，才能更好地推动红十字事业的健康发展，从这方面说，这本书的时代价值是值得肯定的。同时，这本书主题明确，旗帜鲜明，散发着"正能量"的浓郁气息，彰显着人道的力量。无论是红十字人，还是公众，都可从中受益，从书香中感悟到红十字精神的崇高与伟大，从而更加自觉、自信地投身红十字事业。

第六，图文并茂，有一定的可读性。虽然《红十字在上海，1904—1949》是一部严谨的学术性著作，有分析，有论证，有考证，但在语言表达方面，力求清新活泼，畅达明快，这就使本书具有了一定的可读性。同时，把珍贵的老照片插入书中，图文并茂，使读者在阅读中获得一些轻松和愉悦，有利于红十字文化的传播，有助于人们加深对红十字精神的理解。

今年是中国红十字会建会110周年。本书的出版，适逢其时，可以毫不夸张地说，本书的出版为中国红会建会110周年华诞献上了一份厚礼。

学术研究贵在求真。探赜索隐，上下求索，异常辛苦，无以言表，没有点奉献精神，是难以胜任的。应该说，我们的团队这两年多来，全力以赴，尽心尽力，较为圆满地完成了这项艰巨任务，达到了预期目标。作为课题的组织者，我感到由衷的欣慰。在此过程中，上海市红十字会给予了强有力的支持，尤其是马会长，在重病缠身的情况下，依然抱病工作，对书稿进行仔细修改、推敲、打磨，提出许多建设性意见，直到书稿上机付印时，还一丝不苟，进行文字上的加工、润色，实在令人感动。

这里还要特别说明的是，上海红十字运动波澜壮阔，跌宕起伏，内容丰富饱满，绝不是《红十字在上海，1904—1949》这一本书所能见其全貌的，虽然我们做了最大的努力，但这本书只能说略窥上海红十字运动的豹斑，在弥补缺憾的同时，也仅仅为进一步深入研究奠定了些基础。因此，不妥之处，在所难免，欢迎各位多多批评指正。

最后，我还想表达一个愿望。《红十字在上海，1904—1949》专著及《资料长编》的出版，不是上海市红十字会与红十字运动研究中心合作的结束，而应该是合作的开始。"红十字在上海"这个系列，应该长期做下去，形成上海市红十字会的一个响当当的品牌，这对提升上海市红十字会在国内国际的影响力，促进上海市红十字事业的发展，都是有益的。这是一件功德无量的事业，值得我们去耕耘。希望我们携起手来，继续努力前行，为红十字文化建设尽绵薄之力。

（2014 年 12 月 9 日在《红十字在上海，1904—1949》首发式上的发言）

杂文随笔

在内蒙古红十字会新时期红十字会理论培训研讨班结业典礼上的讲话

尊敬的刘菊茹会长，各位红十字会的同仁：

经过5天紧张的培训学习，"新时期红十字会理论培训研讨班"即将画上圆满的句号。5天里，虽然因为工作关系，没能和大家充分交流，但通过和各位同仁的对话，使我学到了很多东西，对我们的理论研究，颇多启发，可以说收获不少。

"新时期红十字会理论培训研讨班"，规格高，收获大，针对性强，这在苏州大学还是首次，开了一个好头。培训班组织有序，各位同仁学习认真，纪律性强，也给我们留下了美好的印象。

这次培训，可能在以下几个方面有所收获：

首先，开阔了眼界，增长了见识。同时，来自内蒙古各地的同仁通过这一平台，相互交流，相互学习，取长补短，这些都有助于红会工作的更好开展。

其次，通过"理论培训研讨"，对红十字理论研究产生兴趣。

其实，理论研究并非高深莫测、令人望而生畏的"玄学"，也不能单纯理解为"研究理论"。实际上，广义上的理论研究，涉及的面非常广泛，凡与红十字会业务、会务有关的内容，都是理论研究的范畴，"三救""三献"、红十字青少年、红十字外交、传播国际人道法、红十字会之间的境内境外交流以及红十字历史与文化，等等，都是理论研究的基本内容。每一个方面，都有大量的课题需要我们去耕耘，都有层出不穷的问题需要我们去发现，去探索。就拿"三救""三献"来说，应急救援、应急救护、人道救助、献血液、献造血干细胞、献人体器官组织，哪一项工作不是千头万绪！如何把工作做得更好，就需要不断总结经验教训，这就是理论研究。换句话说，理论研究并不虚幻，而是实实在在摆在我们面前的现实问题。进行理论研究，学术界固然责无旁贷，但同样也是每个红十字人的基本"业务"。

再次，对红十字理论研究产生兴趣，就会有动力，就会付诸行动。理论研究就是"心动"与"行动"有机结合的过程。只有把"心动"与"行动"完美结合起来，才能不断开创理论研究的新境界。

所谓"心动"，是指理论研究的重要性在红十字人内心深处激起的共振共鸣，由衷认识到理论研究对繁荣红十字文化，提升"软实力"的积极意义。理论研究的"心动"，是理论自觉的体现。"心动"是"行动"的内生动力，只有"心动"，才会有"行动"的持续。

所谓"行动"，是指理论研究意识付诸实践的过程。理论研究的"行动"，是"心动"的外在表现，是主观能动性的表达方式，是理论自觉的"兑付"行为。

内蒙古自治区红十字会自建会以来，已经创造了无数个辉煌，尤其是"云曙碧精神"，更是中国红十字事业宝贵的精神财富。开展理论研究，内蒙古有独特的优势，很期待能以此次"理论培训研讨"为契机，以"云曙碧精神"为重点，打造内蒙古红十字会的文化"品牌"。除了一些老红会，现在越来越多的红会人对"云曙碧精神"感到陌生，这是很遗憾的事。现在社会最需要的正是"云曙碧精神"。为此建议内蒙古红十字会专门成立"'云曙碧精神'与红十字事业发展研究中心"，整合人力，开展理论研究。通过努力，我相信完全可以打造成为与"微尘""中山慈善万人行"同样响亮的"品牌"。

我们红十字运动研究中心，愿意为内蒙古红十字会开展理论研究提供力所能及的服务，我们有公开出版的理论刊物《红十字运动研究》，欢迎来稿；我的电子信箱 chizihua@126.com；图书出版，我们也可以帮助联系出版单位。总之，希望我们加强联系，常来常往。

天苍苍，野茫茫，风吹草低见牛羊。如此情景，令人向往。有机会，一定去内蒙古，亲身感受那片热土神奇的魅力，感受内蒙古红十字事业的辉煌。

最后，祝各位同仁身体健康，阖家幸福，预祝旅途愉快！后会有期！

2015 年 5 月 22 日

"'依法治会'与红十字事业发展座谈会"总结发言

尊敬的郭会长、王会长、柴会长，各位代表、各位来宾：

"'依法治会'与红十字事业发展座谈会"，经过半天的座谈、交流，即将闭幕。受组委会委托，这里做简短小结。

这次座谈会，虽然时间较短，但收效显著，归纳起来，有如下几个主要特点：

特点之一：学界和业界同仁济济一堂，共谋发展大计，这是一种很好的模式。以往红十字会的工作交流或理论研讨，大多局限于系统内部，是典型的"体内循环"。学术界也是如此。大家单打独斗，各自为战，缺乏跨系统的交流与互动，不仅不利于红十字文化的广泛传播，而且限制了各自的眼界，制约了工作和理论研究更好地开展。去年5月在上海嘉定举办的"'两轮一动'与红十字事业发展座谈会"上，突破了这种局限，由业界和学界联手，共同主办，共同参与，共襄盛举，实现了"体外循环"，这是一个好的超越。本次座谈会继承了这一模式并取得了新的成功。事实证明，理论研究，当学界和业界、体制外和体制内携起手来，共同努力，就会大放异彩，就会有思想火花的迸发。本次座谈会的成功举办，也激励我们继续探索、完善这一模式。

特点之二：各抒己见，畅所欲言，取得了积极的成果。无论各位代表的发言，还是座谈会的交流文章，都有不少真知灼见。比如"红船精神"与"红十字精神"高度契合，弘扬"红船精神"，对红十字会"依法治会"，推动事业可持续发展具有重大意义。再比如，"依法治会"背景下如何做好基层红十字会工作，"顺势""借势""造势"的方法论，令人耳目一新。又比如，红十字文化传播，路径在哪里，如何提高文化传播的有效性，红十字文化中国化有哪些方式方法等，以及构建红十字事业"互联网+"模式，也都有耐人玩味的理论探索。还有尼泊尔、西藏地震救援以及青岛、浦东、嘉定、嘉兴、盐都、南通、湖州等地红会工作的经验，都具有分享、借鉴价值。值得注意的是，今年是抗日战争暨世界反法西斯战争胜利 70 周年，在这个特殊的日子，我们不能忘却红十字人发挥的巨大作用。本次座谈会，提交了多篇相关文章，让我们领略了在那个血与火的年代里我们的先辈出生入死，穿梭于枪林弹雨之中，救死扶伤，为守护人的生命和尊严所做出的独特贡献。

应该强调的是，本次座谈会的主题是"'依法治会'与红十字事业发展座谈会"。与会代表围绕着"依法治会"的基础、"依法治会"的依据、"依法治会"与"依法治国"的关系、"依法治会"与红十字事业发展、"依法治会"实现的路径，以及中国红十字事业的法制化进程等基本问题，进行了讨论，使大家对"依法治会"的重要性、必要性、紧迫性、可行性，以及"依法治会"对促进红十字事业发展无可替代的理论价值和实践意义，有了更清晰的认识，为更好地坚持"依法治会""依法强会"明确了方向。所有这些都表明，本次座谈会取得的成果是丰硕的，是令人欣喜的。

特点之三：具有一定的"引领"、示范意义。"十大"报告强调理论研究的重要性，并把"加强理论研究，加大红十字文化传播力度"作为未来五年的中心工作之一。如何推进理论研究的发展，举办这样的"'依法治会'与红十字事业发展"专题座谈会，就是一种有益的尝试。作为座谈会主办单位的中国红十字会总会报刊社和苏州大学红十字运动研究中心，达成共识，每次座谈会，《中国红十字报》推出专版，《红十字运动研究》杂志推出专栏，展示研究成果，扩大座谈会的影响力，引领理论研究的潮流，对各地红会开展理论研究，一定会产生良好的"示范"效应。

最后，我代表主办单位，对座谈会承办单位嘉兴市红十字会表示由衷的感谢，本次座谈会的顺利举办，他们付出了辛勤劳动，提供了周到而细致的服务，令人感动，令人难忘。同时，对郭会长百忙之中亲临座谈会并发表重要讲话，表示由衷感谢，这也表明总会领导对理论研究的高度重视；浙江省红会、嘉兴市领导到会指导，也使我们深受鼓舞。同时代表主办、承办单位感谢各位嘉宾的积极参与，为座谈会的召开，你们奉献出自己的远见卓识和宝贵时间！在此祝各位代表、各位来宾事业发达，身体健康，阖家幸福，万事如意！谢谢！

（2015 年 9 月 1 日在嘉兴市红十字会承办的"'依法治会'与红十字事业发展座谈会"上的总结发言）

杂文随笔

红十字运动研究如虎添翼

尊敬的罗会长、各位同仁：

　　苏州大学红十字运动研究中心贵州分中心挂牌成立，适逢《贵州省人体器官捐献条例》表决通过，双喜临门。在此，我代表苏州大学社会学院以及红十字运动研究中心全体成员，表示由衷的祝贺，对贵州省红十字会同仁以及支持贵州分中心的各位专家学者、爱心人士表示诚挚的感谢！

　　苏州大学红十字运动研究中心成立于 2005 年，至今已走过了 10 年的风雨历程。10 年来，红研中心在坚守中开拓、砥砺中前行，攻坚克难，取得一项又一项科研成果，成为具有广泛影响的学术重镇。作为中国第一家红十字运动研究的学术机构，红研中心不仅开通了第一家专业性学术性网站，创办了第一份公开出版的学术理论期刊《红十字运动研究》杂志，先后与红十字国际委员会东亚地区代表处、中国红十字会总会报刊社、中国红十字基金会等合作主办了"红十字运动与慈善文化"国际学术研讨会、"'两轮一动'与红十字事业发展"座谈会、"依法治会与红十字事业发展"座谈会等一系列学术活动，而且重磅推出了"红十字书系""红十字文化丛书"两大系列丛书，出版学术论著 50 余部，引人瞩目。9 月 8 日《中国红十字报》报道，中国红十字会党组副书记、副会长郭长江特别指出："苏州大学红十字运动研究中心多年来潜心致力于中国红十字运动历史的研究，完整地梳理了中国红十字运动史的脉络，厘清了中国红十字历史上的许多重大事件和问题，弥补了红十字研究工作中的许多空白；近年来又致力于红十字研究人才的培养，为中国红十字事业做出了突出贡献。"这是对我们工作的充分肯定和热情激励。

　　一系列成绩的取得，固然是红研中心团队成员呕心沥血、共同努力的结晶，但更离不开各方关心、鼓励与支持。一直以来，红研中心的工作受到红十字国际委员会及东亚地区代表处，中国红十字会总会、中国红十字基金会、江苏省及苏州市红会的高度重视。总会领导集体对红研中心的工作更给予了特别的关心与支持。尤其是老会长彭珮云、华建敏，热情鼓励，彭珮云会长还专门为红十字运动研究中心题字，华建敏会长亲临红研中心调研，寄予厚望。

红研中心虽然取得了不少成绩，形成全国公认的学术"品牌"，但红十字运动研究毕竟是一个新的学术领域，还有许多空白亟待填补，新情况、新问题层出不穷，也需要理论研究的及时跟进。因此，红研中心的同仁将继续奋进，不断取得新的成绩，力争把红研中心打造成理论研究的新高地。作为中国红十字基金会支持下的红十字文化研究基地，红研中心目前有上海嘉定、浙江嘉兴、江苏盐都 3 个研究基地，如今贵州分中心挂牌成立，如虎添翼，为红十字运动研究注入新鲜血液，激发了新的活力。我们相信，在贵州分中心的有力配合和支持下，红研中心必将焕然一新，在红十字软实力建设方面发挥更大作用。

贵州是红十字运动的一片热土，蕴藏着丰富的红十字文化资源，尤其是作为中国红十字会救护总队部的大本营，贵州有着得天独厚的优势。很荣幸，参加今天在这里举行的《贵州红十字运动研究》《抗战救护队》两本书的发行仪式和座谈会。两本书虽然表现手法不同，一是史学的笔法，一是文学的形式，但文史不分家，殊途同归，诠释了共同的人道主题。阶段性成果的面世，丰富并深化了中国红十字运动研究的内容，可喜可贺。希望贵州分中心，一是继续凸显特色，整理出版《救护总队档案资料丛书》，扩大图云关文化品牌的辐射力、影响力，为贵州省红十字事业国际化战略提供强有力的支撑，为"一路一带"建设贡献力量。二是结合贵州红十字运动的历史与实践，推出《贵州红十字运动研究丛书》，把历史研究与现实需要、未来发展对接起来，为贵州红十字事业提供理论指导和智力支持。三是积极动员相关方面的人力资源，筹备"人道需求与能力建设"国际学术研讨会。我坚信，在贵州省红十字会和有关部门的呵护、支持下，在贵州分中心研究团队的精诚合作、共同努力下，一定会开创贵州红十字运动研究的新局面，为繁荣红十字文化、促进红十字事业发展做出自己独特的贡献。

谢谢大家！

（2015 年 9 月 25 日在红十字运动研究中心贵州分中心揭牌仪式上的讲话）

"五大发展理念与红十字事业"研讨会总结发言

尊敬的各位领导、各位嘉宾:

"五大发展理念与红十字事业"研讨会,经过半天的学术研讨,即将闭幕。受组委会委托,这里做简短小结。

这次研讨会,虽然时间较短,但收效显著,归纳起来,有如下几个主要特点:

特点之一:学界和业界同仁济济一堂,共谋发展大计,我们认为这是一种非常好的模式。以往红十字会的工作交流或理论研讨,大多局限于系统内部,是典型的"体内循环"。学术界也是如此。大家单打独斗,各自为战,缺乏跨系统的交流与互动,不仅不利于红十字文化的广泛传播,而且限制了各自的眼界,制约了工作和理论研究更好地开展。2014年5月在上海嘉定举办的"'两轮一动'与红十字事业发展座谈会"和2015年9月在浙江嘉兴召开的"'依法治会'与红十字事业发展座谈会",就突破了这种局限,由业界和学界联手,共同主办,共同参与,共襄盛举,实现了"体外循环",这是一个超越。本次研讨会继承了这一模式并取得了新的成功。要说明的是,这次会议没有像嘉定、嘉兴会议那样采用"座谈会"的形式,而使用"研讨会"之名,是希望进一步强化理论色彩,进一步提升理论高度。尽管"座谈会""研讨会"名称不一样,但学界和业界、体制外和体制内携手的特色没有改变。本次研讨会的成功举办,再次证明这一模式的有效性,值得学界、业界共同推广。

特点之二:实地调研、经验分享与理论探索相结合,多有收获。相信通过下午的实地考察,我们一定会开阔眼界,分享盐都区红十字会成功的经验,毫无疑问这有助于理论研究的升华。特别令我们钦佩的是,这次研讨会,盐都区红十字会有力作呈现在与会代表面前。这在区县一级红十字会,可以说开风气之先,非常难能可贵。在学术交流环节,大家各抒己见，畅所欲言，也取得了积极的成果。无论各位代表的发言，还是座谈会交流文章，都有不少真知灼见。比如《以五大发展理念为引领推进红十字事业科学发展》《以"五大发展理念"为指引建设有中国特色的新型红十字组织》等文章，从总体上论述了五大发展理念对推进新时期中国红十字运动发展的重要引领作用。《创新发展：引领红十字事业发展的"第一动力"》《"四个更加"助推红十字事业发展——浅论开放发展与红十字事业》等文章，则对各大发展理念进行了具体而深入的探讨，为贯彻五大发展理念指明了方向；而《贵州红十字会"绿色家园行动"的路径选择与现实维度》《创新激发组织活力　聚力助推事业发展——以盐都区红十字会为例》则做了很好的诠释。再比如，红十字精神与社会主义核心价值观存在什么样的内在关联、红会党建与中立性原则是否格格不入、如何有效发挥红十字会在精神文明建设中的生力军作用等重大理论问题，《试析红十字精神与社会主义核心价值观的内在关联》《做精神文明建设的生力军》《红会党建与中立性原则之辨》等文章进行了清晰的论证，令人信服。又比如，公信力建设问题，是攸关红十字事业前途和命运的核心问题，如何提振公信力，一直是"网络风波"以来学界、业界关注的焦点。本次研讨会交流论文《公信力建设的另一个视角》《加强公信力建设，促进红十字事业发展》等，提出了很好的意见和建议，颇有参考价值。除此之外，红十字会应急能力建设、互联网时代基层红十字会信息化建设、新媒体与红十字会媒介管理、国际人道法传播、红会法修订等问题，也为同仁们所关注，并做出了有益的理论探索。还有中国红十字会参与厄瓜多尔地震、斯里兰卡洪灾、盐城"6·23"风雹灾害救援行动的观察思考，颇有启发。

郭长江副会长在 2016 年 7 月 15 日《中国红十字报》发表《讲好红十字故事　传播好红十字声音》的文章，指出："讲好红十字故事，传播好红十字声音，就是要讲好红十字运动历史。"要讲好红十字运动历史，就必须加强历史研究。本次研讨会，提交了多篇相关文章，如《全面抗战时期贝克参与中国红十字会人道救济事业考述》《中印战争与中国红十字外交》《当前我国地方红十字组织发展方略刍议：基于历史的启示》《以史为鉴加强红会制度建设》等文章，不仅深化了学术研究，而且也为我们"讲好红十字运动历史"提供了生动的素材。

应该强调的是，本次研讨会的主题是"五大发展理念与红十字事业"。与会代表围绕着这一中心议题，无论是会上会下，都进行了广泛地讨论，使大家对践行"五大发展理念"的重要性、必要性、紧迫性、可行性，以及"五大发展理念"对促进红十字事业发展无可替代的理论价值和实践意义，有了更清晰的认识，明确了工作方向。所有这些都表明，本次研讨会取得的成果是令人欣喜的。

特点之三：具有一定的"引领"、示范意义。《中国红十字事业发展规划（2016—2020年）》强调理论研究的重要性，提出"高度重视红十字运动理论研究，加强理论研究队伍建设"，并把"加强理论研究，加大红十字文化传播力度"作为未来五年的中心工作之一。如何推进理论研究的发展，举办"五大发展理念与红十字事业"这样的专题研讨会，就是一种有益的尝试。它在凝聚业界精英的同时，也为学界搭建了很好的学习交流平台，这次研讨会上，我们欣喜地看到一批博士、硕士加入到红十字理论研究中来，他们是红十字运动研究的重要力量。为了能够吸纳更多的同仁参与理论研究，加强理论研究队伍建设，作为研讨会主办单位的中国红十字会总会报刊社和苏州大学红十字运动研究中心，达成共识，每次座谈会或研讨会，《中国红十字报》推出专版，《红十字运动研究》杂志推出专栏，展示研究成果，扩大影响力，引领理论研究的潮流，对各地红会开展理论研究，一定会产生良好的"示范"效应。

红十字运动研究中心嘉定、嘉兴、盐都三个基地轮流承办学术研讨会，一个轮回圆满收官。衷心感谢三个基地对理论研究的鼎力支持。在新的轮回中，希望我们继续携手同心，希望继续得到中国红十字会总会及报刊社、红十字基金会、红十字国际委员会东亚地区代表处的鼎力支持，共同为繁荣红十字文化事业，为推进理论研究的深入开展，尽绵薄之力。

最后，我代表主办单位，对研讨会承办单位盐都区红十字会表示由衷的感谢，本次研讨会的顺利举办，他们付出了辛勤劳动，提供了周到而细致的服务，令人感动，令人难忘。盐城市红会及盐都区领导到会指导，也使我们深受鼓舞。同时代表主办单位、承办单位感谢各位嘉宾的积极参与，为研讨会的召开，你们奉献出自己的远见卓识和宝贵时间！在此祝各位代表、各位来宾事业发达，身体健康，阖家幸福，万事如意！"五大发展理念与红十字事业"研讨会学术研讨阶段到此结束，预祝各位同仁下午的实地考察，收获满满，留下美好的记忆。谢谢各位！

（2016年10月26日在盐都区红十字会承办的"五大发展理念与红十字事业"研讨会上的总结发言）

附　　录

奋力挖掘不该被遗忘的"角落"

——一位历史学者与红十字运动的缘分

我是一位学者，与"红十字"结缘，说来纯属偶然。

我是历史学出身，最初的研究方向是中国近代政治史，出版过《曾国藩传》《张乐行评传》《晚清枭雄苗沛霖》《幻灭与觉醒》等著作。1991 年，只有本科学历的我幸运地被南京大学破格录取，攻读博士学位，从此研究重心转移到更广阔的社会史领域，并以"冷门"的近代流民问题作为博士学位论文选题。

流民是什么？是弱势群体。兵灾匪祸战火不熄，自然灾害层出不穷，迫使他们背井离乡，浪迹天涯，流落街头，居无定所，命运多舛，经常陷于无以为生的艰难境地。在搜集整理流民资料的过程中，"红十字"进入我的视野。作为社会救助团体，她把"博爱"甘露洒向流民，给予他们生的希望。我觉得很新奇，对红十字会就有一种探究的冲动，萌发撰写一部《红十字与近代中国》学术著作的"奇想"，加上 1991 年长江流域大洪水，红十字人活跃的身影给人留下深刻而美好的记忆，更激发了我的研究兴趣。

在好奇心和兴趣的驱使下，我开始了与"红十字"的最初接触，发现这是一个比流民问题还冷的"冷门"，想找几篇文章看看都难！

通过整理资料，我又发现，红十字会是一个国际性组织，而中国红十字会居然存续了将近 90 年，这在中国社团发展史上，堪称历史悠久。

更不可思议的是，中国红十字会的诞生与那场同样不可思议的战争联系在一起，即 1904 年爆发的日俄战争。一场爆发在日、俄两国之间的战争，战场居然不在日本，也不在俄国，而是在中国。更奇怪的是，懦弱无能的清政府居然宣布"局外中立"，置身事外，竟然还在东北划出交战区，任凭两国在那里厮杀、践踏。这真是世界战争史上罕见的咄咄怪事。

战争引发了汹涌的难民潮，东北同胞走死逃亡，令人唏嘘。战争中，日本、俄国红十字会救护队穿梭往来，救护伤兵。可是东北难民呢？清政府宣布"中立"不能直接插手，中国传统的善会善堂能力弱小，有心无力，也没有资格进入战地。

生死存亡之际，上海万国红十字会登上了历史舞台。1904年3月10日，由中、英、法、德、美5国友人联手在上海发起成立的这一人道救助组织，成为东北救援的"诺亚方舟"，使身陷死亡边缘的46.7万名难民脱离苦海。而且历次战争、重大自然灾害中，都有红十字旗帜高高飘扬。可以说，"红十字"代表了希望，承载着人道的理想。但遗憾的是，这一在中国近代史上发挥了重大作用的人道组织，学界居然无人问津。我被红十字精神所感动着，意识到这个领域不该成为"被遗忘的角落"。

从最初的接触中发现的这片"新大陆"，的确令我兴奋，也看到了自己未来学术发展的新方向。我由此"走进"红十字。不过，学位论文选题已定，而且还没动笔就被浙江人民出版社约稿，这对一个青年学人而言，实在是难得机遇，撰写《红十字与近代中国》的愿望，只好埋在心底。

1994年，我博士毕业后回安徽师范大学执教，两年后调河北大学。工作变动以及教学、科研任务沉重，尤其是承担教育部"中国流民史"课题，无暇兼顾红十字研究计划，但没有动摇埋在心底的那份热情。

1999年，流民课题完成，终于把"红十字"研究重新拾起。这年金秋，我贸然致函中国红十字会总会，建议强化会史研究，并提出写作《红十字与近代中国》的构想，希望能够得到总会支持。这样的信很容易石沉大海，所以当时，我不敢心存奢望。

然而令我感动不已的是，这封原本无足轻重的小信，竟引起时任中国红十字会专职副会长孙柏秋女士的高度重视，孙副会长亲笔复函，表示支持，并表达了合作意向。激动万分的我当即打电话给安徽人民出版社，邀其加盟，汪鹏生社长二话没说，纳入出版计划。鉴于2004年中国红十字会即将迎来一百周年纪念，经商先写一部全面再现中国红十字会风雨历程的《百年红十字》，作为百年华诞的献礼书。于是，我带着研究生，信心满满地"泡"在图书馆，广泛搜集资料，从此正式走上了红十字运动研究之路。

2001年，我调到苏州大学，虽然工作有所变动，但没有影响研究计划的推进。2003年春，煌煌60万言的初稿完成。按照原计划，2004年出版，但就在书稿即将杀青之时，我应邀去台湾访问，并拜会了国际奥委会委员、台湾红十字组织领导人徐亨先生，从他那里得知，台湾红十字组织委托台湾近代史研究所张玉法院士在组织编写"百年会史"。这就意味着"撞车"了。我想，无论如何要抢在台湾之前出版。书稿经修改于当年9月出版发行，由此开辟了红十字运动研究的新领域。老会长、前卫生部长钱信忠为《百年红十字》作序，对此书称赞有加。

2004年，《红十字与近代中国》出版，我对红十字的研究"一发不可收"。2005年创建红十字运动研究中心，至今已有60余部著作面世，填补了许多空白。这是团队成员共同努力的结晶。在此过程中，中国红十字会总会、中国红十字基金会、江苏省红十字会、苏州市红十字会、苏州大学、苏大社会学院领导集体所给予的关心、支持，令人感动，令人难忘。

2015年"十大"，我被选举为中国红十字会十届理事会理事，成为一名真正的"红十字人"。这种缘分，如今想来，"偶然"中孕育着"必然"，竟是那样的美好！

（原载《中国红十字报》2017年4月4日）

后　记

　　本书是笔者继《中国红十字运动史散论》《红十字运动：历史与发展研究》《红十字运动：历史回顾与现实关怀》《红十字运动：历史审视与现实思考》之后推出的第五部有关红十字运动研究的专题文集。这本文集，收录了最近几年来笔者研究红十字运动的部分成果。

　　与前几部文集类似，根据论文的性质，文集大致归为理论探索、文化研究、能力建设、观察思考、历史纵横、学术评论等几大类，新增"杂文随笔"。有些论文是与弟子合作完成，文中一一注明了。

　　历史与现实是紧密相连，不能割裂的。几部文集的旨趣，大抵如此，都着眼于历史与现实的结合，尽可能实现历史与现实的对接。

　　在研究红十字运动过程中，笔者得到了卫生部原部长、中国红十字会原会长钱信忠，全国人大常委会原副委员长、中国红十字会原会长彭珮云，全国人大常委会原副委员长、中国红十字会原会长华建敏，全国人大常委会副委员长、中国红十字会会长陈竺等领导同志的关心、厚爱，得到了红十字国际委员会东亚地区代表处、红十字会与红新月会国际联合会东亚地区代表处、中国红十字会总会、中国红十字基金会、江苏省红十字会、苏州市红十字会、苏州大学、苏州大学社会学院、合肥工业大学出版社及学界师友的鼎力支持，得到了红十字运动研究中心全体同仁的协助，谨此鸣谢！

池子华

2018 年 1 月 18 日于苏州大学